| Lectures de *La Nouvelle Héloïse* | Reading *La Nouvelle Héloïse* Today |

Lectures de La Nouvelle Héloïse | Reading La Nouvelle Héloïse Today

publié sous la direction de | **edited by**

Ourida Mostefai

Pensée libre, n° 4

Association nord-américaine des études Jean-Jacques Rousseau
North American Association for the Study of Jean-Jacques Rousseau

Ottawa 1993

CANADIAN CATALOGUING IN
PUBLICATION DATA

Main entry undert title:

   Lectures de la Nouvelle Héloïse =
Reading La Nouvelle Héloïse today

(Pensée libre ; no. 4)
Text in French and English.
Includes bibliographical references.
ISBN 0-9693132-3-3

   1. Rousseau, Jean-Jacques, 1712-1778.
Nouvelle Héloïse. I. Mostefai, Ourida
II. North American Association for the
Study of Jean-Jacques Rousseau. III.
Title: Reading La Nouvelle Héloïse
today. IV. Series.

PQ2039.L43 1993
848'.509   C94-900020-5E

DONNÉES DE CATALOGAGE
AVANT LA PUBLICATION (CANADA)

Vedette principale au titre:

   Lectures de la Nouvelle Héloïse =
Reading La Nouvelle Héloïse today

(Pensée libre ; no. 4)
Texte en français et en anglais.
Comprend des références
bibliographiques.
ISBN 0-9693132-3-3

   1. Rousseau, Jean-Jacques, 1712-1778.
Nouvelle Héloïse. I. Mostefai, Ourida
II. Association nord-américaine des
études Jean-Jacques Rousseau. III. Titre:
Reading La Nouvelle Héloïse today. IV.
Collection.

PQ2039.L43 1993
848'.509   C94-900020-5F

Ouvrage publié grâce au concours de l'Association nord-américaine des études Jean-Jacques Rousseau, grâce à une subvention des Services Culturels français de Boston, et grâce à l'aide de la Faculté des Arts et des Sciences de Boston College.

The publication of this volume was made possible by the cooperation of the North American Association for the Study of Jean-Jacques Rousseau, by a grant from the French Cultural Services in Boston and by the support of the Graduate School of Arts and Sciences at Boston College.

ISBN 0-9693132-3-3

Collection « Pensée libre » dirigée par Guy Lafrance.
Revision de textes, typographie et mise-en-page par Daniel Woolford.

Pensée libre series editor: Guy Lafrance.
Text editing, typesetting and layout by Daniel Woolford.

Imprimé au Canada
Printed in Canada

PRÉFACE

Lire *La Nouvelle Héloïse* aujourd'hui constitue, à bien des égards, une gageure. Comment, en effet, ne pas être rebutté d'emblée par la longueur du roman[1], par le caractère peu événementiel de son intrigue : « Six volumes sans épisode, sans aventure romanesque[2] », et par l'insolite juxtaposition d'un drame sentimental à des dissertations morales et politiques? Ne faudra-t-il pas bien du courage et de la ténacité de la part du « lecteur d'un bon naturel[3] » auquel s'adresse Rousseau pour entreprendre et mener à bien la lecture de ce monument? Ainsi n'est-on pas réellement étonné d'apprendre que bien des lecteurs modernes avouent ne pas goûter la lecture de ce roman jugé « ennuyeux » et relevant d'une sensibilité désuète[4].

Par ailleurs, parmi ceux qui auront goûté la lecture de ce roman, d'aucuns ne ront pas d'être troublés par le dénouement du récit qui semble apporter un démenti à la portée morale du texte. Comment un roman qui se prétend édifiant peut-il se clore sur la déclaration de Julie qui proclame, contre toute attente, que la vie dans la simple vertu ne vaut pas la peine d'être vécue? Cette révélation posthume si inattendue semble remettre en question le projet de moralisation que s'était donné Rousseau dans ce texte, ou tout au moins le réduire à une moralité problématique et ambiguë.

Cette ambiguïté de la moralité du roman nous amène à sa forme même. Le roman surprend parce qu'il n'est pas un roman comme les autres : ira-t-on jusqu'à affirmer avec « N » que « ce Roman n'est point un roman?[5] » Certes, ce texte semble se refuser à une simple classification générique par la manière dont il mêle un discours de la sensibilité

---

1. Le roman occupe six volumes dans l'édition originale (à Amsterdam, chez Marc-Michel Rey, 1761) et sept cents pages dans l'édition de la Pléiade (*O.C.* II).
2. *Confessions*, *O.C.* I, 644.
3. *La Nouvelle Héloïse*, *O.C.* II, 745, note finale de Rousseau.
4. Voir à ce sujet l'article d'Aubrey Rosenberg, « *Julie, ou la Nouvelle Héloïse* today », *University of Toronto Quarterly* 60, 2 (Winter 1990-91) : 37-45, dans lequel l'auteur étudie la réception moderne de l'ouvrage et la contraste à son énorme succès populaire au XVIIIe siècle.
5. Seconde préface, *O.C.* II, 12.

et de la passion à des dissertations morales et politiques, elles-mêmes accompagnées de commentaires éditoriaux : autant de digressions et de distractions à la forme classique du roman. Il ne s'agit pas ici simplement d'un roman dans lequel on discute de philosophie (en insérant des réflexions sur les mœurs des nations, et des méditations politiques sur les divers systèmes de gouvernement) mais d'un texte qui introduit bel et bien la politique au cœur du drame romanesque. Le réquisitoire de Saint Preux contre l'inégalité sociale et les privilèges, qui poursuit la condamnation des inégalités sociales amorcée dans les *Discours* en la développant, figure de manière centrale dans l'intrigue : « Depuis que les sentiments de la nature sont étouffés par l'extrême inégalité, c'est de l'inique despotisme des pères que viennent les vices et les malheurs des enfants (« Seconde préface », *O.C.* II, 24). En outre, la forme épistolaire s'apparente ici à deux traditions distinctes : celle de l'échange amoureux d'une part, et de l'épître didactique de l'autre. *La Nouvelle Héloïse* joint ces deux courants, mêlant indissolublement le dialogue amoureux au débat philosophique : de ce mélange nait une forme plus libre, plus totale, mais aussi plus ambiguë.

Si ce livre n'est pas un simple roman, ce n'est pas non plus un simple livre de philosophie. La visée philosophique n'a pas été abandonnée, mais déplacée : l'éditeur de la préface dialoguée le dit bien : « J'ai changé de moyen, mais pas d'objet » (*O.C.* II, 17). Convaincu tout autant de l'inutilité des livres de philosophie et de morale et de la nocivité des romans, Rousseau n'en a pas pour autant abandonné son rôle de prédicateur. Il n'a fait que le déléguer provisoirement à Julie, qui devient prêcheuse des idées de Jean-Jacques. Rousseau se propose d'accomplir le même objet mais par d'autres moyens. À ce dessein, il transforme le genre romanesque en l'investissant d'une visée pédagogique : « Quand j'ai tâché de parler aux hommes on ne m'a point entendu; peut-être en parlant aux enfants me ferai-je mieux entendre » (*O.C.* II, 17). Ceci est reconnu par l'*Encyclopédie* qui, dans son article consacré au roman, semble adopter le point de vue exprimé par Rousseau dans sa préface en définissant le roman comme « la dernière instruction qui reste à donner à une nation assez corrompue pour que tout [*sic*] autre lui soit inutile[6] ». Le rôle du philosophe se trouve ainsi transformé en administreur de remèdes, la fiction devenant par la même

---

6. Article « Roman » du chevalier de Jaucourt, 342a. *Encyclopédie*, Vol. XIV (1765) : 341b-343a. Notons que Rousseau est le seul romancier français du XVIII\ :sup:`e` siècle à être cité par Jaucourt, et qu'il est cité de manière fort élogieuse.

occasion le subterfuge par lequel cette médecine amère se voit administrée. Il reste à savoir si ce breuvage administré est salutaire ou bien ou contraire un dangereux poison, question que se pose Julie elle-même en clôture du roman au sujet de la coupe de vin qui lui est administrée. « On m'a fait boire jusqu'à la lie la coupe amère et douce de la sensibilité » (*OC* II, 733), chuchote Julie à Wolmar, et ce seront ses derniers mots.

En redéfinissant ainsi le rôle de la fiction, Rousseau pose avec acuité la question de son statut : « Cette œuvre est-elle réelle ou bien est-elle une fiction? » Cette question, reprise dans chacune des deux préfaces (*O.C.* II, 5 et 11), est délibérément éludée puis laissée en suspens, Rousseau refusant de la trancher. Si cet ouvrage nous paraît si résolument moderne, c'est en partie par son refus de sa propre délimitation. La discussion sur l'épigraphe est à cet égard révélatrice : « qui peut savoir si j'ai trouvé cette épigraphe dans le manuscrit, ou si c'est moi qui l'y ai mise? Qui peut dire, si je ne suis point dans le même doute où vous êtes? Si tout cet air de misère n'est peut-être pas une feinte pour vous cacher ma propre ignorance sur ce que vous voulez savoir » (*O.C.* II, 29). Le statut du texte n'est pas fixé mais reste sans cesse à redéfinir.

En dédaignant les procédés classiques de l'accréditation romanesque, Rousseau problématise le statut de la fiction. L'étude de la composition de *La Nouvelle Héloïse* a montré que son écriture était inséparable de l'œuvre et de la vie de l'auteur, indissociable de l'élaboration de l'œuvre théorique, et de la correspondance réelle. La composition du roman (du début de l'écriture en 1756, à la publication en 1761) correspond à la période de rupture avec les Encyclopédistes, à sa confrontation avec ses contemporains les philosophes sur la question des Lumières et du statut de l'homme de lettres dans la société. Mais, au même moment, Rousseau est également engagé dans l'écriture de ses grandes œuvres théoriques, notamment son projet d'Institutions politiques (dont sera issu le *Contrat Social*) ainsi que son système d'éducation. *La Nouvelle Héloïse* est profondément imbriquée dans la pensée et l'œuvre théorique de Rousseau.

L'Association nord-américaine des études Jean-Jacques Rousseau a consacré un colloque à *La Nouvelle Héloïse*[7] afin de rendre hommage

---

7. Ce colloque de l'Association nord-américaine des études Jean-Jacques Rousseau est, à notre connaissance, le seul à avoir été consacré à *La Nouvelle Héloïse*. Notons que les Études Jean-Jacques Rousseau ont consacré, sous la direction de Tanguy L'Aminot, un numéro entier au roman : *Études Jean-Jacques Rousseau* 5 (1991).

à cette œuvre, pour sa valeur romanesque tout autant que pour son importance philosophique. De ce fait, ce roman qui a longtemps été exclu de l'analyse de la pensée de Rousseau n'est pas seulement un roman dans lequel on discute de philosophie, mais un roman qui s'inscrit dans le projet philosophique. Roman, *La Nouvelle Héloïse* s'inscrit dans le projet politique, éthique et romanesque de Rousseau et dans notre modernité. Ceci explique que ce roman puisse constituer un objet d'études pour des disciplines aussi diverses que le montre ce recueil.

Ourida Mostefai

I

INTRODUCTION

La Nouvelle Héloïse devant la critique
et l'histoire littéraires au XIXe siècle

LA NOUVELLE HÉLOÏSE

DEVANT LA CRITIQUE ET

L'HISTOIRE LITTERAIRES

AU XIXe SIÈCLE

Faut-il rappeler combien fut considérable, en 1761, le succès de *La Nouvelle Héloïse*? «J'ai connu des personnes sensibles, note Gudin de la Brenellerie une quinzaine d'années plus tard, qui n'avaient jamais osé en faire une seconde lecture, tant elles avaient été affectées de la première». À peine le roman a-t-il paru qu'il est entre toutes les mains et «tel libraire avide», Mercier en témoigne, demandait jusqu'à douze sous par volume pour une heure de lecture. L'œuvre a libéré le culte du sentiment et de la sensibilité, enseigné le bonheur des larmes : «D'émotions en émotions, de bouleversements en bouleversements, écrit le général baron Thiébault dans ses *Mémoires*, j'arrivai à la dernière lettre de Saint-Preux, ne pleurant plus, mais criant, hurlant comme une bête». Jean-Jacques était devenu un directeur de conscience, un guide, le prophète d'une régénération morale.

Parmi les critiques et les hommes de lettres, certains n'ont pas marchandé leur admiration : d'Alembert, Duclos, Fréron, Panckoucke se sont émus. Mais d'autres, jugeant en techniciens, ont regretté le dédain des règles, dénigré la psychologie ou les caractères, déploré l'abondance des «homélies philosophiques» et des «dissertations». D'autres encore — Bonnet, Marmontel, Borde, La Harpe ou même Voltaire — ont parlé de «peintures lubriques», se sont effarés de «maximes souvent dangereuses». Œuvre d'art imparfaite, l'*Héloïse* offrait encore un pernicieux «mélange de vice et de vertu», redoutable aux âmes innocentes, sur lequel quelques-uns, même dans le public, jetaient sévère condamnation. «Rien de plus contraire aux bonnes mœurs que son Héloïse», décrète Mme Du Deffand, et Mme Necker, mère de Mme de Staël, renchérit : «Rien de moins moral que *La Nouvelle Héloïse*; c'est un édifice de vertu élevé sur les fondements du

vice[1] ». Ce bref survol nous le rappelle : quel que soit son succès —
des dizaines d'éditions jusqu'à la fin du siècle —, quel que soit son
impact sur le roman, les mentalités et les mœurs, la *Julie* ne fait pas
l'unanimité.

Il n'est pas rare qu'une œuvre portée aux nues glisse bientôt dans
l'oubli : qui lit encore *Corinne* ou *Hernani* ? Certes, il n'y a pas à
s'inquiéter de la survie du Rousseau politique du second *Discours* et
du *Contrat social*. Exécré ou admiré, il n'a jamais disparu et sa pensée,
faste ou néfaste, a toujours été jugée d'actualité. Mais *La Nouvelle
Héloïse* est un roman, donc soumise à l'évolution du goût, des
esthétiques, de la mode, de la morale. Les statistiques paraissent
apporter des informations réconfortantes. J. Sgard compte, de 1778 à
1978, cinquante-cinq éditions distinctes, soit une tous les trois ans et
demi — beaucoup plus, cela va sans dire, si l'on ajoute à ce chiffre
celui des retirages, difficiles à dénombrer, et celui des éditions d'œuvres
complètes. Car si Rousseau, avec les autres philosophes, subit une
éclipse sous l'Empire, son roman a tout de même, recensées par J.
Roussel, cinq éditions de 1804 à 1814, six de 1814 à 1824, toujours
sans parler de ces *Œuvres complètes* qui pullulent sous la Restauration[2].
On l'achète donc, mais le lit-on? À l'époque, faire l'emplette d'un
Voltaire ou d'un Rousseau revient aussi à afficher une opinion religieuse ou politique ou, plus simplement, à meubler un rayon de
bibliothèque. Dans *Un début dans la vie,* Balzac fait dire à l'un de ses
personnages : « Qui ouvre jamais son Voltaire ou son Rousseau?
Personne ». Dans *César Birotteau,* on sourit en voyant la gentille
Césarine acheter de ses petites économies « cette bibliothèque vulgaire
qui se trouve partout et que son père ne lirait jamais ».

Si l'indice le plus précieux de la survie d'une œuvre est fourni par
le nombre de celles qu'elle continue à nourrir et à influencer, il n'est
peut-être pas inutile de chercher à savoir, fût-ce très brièvement, quel

---

1.   Sur l'accueil réservé à *La Nouvelle Héloïse*, on consultera : S.S.B. Taylor, « Rous-
      seau's contemporary reputation in France », *SVEC*, XXVII, 1963, pp. 1545-1574;
      A. Attridge, « The reception of *La Nouvelle Héloïse* « , *SVEC*, CXX, 1974, 1974;
      Cl. Labrosse, *Lire au XVIIIe siècle :* La Nouvelle Héloïse *et ses lecteurs.* Lyon,
      1985; R. Trousson, *Rousseau et sa fortune littéraire.* 2e éd. Paris, 1977, pp. 23-34;
      Jean-Jacques Rousseau. Paris, 1988-1989, t. II, pp. 105-124.
2.   J. Sgard, « Deux siècles d'éditions de *La Nouvelle Héloïse* », dans : *Voltaire et
      Rousseau en France et en Pologne.* (Colloque de Nieborow, octobre 1978).
      Varsovie, 1982, pp. 123-134; J. Roussel, *Jean-Jacques Rousseau en France
      après la Révolution.* Paris, 1972, pp. 220, 429-430.

accueil les grands créateurs de la première moitié du XIXe siècle ont réservé à *La Nouvelle Héloïse*. Chateaubriand a été dans sa jeunesse grand amirateur de « la dévote Julie », mais il s'est repris et en 1809, dans la *Défense du Génie du christianisme*, il tance Jean-Jacques d'avoir mis à la mode « ces rêveries désastreuses et si coupables » qui mènent les jeunes gens au suicide — curieuse palinodie sous la plume de l'auteur de *René*. Inutile de parler de Senancour : *Aldomen* n'existerait pas sans l'*Héloïse*. Stendhal l'a lue dès 1794 « dans des transports de bonheur et de volupté impossibles à décrire » et il assure encore en 1803, en dépit de l'influence des Idéologues : « Ce livre ne vieillira pas de dix ou douze siècles ». Il vieillirait pourtant, et d'abord pour Stendhal lui-même qui, une douzaine d'années plus tard, juge Rousseau « emphatique », son style « boursouflé », ses lettres « affectées » et qui, en 1837, assure que la *Julie* a rejoint dans l'oubli les romans de Mme Cottin. Dans *Le Rouge et le Noir*, il fait de l'œuvre, avilie par trois générations de « faux sensibles », le vade-mecum du séducteur sans imagination et Julien la récite à Amanda Binet avant de la réciter à Mathilde. Que dire de Lamartine, qui s'écrie en 1810 : « Grands dieux! quel livre! comme c'est écrit! Je suis étonné que le feu n'y prenne pas »? Jeune, il vivra ses amourettes sur le ton de Saint-Preux et en 1816 encore, *Raphaël* aura, pour retracer l'aventure avec Julie Charles, l'atmosphère, le décor et le style du roman rousseauiste. Mais le vieux poète, amer, n'y verra plus — l'ingrat — qu'« un livre immoral et raisonneur sur l'amour ». Le peintre Delacroix, féru de littérature, s'est d'abord enflammé à la lecture de « ces lignes brûlantes »; vieilli, il détestera Jean-Jacques et le romantisme, son « sérieux pédantesque et attendri », ce roman qui fut « l'école de l'amour malade ». À dix-huit ans, Michelet a lu *La Nouvelle Héloïse* « avec délire », mais l'historien du dix-huitième siècle et de la Révolution en vient à haïr une œuvre où Julie incarne « la réaction chrétienne », où Rousseau prêche « un pitoyable radotage » qui en a inspiré « tant d'autres, pleureurs, malades, mélancoliques, égoïstes, qui vont se pleurant eux-mêmes, cherchant l'oubli ». Hugo — c'est plus simple — a toujours été imperméable au charme d'un récit qui, lu dans l'adolescence, lui a paru distiller « l'ennui sous toutes ses formes ». Balzac au contraire a nourri ses premières œuvres — *Sténie, Wann-Chlore, Le Vicaire des Ardennes* — d'une *Héloïse* qu'il sait presque par cœur. Mais vient la maturité, et ce curieux paradoxe : le roman de Rousseau est exploité dans *Le Lys dans la vallée*, dans les *Mémoires de deux jeunes mariées, Le Médecin de campagne* ou *Les Paysans,* mais Balzac critique littéraire parle avec dédain de

« l'amour discuteur et phraseur », voit en Julie et Claire « des entélé-
chies [sans] chair ni os », dénonce l'influence délétère de l'œuvre sur
les mœurs et y trouve le germe de ce « sandisme » romantique dont
l'idéalisme faux corrompt les jeunes filles de province. George Sand,
elle, peut se dire « fidèle [à Rousseau] comme au père qui [l'] a
engendrée », ce qui ne l'empêche pas, dans *Jacques*, en 1834, de
contester expressément l'*Héloïse*. Il est vrai cependant, l'influence,
acceptée ou rejetée, est durable : Nerval, vers 1830, puise chez
Rousseau pour *Dolbreuse ou le Roman à faire* et, en 1849, nourrit
encore de la *Julie* son *Marquis de Fayolle*...

La conclusion s'impose sans peine. Sauf chez Hugo, depuis
toujours réfractaire, l'engouement pour *La Nouvelle Héloïse* est un
embrasement de jeunesse, une flamme d'adolescence bientôt soufflée
par la maturité. L'œuvre agit longtemps, mais contestée et transformée
et, il serait aisé de le montrer, seule survit vraiment la première partie,
celle qui passe pour une apologie de la passion, non — sauf chez le
réactionnaire auteur de *La Comédie humaine* — la seconde et son
hypostase du couple, de la famille et de la vertu.

L'œuvre cependant n'agit pas que sur les créateurs. L'éloignement progressif dans le temps l'entraîne peu à peu dans le processus
de codification de la culture. Une classification s'opère, effectuée tantôt
par les érudits et les professeurs, tantôt par les vulgarisateurs dispen-
sateurs du modèle culturel et, naturellement, par la scolarité. Histoires
littéraires, morceaux choisis, manuels, « résumés », « aide-mémoire »
condensent les choix culturels d'une société et l'image qu'elle prétend
se faire de son propre passé. Par leur canal se transmettent images et
stéréotypes, expressions de cette société et des valeurs qu'elle entend
sauvegarder et promouvoir. Balzac l'a fort bien illustré dans *César
Birotteau* par le personnage du boutiquier Matifat, qui accumule les
clichés et cite pompeusement les auteurs qu'il n'a jamais lus :

> Jamais il ne disait Corneille, mais le sublime Corneille! Racine était le doux
> Racine. Voltaire! oh! Voltaire, le second dans tous les genres, plus d'esprit que
> de génie! Rousseau, esprit ombrageux, homme doué d'orgueil et qui a fini par
> se pendre.

Ces ouvrages, destinés à la propagation de la culture officielle et
reflets d'une option idéologique, présentent à chaque époque un ensemble de traits communs, propres au genre. Davantage faits pour aider la
mémoire que pour éveiller la réflexion, ils répartissent les matières avec

une clarté artificielle qui suppose la simplification et l'interprétation univoque, la réduction de l'œuvre ou de l'auteur à un trait accepté pour dominant — le « sublime » Corneille, le « doux » Racine. S'adressant à des jeunes et cherchant la confiance des parents, ils véhiculent des points de vue conformistes, d'une apaisante généralité, évitent les jugements trop personnels. Le XIXe siècle, en particulier, ne sépare pas l'esthétique de la morale, la qualité littéraire du respect de l'ordre établi, et certains sujets, abordés ou effleurés par exemple dans *La Nouvelle Héloïse* — religion, éthique, sexualité, politique — paraissent difficiles à introduire dans les classes — d'où la nécessité d'affadir, d'édulcorer, de choisir les passages les plus innocents, quitte à dénaturer l'ensemble. À un XVIIIe siècle progressiste et libre penseur qui a mené à la Révolution, les manuels préfèrent un rassurant XVIIe siècle conservateur et chrétien. C'est déjà la position de Chateaubriand dans le *Génie du christianisme* : « Aussi le dix-huitième siècle diminue-t-il chaque jour dans la perspective, tandis que le dix-septième semble s'élever, à mesure que nous nous en éloignons ». C'est ce que répète le *Manuel* de Calvet en 1948 : « L'art du dix-huitième siècle ne peut pas remplacer celui du dix-septième dans l'éducation de l'esprit. La plupart des idées qu'il exprime sont de celles qui soulèvent la réprobation d'un grand nombre et qui divisent les âmes[3] ».

Enfin ces livres sont conçus, non pour faire place aux avant-gardes, aux excentriques ni surtout aux boute-feu, mais pour durer. Sans souci du retard accumulé par rapport à la recherche, ils imposent souvent une certaine perspective à un grand nombre de générations qui se trouvent ainsi, à cinquante ans de distance, partager la même communauté des évidences culturelles : enfant, j'ai appris les mêmes vers de Sully Prudhomme que mon grand-père. Les *Leçons* de Noël et La Place, ancêtres du genre, sont publiées en 1804 et sévissent toujours en 1862. Cette longévité ne s'est pas abrégée au XXe siècle. Le manuel de M. Braunschwig, publié en 1920, est encore en service en 1953; celui d'Abry, Audic et Crouzet, sorti en 1912, atteint les 400 000 exemplaires en 1940; l'*Histoire* de Des Granges, apparue en 1910, aura

---

3.   Chateaubriand, *Essai sur les révolutions — Génie du christianisme*. Publ. par M. Regard. Paris, Pléiade, 1978, p. 871; J. Calvet, *Manuel illustré d'histoire de la littérature française*. 17e éd. Paris, 1948, p. 429. Sur les caractéristiques des manuels scolaires, on consultera l'excellente étude de J. Sareil, « Le massacre de Voltaire dans les manuels scolaires », *SVEC*, CCXII, 1982, pp. 83-161. Voir aussi R. Fayolle, « Les Confessions dans les manuels scolaires de 1890 à nos jours », *Œuvres et Critiques*, III, 1978, pp. 63-86.

46 éditions jusqu'en 1947, et le record est peut-être détenu par les *Eléments d'histoire littéraire* de R. Doumic : publiés en 1888, il s'en était vendu, en 1937, la bagatelle de 900 000 exemplaires à au moins 900 000 lycéens et étudiants qui, devenus à leur tour parents ou enseignants, ont pu répercuter leur message pendant une ou deux décennies encore.

Dans ses manuels, la première moitié du XIXe siècle n'a pas fait à *La Nouvelle Héloïse* un sort enviable. Les temps, il est vrai, étaient particulièrement défavorables à l'ancienne idole révolutionnaire. Dès la signature du Concordat, les ouvrages de piété se sont multipliés et l'Empire s'est montré plus que défiant à l'égard de la pensée des Lumières : aux difficultés du commerce de la librairie s'ajoute le souci de contrôler étroitement l'esprit public. La Restauration, s'appuyant sur la puissante Société des missions et sur la Congrégation, agissant sur l'opinion par des journaux influents, dénonce dans les écrivains du siècle précédent les pires apologistes de la subversion et de la sédition. Les conférences de Mgr Frayssinous à Saint-Sulpice, violemment hostiles, sont réunies en trois volumes en 1825 et seront rééditées jusqu'en 1884[4], Rousseau y apparaissant parmi les plus redoutables destructeurs des valeurs morales, politiques et civiles.

L'inquiétude est d'autant plus grande qu'à la certitude du complot philosophique fauteur de la tourmente révolutionnaire, se joint le soupçon d'une nouvelle conjuration contre la société restaurée. J. Roussel l'a montré[5], l'essor de l'édition, favorisé par le développement des techniques, aide à submerger le marché sous les écrits de Voltaire et de Rousseau. Lorsque Belin annonce en 1817 son édition bon marché de Rousseau, digne pendant de celle de Desoër pour Voltaire, les autorités ecclésiastiques publient un *Mandement* adjurant les fidèles de résister à la diabolique séduction des mauvais livres. Cette malencontreuse instruction pastorale n'a pas tardé à être chansonnée par le Genevois Chaponnière, puis par Béranger, qui rendent plaisamment Rousseau et Voltaire responsables de tous les maux et les éditions malfaisantes continuèrent de proliférer. En 1821, Mgr de Boulogne accable Rousseau, professeur « d'insubordination et de révolte, [...]

---

4.   Voir A. Garnier, *Frayssinous : Son rôle dans l'Université sous la Restauration (1812-1828)*. Paris, 1925; R. Trousson, « Jean-Jacques et les évêques : de Mgr Lamourette à Mgr Dupanloup », *Bull. de l'Aca. Royale de Langue et de Littérature Françaises,* LXI, 1983, pp. 278-303.

5.   J. Roussel, *op. cit.* , pp. 429-434. Voir aussi A. Billaz, *Les écrivains romantiques et Voltaire*. Paris, 1975, t. I, pp. 35-36.

d'impiété jusqu'au délire et d'irréligion jusqu'au fanatisme », et bientôt la Société des Bonnes Lettres réédite les apologistes en brochures populaires destinées à endiguer le flot de la perversion morale et politique.

Dès lors, tout ce qui peut desservir Rousseau, l'évident fourrier de la Terreur, est accueilli avec joie. En 1809, Barante a jugé sa vie « remplie de détails ignobles et de fautes impardonnables » et l'année suivante, les *Rousseauana* de Cousin d'Avallon ont colporté les anecdotes scandaleuses. En quelques années, diverses publications aident à salir son image et à conditionner l'opinion : en 1812, la *Correspondance littéraire* de Grimm; en 1818, le *Supplément au Cours de littérature* de La Harpe, les pseudo-*Mémoires* de Mme d'Epinay et les *Mémoires* de Morellet; en 1821, les *Mémoires* de Marmontel; en 1825, l'article haineux de Sévelinges dans la *Biographie universelle* de Michaud[6]... Loin d'apparaître en vestige fossilisé, le haïssable Jean-Jacques est au cœur des débats politiques et religieux les plus actuels et reste un mythe mobilisateur d'une redoutable efficacité. Dans de telles circonstances, quoi de surprenant si les manuels, à défaut de pouvoir l'ignorer, veillent à préserver les jeunes esprits de sa fatale influence?

En 1804 paraissent, en deux forts volumes, les *Leçons de littérature et de morale* de Noël, ecclésiastique défroqué qui deviendra en 1831 inspecteur général de l'Université royale de France, et de La Place, qui occupera en 1810 la chaire d'éloquence à la faculté de Paris. L'ouvrage énonce d'emblée les principes idéologiques et politiques dirigeant ses choix :

> Chaque morceau de ce recueil, en offrant un exercice de lecture soignée, de mémoire, de déclamation, d'analyse, de développement oratoire, est en même temps une leçon d'humanité ou de justice, de religion, de philosophie, de désintéressement ou d'amour du bien public, etc. Tout, dans ce recueil, est le fruit du génie, du talent, de la vertu; tout y respire et le goût le plus exquis, et la morale la plus pure. Pas une pensée, pas un mot qui ne convienne à la délicatesse de la pudeur et à la dignité des mœurs[7].

---

6. Pour un résumé de la situation, voir R. Trousson, *Le Tison et le Flambeau : Victor Hugo devant Voltaire et Rousseau.* Bruxelles, 1985, pp. 17-28.

7. *Leçons de littérature et de morale.* Paris, 1804, 2 vol., t. I, pp. viii-ix. Pour une évaluation d'ensemble, voir J. Ehrard, « La littérature française du 18e siècle dans l'enseignement secondaire en France au 19e : le manuel de Noël et La Place », *SVEC*, CLII, 1976, pp. 663-676.

On ajoutera : rien non plus qui aille à l'encontre de l'ordre établi. Le Rousseau politique est donc rigoureusement absent. Plusieurs extraits figurent cependant sous les rubriques Tableaux, Descriptions, Philosophie morale ou Discours, d'où émerge un Jean-Jacques stoïcien, chrétien, végétarien, admirateur des couchers de soleil et satisfait de la maisonnette aux contrevents verts. De *La Nouvelle Héloïse*, un bref passage, soigneusement réduit aux éléments descriptifs, des « rochers de Meillerie ». Au fil des éditions s'ajoutera un autre extrait, toujours aussi peu compromettant, tiré des discussions sur le suicide, préalablement expurgées. Il en résulte un Rousseau décoloré, inoffensif, méconnaissable, mais orthodoxe et récupérable, quoique la table de l'édition de 1847 croie encore utile de joindre à son nom cette sobre définition : « Ecrivain éloquent, sophiste impie et dangereux ». Les jeunes âmes étaient à l'abri!

C'est peu, et pourtant Noël et La Place restent, jusqu'en 1848, parmi les plus explicites. En 1825, un Belge, Auguste Baron, est seul à trouver dans l'*Héloïse* « le moyen qui pourrait ramener aujourd'hui les esprits sensibles aux idées religieuses », tandis que, dix ans plus tard, Henry Aigre concède : « l'*Héloïse* a des défauts, mais ils sont amplement rachetés par l'éloquence et la sensibilité ». Dans ces deux cas, quelques mots paraîtront bien peu de chose pour évoquer un roman aussi complexe et aussi riche. De la sensibilité et de la religion : la *Julie* est ramenée à un discours rassurant, qu'on se garde bien d'ailleurs d'approfondir et de développer. Quant à Villemain, dans son cours professé à la Sorbonne en 1828-1829, s'il analyse longuement la *Lettre à d'Alembert* et l'*Émile*, il expédie la *Julie*, livre « sans invention » en cinq lignes[8].

Déception? Ce n'est rien encore. F. Barthe (1838), E. Géruzez (1839, 1849), D. Nisard (1841), M. Chapsal (1847) contiennent bien, ici ou là, quelques lignes sur la biographie ou une allusion sévère aux idées politiques, mais pas un mot sur *La Nouvelle Héloïse*, qui n'est même pas toujours citée. C'est encore un Belge, Henri Moke, qui, tout à la fin de cette période, en proposera l'explication — si l'on ose dire — la plus diserte. Rousseau s'est intéressé, dit-il, à la question morale du triomphe de la volonté sur les passions :

Il l'avait développée avec une sorte d'excitation fébrile dans *La Nouvelle Héloïse*, ouvrage du genre romanesque, mais où les mouvements du cœur humain sont

8.   Nous citons d'après le *Tableau de la littérature française au XVIIIe siècle*. Paris, 1852, t. II, p. 255.

quelquefois étudiés avec profondeur, en même temps que dépeints avec une magie de pinceau sans égale. Il s'applique à nous y montrer la vertu luttant contre l'amour. Mais il n'y donne point la solution du problème, la mort venant enlever son héroïne sans qu'elle ait trahi ses devoirs, mais avant qu'elle ait pu étouffer la flamme mal éteinte qui remplit encore son âme d'inquiétude. Sa probité d'écrivain recule donc devant la crainte de mentir en proclamant l'empire absolu de la raison[9].

Pour l'ensemble d'une époque où le roman de Rousseau continue d'inspirer les créateurs, le bilan est maigre : *La Nouvelle Héloïse* semble pratiquement rayée du corpus des œuvres ou, dans le meilleur des cas, résumée en un traité de morale sur lequel on se garde cependant de s'appesantir. Alors que, selon la bibliographie de J. Sénelier, il paraît quatorze éditions de l'œuvre entre 1824 et 1848, il faut bien constater qu'elle est censée, pour le public des élèves, ne pas faire partie du bagage autorisé : les sujets qu'elle traite, c'est clair, ne sont compatibles ni avec l'ordre, ni avec les bonnes mœurs. Enfin, pour ce qui regarde l'art, la technique romanesque, la composition, le style, la psychologie, les réflexions sur la société, la musique, le monde, les idées, c'est simple : il n'en est même pas question.

Il n'est guère douteux que *La Nouvelle Héloïse*, rangée par certains dans la catégorie des œuvres secondaires en raison de son appartenance au genre romanesque, n'ait aussi pâti de l'hostilité quasi générale manifestée au penseur politique et religieux que condamnaient Constant, Bonald, Maistre ou Lamennais et que rejetaient aussi Balzac ou Lamartine. Pour les conservateurs, derrière Rousseau flamboie toujours le souvenir de la Terreur ou, pour un libéral comme Benjamin Constant, celui du fondateur du despotisme populaire.

Mais 1848 approchait. Albert Schinz croyait, il y a un demi-siècle, déceler alors « un retour de faveur pour l'auteur du *Contrat social*, [...] une levée de boucliers pour défendre Rousseau[10] ». Hélas, outre qu'il

9.   A. Baron, *Résumé de l'histoire de la littérature française*. Bruxelles, 1825, p. 248; H. Aigre, *Précis de l'histoire de la littérature française*. Paris, 1835, p. 123; F. Barthe, *Histoire abrégée de la langue et de la littérature françaises*. Paris, 1838; E. Géruzez, *Essais d'histoire littéraire*. Paris, 1839; *Études littéraires sur les ouvrages français prescrits pour les examens des baccalauréats ès lettres et ès sciences*. Paris, 1849; D. Nisard, *Précis d'histoire de la littérature française*. Paris, 1841; M. Chapsal, *Modèles de littérature française*. Paris, 1847; H. Moke, *Histoire de la littérature française*. Bruxelles, 1847-1849, t. IV, p. 156. L'observation de Baron est reproduite telle quelle par Loeve Veimars, *Précis de l'histoire de la littérature française*. Bruxelles, 1840, p. 221.

10.   A. Schinz, *État présent des travaux sur J.-J. Rousseau*. Paris-New York, 1941, pp. 17, 27.

serait aisé de montrer que, même pour le *Contrat*, ces rares boucliers constituent un chétif rempart contre les attaques redoublées des conservateurs, l'*Héloïse* ne bénéficie nullement d'un regain de faveur et, entre 1848 et 1878, entre la Révolution et le premier Centenaire, sa destinée est plus pitoyable que jamais. Loin d'être mieux comprise et appréciée, elle subit au contraire le choc en retour des assauts menés contre le politique : de ce forcené, de cet anarchiste acharné à démanteler l'ordre social et la religion, quel roman pouvait-on attendre, sinon un échantillon scandaleux d'immoralité, à l'image de l'homme lui-même?

En publiant un cours professé de 1848 à 1851, Saint-Marc Girardin ne faisait pas mystère de son propos. « En 1848, dit-il, c'était surtout le *Contrat social* que je voulais examiner, afin d'attaquer dans son principe la plus funeste erreur de toutes celles qui égaraient à ce moment la société, je veux dire la doctrine du pouvoir absolu de l'État[11] ». Son analyse du roman n'est pas étrangère à ce dessein fondamental. Curieux cas que le sien : libéral sous Charles X, promu par la révolution de juillet, écarté de la politique par 1848, devenu l'un des chefs de l'opposition libérale sous l'Empire, le retour de la république devait le rejeter dans les rangs du parti conservateur et monarchique. Dans *La Nouvelle Héloïse*, il dénonce un dérapage moral, une méconnaissance absolue de l'âme féminine. Où Rousseau aurait-il connu des filles, des sœurs, des épouses, des mères?

> De toutes les choses humaines que Rousseau ignore, la femme est ce qu'il ignore le plus. [...] La femme ne s'est jamais présentée à Rousseau sous cette forme à la fois familière et noble. Il connaît la femme amoureuse et passionnée; [...] il connaît madame de Warens, triste idéal. [...] Julie, Claire, Sophie manquent de pureté, même quand elles sont vertueuses, [...] elles ne sont pas de bonne compagnie, [...] il y a quelque chose de grossier et de hardi dans leurs sentiments (t. I, pp. 191-192).

Pourquoi Julie peut-elle confondre « le langage de l'hygiène avec le langage de l'amour »? Parce qu'elle est « la fille de madame de Warens. [...] Quiconque n'a pas lu les *Confessions* ne peut rien comprendre à *La Nouvelle Héloïse* [...]. Comment Julie et Saint-Preux purent-ils passer

---

11. Saint-Marc Girardin, *Jean-Jacques Rousseau*. Paris, 1875, 2 vol., t. II, p. 356. Avant de paraître en volume, le cours avait été publié, de 1852 à 1856, dans la *Revue des Deux Mondes*. L'auteur consacre 57 pages au *Contrat*, mais aussi 37 à l'*Héloïse*, avec de nombreuses citations.

pour des héros de tendresse pure et délicate? » (t. I, pp. 193-197). En célébrant la sensibilité, Rousseau n'a peint que « les emportements de la passion ». La seconde partie du roman, c'est vrai, semble plus élevée, mais repose en réalité sur ce sophisme que « la sagesse humaine peut suffire à corriger les passions de l'homme et à donner la vertu ». L'erreur est la même dans le traité politique et dans le roman : « Vaines tentatives de la sagesse humaine, soit dans l'État, soit dans la famille! On ne fait pas de l'ordre avec du désordre; les démolisseurs ne peuvent pas devenir des constructeurs » (t. I, p. 207)[12].

Le ton est moins amène encore chez le théologien et critique Alexandre Vinet. Chrétien libéral, fervent partisan de la suprématie de l'ordre moral, intransigeant sur l'éthique, il dénonce avec écœurement un ouvrage de corruption et de malfaisance :

> L'œuvre est difforme à force d'être défectueuse. Quel prestige cependant que celui de *La Nouvelle Héloïse*, monstre en littérature et surtout en morale, livre où il faut voir le produit de la préoccupation la plus inouïe pour n'y pas reconnaître celui de la perversité la plus raffinée, livre où le bien et le mal sont mêlés, identifiés, de la manière la plus perfide, [...] où le sophisme commande, où l'absurde se fait croire, [...] ouvrage faux[13].

Si le pasteur Vinet s'effare de l'immoralité profonde de l'œuvre, Lamartine, dans son *Cours familier*, est bien revenu de son culte d'autrefois. Il exècre maintenant un Rousseau qui n'a connu que « de sales amours, [...] des sensualités grossières », l'homme qui a abandonné ses enfants, mais aussi — rappel de l'omniprésence du politique — « le philosophe de la guerre civile, [...] le grand anarchiste de l'humanité ». Ce destructeur de la famille et de la propriété, dit le poète, n'a pas hésité, dans un roman ignoble et corrupteur, à « attenter à toutes les chastetés de l'imagination » :

> *La Nouvelle Héloïse*, roman d'idées autant et plus que roman de cœur. [...] Ce fut une ivresse qui dura un demi-siècle mais qui ne laisse, maintenant qu'elle est dissipée, que des pages froides et des esprits vides. [...] Il écrivit son *Héloïse*, roman déclamatoire comme une rhétorique du sentiment, dissertation sur la

---

12. L'expression de Saint-Marc Girardin prend toute sa saveur quand on se souvient de son origine. Après les journées de février, le préfet de police Caussidière organisa une garde composée d'anciens condamnés politiques et de membres de sociétés secrètes. Critiqué, il se défendit en répondant qu'il faisait de l'ordre avec du désordre.

13. A. Vinet, *Histoire de la littérature française au dix-huitième siècle*. Paris, 1853, t. II, p. 315.

métaphysique de la passion, passionnée cependant, mais de cette passion qui brûle dans les phrases et qui gèle dans les cœurs[14].

C'est précisément l'opinion, au même moment, de Désiré Nisard : « Rousseau avait ignoré l'amour parce qu'il n'était capable que de désirs. [...] Rousseau n'aime pas, car il ne respecte pas celle qu'il aime. [...] Touchez la main de ces amants, elle est glacée[15] ».

Mais Lamartine ou Vinet sont des libéraux, Nisard un renégat du romantisme qui s'est fait le champion du nationalisme contre les influences étrangères? La gauche n'est pas plus tendre. Certes, Louis Blanc a exalté « l'immortel et infortuné Jean-Jacques », mais Proudhon n'a pas assez de mots pour honnir le *Contrat social*, « cette coalition des barons de la propriété, du commerce et de l'industrie contre les déshérités du prolétariat ». Quant à la *Julie*, inutile de chercher ailleurs l'origine de la dévirilisation de l'esprit français :

> Le moment d'arrêt de la littérature française commence à Rousseau. Il est le premier de ces femmelins de l'intelligence, en qui, l'idée se troublant, la passion ou affectivité l'emporte sur la raison, et qui [...] font incliner la littérature et la société vers leur déclin. [...] l'*Héloïse* a relevé l'amour et le mariage, j'en tombe d'accord, mais elle en a aussi préparé la dissolution : de la publication de ce roman date pour notre pays l'amollissement des âmes par l'amour, amollissement que devait suivre de près une froide et sombre impudicité[16].

Il est pour le moins piquant de constater que l'argument de la féminisation des esprits, lancé par Proudhon, sera amplement repris et diffusé, vers 1912, par Barrès, Maurras et la droite de l'Action française! Et si le socialiste Proudhon déteste l'*Héloïse*, à l'extrême droite, le pamphlétaire catholique Louis Veuillot s'en donne à cœur joie sur « Julie d'Étange, baronne de Wolmar, princesse de Cuistrerie[17] ». Singulière

---

14. *Cours familier de littérature*. Paris, chez l'auteur, 1856-1869, t. XI, p. 385. Sur son évolution : R. Trousson, « Lamartine et Jean-Jacques Rousseau », *RHLF*, LXXVI, 1976, pp. 744-767.

15. D. Nisard, Histoire de la littérature française. Paris, 1861, t. IV, pp. 435-436.

16. Ce texte a paru en 1858 dans *De la justice dans la Révolution et dans l'Église*. Voir Proudhon, *Les Femmelins*. Éd. A. l'Écart, 1989, pp. 31-33. Voir S. R. Ghibaudi, *Proudhon e Rousseau*. Milano, 1965; R. Trousson, *Rousseau et sa fortune littéraire*, pp. 89-91.

17. Dans *Çà et Là*. Paris, 1860, t. II, p. 127. On peut aussi continuer à ignorer complètement l'œuvre. C'est le cas de L.-L. Buron (*Abrégé de l'histoire de la littérature française*. Paris-Lyon, 1851) ou de Th. Barrau (*Morceaux choisis des auteurs français*. Paris, 1860).

réconciliation des contraires! À ces aménités de droite et de gauche, ajoutons, pour faire bonne mesure, celles des *Morceaux choisis* du très pieux et conservateur Frédéric Godefroy, qui s'entend à donner du roman une présentation alléchante :

> [Rousseau] publia le voluptueux et immoral roman d'Héloïse, où l'on voit un séducteur sans délicatesse présenté comme un modèle de vertu, et une jeune fille qui se laisse séduire par son précepteur, sous le toit paternel, transformée en créature angélique; où tous les caractères sont faux, et presque toutes les situations forcées, où enfin les couleurs de la vertu sont constamment données au vice. *La Nouvelle Héloïse* ne mérite pas moins de critiques, à l'envisager comme composition dramatique. Le roman ne marche pas, l'intrigue est mal conduite, l'ordonnance mauvaise. Les personnages sont uniformes, guindés, exagérés, et plus de la moitié de l'ouvrage est occupée par des dissertations. Le style aussi en est souvent bien vicieux, surtout dans la première partie[18].

Personne alors, en ces années sombres, pour prendre la défense du roman? Si : l'inconditionnel Ernest Hamel, futur sénateur de la République, admirateur de Robespierre et auteur, en 1868, de *La statue de Jean-Jacques Rousseau*. Chez lui aussi, mais dans l'autre sens, la politique détermine le point de vue, et même avec une certaine naïveté. Rousseau a dit dans la *Julie* que la femme d'un charbonnier est plus respectable que la maîtresse d'un prince, qu'un gentilhomme descend toujours d'un fripon et Voltaire s'est moqué de lui. Voilà pourtant qui sonne juste :

> Au point de vue des idées du jour, l'œuvre de Rousseau était extrêmement osée; on y sentait circuler d'un bout à l'autre un souffle libéral et démocratique. [...] Or, admirez, étranges et logiques démocrates qui paraissez aujourd'hui vouloir accabler Rousseau du poids de Voltaire, voilà Voltaire qui prend en main la cause du clergé, de la noblesse et des parlements, lesquels, dit-il, n'ont fait que rire des injures et des systèmes de Jean-Jacques. Vienne 89, et ils ne riront plus, et l'ami Jean-Jacques se trouvera suffisamment vengé.
>
> Toutefois je conviendrai qu'au point de vue du roman cette œuvre [...] est tout à fait défectueuse; que l'intérêt ne s'y soutient pas suffisamment; que les personnages y tiennent quelquefois un langage peu en rapport avec leur âge ou leur sexe, et que l'on sent trop que c'est l'auteur qui parle par leur bouche. Mais je me moque fort des personnages et m'intéresse infiniment, au contraire, aux idées et aux sentiments du philosophe[19].

---

18. F. Godefroy, *Prosateurs français des XVIIe et XVIIIe siècles*. Paris, 1868, p. 360. Inutile de préciser que cette anthologie ne propose aucun extrait de l'œuvre.
19. E. Hamel, *La statue de Jean-Jacques Rousseau*. Paris, 1868, pp. 223-227.

Belle tirade, où le roman, réhabilité pour cause de démocratie avancée, est donné en pâture aux adversaires sur le plan esthétique! Du moins prouve-t-elle à son tour combien l'œuvre est tributaire des positions idéologiques des commentateurs. À tout prendre, Hippolyte Taine, même s'il n'aime pas Rousseau le destructeur de l'ordre et en regrettant les « dissertations », touchera plus juste, dans quelques années, en rappelant qu'à côté du « moraliste qui gronde », le roman fait parler le « magicien » qui séduit femmes et jeunes gens et qui, dans une société de salons, fait entendre soudain la voix de la nature, le ton de l'indépendance et de la passion et — n'en déplaise à Proudhon — exalte « la vie mâle, active, ardente, heureuse et libre en plein soleil et au grand air[20] ». Du reste, cette objectivité demeure isolée. L. Moreau revient sur le thème de la corruption, de l'immoralité d'un auteur qui n'a connu l'amour que « sous la chaîne du concubinage ou de l'adultère ». Pour ce conservateur de la Mazarine, catholique intraitable, l'affaire est entendue :

> Le roman de Rousseau, froide imitation de *Clarisse*, est une œuvre fausse, drame vide, sans nœud, sans situations, sans caractères, cours de rhétorique épistolaire sur l'amour, semé de lieux communs métaphysiques, économiques et pédagogiques, ennuyeux à l'envi. [...] Ce livre est mort, et sans une même déchéance des mœurs et du goût qui établit un jour entre l'écrivain et le public une honteuse fraternité d'ivresse, un tel livre n'eût jamais paru[21].

Où donc verra-t-on, de 1848 à 1878, cette levée de boucliers pour défendre Rousseau, dont parlait Albert Schinz? Au cours de ces trente années, jamais le roman n'a été analysé sérieusement, l'art de Rousseau a été ignoré ou condamné, aucune de ses idées n'a reçu l'attention, les mobiles de ses personnages sont demeurés incompris. Dans cette époque qui déchiffre le XVIIIe siècle sous le prisme révolutionnaire et qui s'est mal remise de la grande peur de 1848, la mystique antirousseauiste n'a pas fait grâce à la *Julie*.

Les commémorations du centenaire ne lui apportèrent rien. Victor Hugo, qui a célébré Voltaire, a refusé, malgré l'insistance de Louis Blanc, de parler de Rousseau. En fêtant le patriarche de Ferney, les radicaux affirment à la fois leur anticléricalisme et leur antisocialisme,

---

20. H. Taine, *Les origines de la France contemporaine : L'Ancien Régime*. Paris, 1875, p. 145.
21. L.-I. Moreau, *Jean-Jacques Rousseau et le siècle philosophe*. Paris, 1870, pp. 140-143.

tandis que le salut à Jean-Jacques relève de l'extrême-gauche. Pour les officiels, on peut accepter d'élargir le front républicain jusqu'à 89, non jusqu'à 93, jusqu'à février, non jusqu'à juin 1848. Voltaire est fêté le 30 mai, anniversaire de sa mort; Rousseau le 14, et non le 2 juillet : l'hommage au plus démocrate des philosophes s'unit au souvenir de la prise de la Bastille[22]. L'*Héloïse* n'y gagne rien : ce qu'on célèbre, ce sont des symboles, des idées, non une œuvre littéraire.

Entre 1878 et 1912, un mouvement s'accélère pour la récupération progressive de Rousseau comme grand écrivain national qui, contre les résistances de la droite, a sa place dans le patrimoine. Peu à peu intégré au discours institutionnel de la IIIe République, Rousseau est l'objet d'une appropriation par l'idéologie dominante[23]. Les fidèles s'essaient à montrer une existence, non plus scandaleuse, mais exemplaire et malheureuse, à réhabiliter sa personnalité, à opposer le Jean-Jacques pauvre au possédant Voltaire, sans oublier de le définir, comme Ernest Hamel, en « véritable fondateur de la démocratie moderne ». La statue, refusée en 1878, est inaugurée le 3 février 1889, mais son socle rappelle qu'elle est dédiée « à l'auteur d'*Émile* et du *Contrat social* ». Jules Simon, directeur de l'Académie française, a prétendu s'abstenir de toute intention politique : « Je ne parle ici ni du philosophe, ni du socialiste, mais seulement du grand écrivain ». Mais d'autres ont été plus clairs. Auguste Castellant, secrétaire du Comité du monument, a salué le *Contrat social* qui a institué la souveraineté du peuple et le suffrage universel; Jules Steeg, député de la Gironde, a salué « un des pères de la Révolution », l'homme « qui a préparé l'avènement de la démocratie, qui a ouvert les voies à la République ». Aussi, dans *J.-J. Rousseau jugé par les Français d'aujourd'hui*, gros volume d'hommages réunis en 1890 par John Grand-Carteret, *La Nouvelle Héloïse* occupe-t-elle une place bien modeste : Gustave Vapereau, louant la poésie des paysages et du style, se contente d'affirmer — contre toute vraisemblance — qu'elle « a pris place parmi les œuvres les plus

---

22. Sur les circonstances du centenaire, voir : M. Delon, « 1878 : un centenaire ou deux », *Annales Historiques de la Révolution Française*, L, 1978, pp. 641-663; G. Benrekassa *et al.*, « Le premier centenaire de la mort de Voltaire et de Rousseau : significations d'une commémoration », *RHLF*, LXXIX, 1979, pp. 265-295.

23. Voir J.-M. Goulemot et E. Walter, « Les centenaires de Voltaire et de Rousseau », dans *Les lieux de mémoire*. Sous la dir. de P. Nora. Paris, 1984, t. I, pp. 381-420; G. Benrekassa, « J.-J. Rousseau, grand écrivain national », dans *Fables de la personne*. Paris, 1985, pp. 135-218.

populaires des temps modernes ». Dans le dernier quart du siècle, qui voit naître les premières grandes éditions modernes de Voltaire, de Diderot et même de la *Correspondance littéraire* de Grimm, on attend en vain celle de Rousseau.

Dans cette même période, que dit-on de la *Julie*? Dans la plupart des cas, on en reste aux jugements superficiels ou aux invectives de l'époque précédente. L'*Histoire littéraire* de Fleury, les *Morceaux choisis* d'Ancelin la citent et n'en disent rien, tandis que le manuel de Doumic, en une ligne et demie, la décrit comme « le premier roman qui ait su faire parler à l'amour [...] un langage éloquent[24] ». Avec Ch. Gidel, nous voilà — et jamais le commentaire ne dépasse quelques lignes — devant une œuvre contradictoire comme Jean-Jacques lui-même, qui a dangereusement exalté le sentiment. « Ouvrage mal composé et d'une lecture fatigante », juge L. Collas, qui n'a que trop enseigné à oublier la règle du devoir, ce qui est aussi l'opinion de H. Goffart : de belles descriptions, certes, et l'amour véritable opposé à la galanterie du temps, mais « roman interminable [...] fatigant[25] ».

Nous voici aux environs de 1890 et l'*Héloïse* ne suscite toujours que des appréciations d'une désespérante brièveté, d'une parfaite banalité ou d'une irritante incompréhension. Cette année-là, Jules Labbé, dans ses morceaux choisis, donne bien neuf extraits point trop compromettants de l'œuvre, mais son exemple n'est pas suivi. Cette année-là aussi, Emile Faguet se manifeste pour la première fois, dans son *Dix-huitième siècle*. Comme Rousseau lui-même, les personnages de *La Nouvelle Héloïse* sont dans une position fausse, dépourvus de vraisemblance et « follement romanesques », Wolmar est « décidément fantastique » : « Est-ce assez Rousseau? » Ce Rousseau, il est d'ailleurs au cœur du roman, car Jean-Jacques

> est un plébeien qui a voulu être du monde, [...] qui s'en est cru méprisé, et qui s'en venge. [...] Remarquez que, plus tard, dans *La Nouvelle Héloïse*, c'est un plébéien épris d'une patricienne. [C'est] le rêve d'une nuit d'été d'un maître d'études.

---

24. J. Fleury, *Histoire élémentaire de la littérature française*. 3ᵉ éd. Paris, 1880; A. Ancelin et E. Vidal, *Morceaux choisis d'auteurs français*. Paris, 1887; R. Doumic, *Histoire de la littérature française*. Paris, 1887, p. 465.
25. Ch. Gidel, *Histoire de la littérature française*. Paris, 1883, t. III, pp. 66-67; L. Collas, *Histoire de la littérature française*. Paris, 1885, p. 190; H. Goffart, *Histoire de la littérature française*. Namur, 1889, p. 300.

Jolie formule pour résumer le roman médiocre d'un esprit médiocre et envieux![26].

Des années encore se suivent et se ressemblent. Brunetière, qui consacre une étude à la « folie » de Rousseau, se détourne d'un échange épistolaire « dont l'obscénité naïve et l'inconsciente grossièreté » l'écœurent. H. Beaudouin y trouve « la théorie de la vertu jointe à la pratique du vice », A. Anspach avertit de « l'immoralité de ce livre, qu'il est sage et prudent de ne jamais ouvrir, comme l'auteur lui-même d'ailleurs nous le conseille », et l'abbé Montagnon rappelle, sans en rien citer, que l'œuvre se caractérise par l'absence complète de sens moral, une sensibilité et une imagination anormales. Arthur Chuquet, dans son *Jean-Jacques Rousseau*, concède — ce n'est pas neuf — de belles descriptions, mais épingle Wolmar invraisemblable, Saint-Preux « bas et servile », Julie prêcheuse, bâille aux dissertations et aux « platitudes ». Et s'il n'y avait que cela! Mais Rousseau y a remplacé raison et vertu par le culte de la sensiblerie, y libère « ses ardeurs et ses ravissements érotiques », s'y complaît « à de lascifs tableaux » qui ne le cèdent en rien à ceux de l'Arétin[27]. Pauvre *Héloïse*!

Dans les ultimes années du siècle, quelques voix cependant se font entendre pour montrer dans le roman autre chose que des longueurs et des peintures scandaleuses. C'est d'abord, en 1894, celle de Gustave Lanson. Le premier, il comprend l'originalité de la « méthode » psychologique de Wolmar et surtout les intentions de la seconde partie : « Rien de plus profond, au point de vue de la vérité, de plus efficace, au point de vue de la moralité, que l'idée du renouvellement intégral de l'être moral, sur laquelle pivote toute l'action du roman ». Il retient l'élan de la composition lyrique, les charmes de la poésie domestique, l'usage du pittoresque et du réalisme. Un grand roman, pense Lanson, même « s'il décerne parfois bien singulièrement des brevets de vertus ». Attentif déjà à répondre aux vieilles attaques contre l'incohérence et les contradictions de la pensée de Rousseau, il ne peut cependant s'empêcher d'en déceler une entre le roman et le traité politique :

---

26. J. Labbé, *Morceaux choisis des classiques français*. Paris, 1891; E. Faguet, *Dix-huitième siècle*. Paris, 1890, pp. 346, 377-382.

27. F. Brunetière, *Études critiques sur l'histoire de la littérature française*. Paris, 1891, p. 241; H. Beaudoin, *La vie et les œuvres de J.-J. Rousseau*. Paris, 1891, p. 188; A. Anspach, *Résumé de l'histoire de la littérature française*. Heidelberg, 1892, p. 184; abbé Montagnon, *Morceaux choisis*. Paris, 1892; A. Chuquet, *J.-J. Rousseau*. Paris, 1893, pp. 98-109.

En premier lieu, le don absolu que les citoyens font d'eux-mêmes à l'État semble
être incompatible avec la forte constitution de la vie morale intérieure; jamais
la conscience de Wolmar ou de Julie ne saura donner à la volonté générale, à la
loi, un droit absolu de lui prescrire et de la régler : les dogmes de la religion
civile ou l'oppriment, s'ils parlent autrement qu'elle, ou n'existent pas, s'ils
parlent comme elle. En second lieu, la famille restaurée sur la vérité par les
belles âmes de Julie et de Wolmar forme un groupe qui s'interpose entre l'État
et l'individu, et la doctrine du *Contrat social* ne subsiste plus dans sa pureté. Et
enfin, le type de société auquel appartient la famille restaurée de Wolmar et de
Julie, c'est le régime patronal, essentiellement différent du socialisme égalitaire
du Contrat[28].

Ceci est neuf. Non seulement Lanson, pour la première fois dans
un manuel, consacre de nombreuses pages à *La Nouvelle Héloïse*, mais
il procède, sans préjugés, à une véritable analyse, même s'il lui est
encore difficile de dépasser certaines apories apparentes. Quatre ans
plus tard, Brunetière, pourtant point trop féru de Rousseau, admet que
la *Julie*, par son ampleur et ses préoccupations, confère enfin sa dignité
au genre romanesque. En même temps, la grande entreprise dirigée par
Petit de Julleville tranche à son tour sur le ton général. Un premier
chapitre, rédigé par F. Maury, émet encore des réserves : le ton est
trop souvent « celui de la discussion, même de l'in-folio », Julie
raisonne trop et a « une tête masculine », mais c'est un grand roman,
riche d'idées et de puissante construction. Le critique regrette cependant
la fin, équivoque, où l'héroïne ne vit à Clarens qu'un semblant de
bonheur.

Le roman peut donc tourner, pour les sceptiques, à la justification
de l'amour coupable, puisque Julie meurt presque de n'avoir pas été
infidèle à son époux. Situations, personnages, thèmes philosophiques,
moraux ou religieux, tout laisse ainsi une impression confuse et
inquiétante.

Ces réserves disparaissent dans le chapitre consacré par
P. Morillot à la nouveauté de l'œuvre : apologie du mariage et de la
femme chrétienne, défense des mœurs, style neuf où nous ne parlons
d'emphase que parce que les modes ont changé. Plutôt que de
Richardson, Rousseau est tributaire de sources bien françaises —
L'Astrée, La Princesse de Clèves, Cassandre, Le Grand Cyrus.
Ainsi, conclut Morillot, l'œuvre « marque la complète résurrection
du grand roman en France. [...] Rousseau ouvrait à ses successeurs
un champ illimité : *La Nouvelle Héloïse* rendait possibles tous les

---

28.   G. Lanson, *Histoire de la littérature française*. Paris, 1894, pp. 773-791.

romans ». Édouard Herriot, enfin, relevait bien « des invraisemblances, de l'illogisme et même de l'immoralité », mais son *Précis* exaltait surtout la poésie, l'intimisme, le pittoresque et le lyrisme. Des défauts, sans doute, « mais, pour ces défauts, que de beautés[29]! ». Tout compte fait, le XIXe siècle s'achevait pour la *Julie* mieux qu'il n'avait commencé. Allait-elle enfin retenir l'attention et trouver des admirateurs?

C'est aller un peu vite. Ces quelques années ne sont qu'une accalmie entre les centenaires de 1889 et de 1912. Certes, l'érudition se développe, des travaux sérieux sont consacrés, sinon à *La Nouvelle Héloïse*, du moins à Rousseau, à sa pensée philosophique, politique et pédagogique, à sa biographie. La fondation en 1904, à Genève, de la Société Jean-Jacques Rousseau, est un indice non négligeable d'un intérêt croissant, d'une volonté de compréhension au-dessus des querelles partisanes.

Un nouveau sursaut cependant se préparait, et 1912 est annoncé par une série d'escarmouches où, une fois de plus, le Rousseau politique sert de cible, mais où les éclats retombent sur le romancier. Pour J.-F. Nourrisson, Rousseau a copié Richardson sans l'égaler, et il rejette dans les égouts de la littérature « cette déclamatoire composition, érotique tour à tour et prêcheuse, dont l'ennui plus encore que le dégoût rend aujourd'hui la lecture insupportable[30] ». Après Ernest Seillière, qui s'en prend à l'« impérialisme mystique » de Jean-Jacques menaçant la société contemporaine, Pierre Lasserre lance, en 1906, son assaut furibond contre le romantisme, « pourriture de l'intelligence » et « ruine de l'individu », accentuées par l'influence germanique. À l'origine de tout, Rousseau, prêtre de l'individualisme absolu et de la dissolution sociale : « Rien dans le romantisme qui ne soit de Rousseau. Rien dans Rousseau qui ne soit romantique ». Dans son roman, Jean-Jacques a prétendu faire du vice une philosophie :

> *La Nouvelle Héloïse*, c'est un interminable défilé de nuages parés de toutes les couleurs de l'arc-en-ciel; parfois passent des teintes vraiment délicates ou magnifiques, mais noyées dans un céleste jargon. [...] C'est l'humanité la plus

---

29. F. Brunetière, *Manuel de l'histoire de la littérature française*. Paris, 1894, p. 334; Petit de Julleville, *Histoire de la langue et de la littérature françaises*. Paris, 1898, t. VI, pp. 270-274, 486-491; E. Herriot, *Précis de l'histoire des lettres françaises*. 2e éd. Paris, 1902. On notera que P. Morillot avait déjà consacré un article à « La moralité dans *La Nouvelle Héloïse* » (*Revue des Cours et Conférences*, I, 1892-1893, pp. 235-241.

30. J.-F. Nourrisson, *Jean-Jacques Rousseau et le rousseauisme*. Paris, 1903, p. 223.

fausse du monde. Julie n'est pas un être vivant, mais la synthèse des jouissances contradictoires (être adoré et être méprisé) que Rousseau combine dans ses songes sans frein. [...] On ne relèverait pas si vivement que ce roman avilisse les mœurs, s'il ne flétrissait par là même les grâces de l'amour. [...] En attendant le mariage, Julie a demandé de secrets plaisirs à son professeur. Elle l'a fait en fille de son siècle, libre de tête. Ce qui eût paru également affreux à tous les poètes de la passion féminine, [...] c'est que Julie fasse de ce qui lui est advenu sous les charmilles [...] un événement théologique dont elle disserte du plus haut de sa tête. [...] La plus vive excitation de l'instinct sexuel, où la sagesse des peuples avait toujours vu la plus puissante source d'illusion, équivaut ici à la plus haute intuition philosophique[31].

Si Lasserre écrivait pour l'Université, Jules Lemaître porte la question devant le public mondain dans une dizaine de conférences accablantes. Jean-Jacques, que cela soit dit une fois pour toutes, est responsable de la Terreur et des massacres, l'inventeur d'« un des plus complets systèmes d'oppression qu'un maniaque ait jamais forgé ». Dans son roman, il a béni le mariage à trois, corrompu la tradition française et l'ignoble morale de ses personnages est bien la sienne : « L'impudeur de Julie nous fait ressouvenir que celui qui la fait parler n'est venu qu'après de longues souillures à l'amour normal et qu'il l'a connu pour la première fois dans des conditions tranquillement cyniques et avec une femme pour qui l'amour n'était qu'un geste comme un autre ». Et ce style, « emphatique et pleurard »! Celui d'un malade, d'un névrosé, mais appelé à quel avenir! « Rousseau n'a pas seulement légué à la Révolution son vocabulaire politique, ses fêtes et sa conception de l'État : il lui a transmis le style bête[32] ». Et toute la droite de faire chorus, au point de provoquer de la part de la gauche, le 10 mars 1907, dans le grand amphithéâtre de la Sorbonne, une manifestation en l'honneur de Rousseau « annonciateur et grandiose ouvrier de la Révolution ».

Comme toujours, l'*Héloïse* passe au second plan, l'*Émile* et le *Contrat social* essuyant les assauts les plus rudes. Ch.-M. Desgranges n'est pas vraiment hostile, mais juge l'œuvre « d'une lenteur désespérante » et ne valant plus guère que par quelques pages descriptives[33]. En revanche, Auguste Dide et Émile Faguet n'en laisseront pas pierre sur pierre. Dide l'affirme, le protestantisme, qui a mené à la Révolution, est le génie même d'un roman où Rousseau a prétendu hugueno-

---

31. P. Lasserre, *Le romantisme français*. Paris, 1906, pp. 52-56.
32. J. Lemaître, *Jean-Jacques Rousseau*. Paris, 1907, pp. 188-193.
33. Ch.-M. Desgranges, *Histoire illustrée de la littérature française*. Paris, 1910, p. 632.

tiser la tradition française. De là ce ton de prêcheur et « la faconde alambiquée, cuistrale et prédicante de la verbeuse Julie », de là aussi l'hypocrite amoralité distillée dans « une rhétorique cantharidée ». Car Saint-Preux — retenons la beauté de la formule — est « un suborneur qui semble plus obéir à des sensations physiologiques qu'à des sentiments amoureux, et confondre [...] les hennissements de la concupiscence avec la voix de l'amour ». Plus courtois mais plus insidieux, Faguet n'a pas préparé moins de cinq volumes pour fêter — si l'on peut dire — le tout proche bicentenaire. Dans *Rousseau artiste*, en 1911, *La Nouvelle Héloïse* est donnée pour une œuvre mal composée, où Julie est une « fille tarée » qui confond l'appel des sens et l'amour, mais qui ne manque pas de sens pratique dans la vie quotidienne. Au fond, décrète ce féministe en haussant les épaules, « elle est semblable à toutes les femmes : elle aime le premier imbécile qu'elle rencontre, et elle respecte, avec une sorte d'humilité attendrie, le second imbécile qui lui est présenté ». Le sourire poli n'empêche pas le coup de griffe dans la peinture des deux imbéciles :

> Wolmar est un Orgon qui aurait ou, en tout cas, qui serait convaincu d'avoir un grand ascendant sur Tartufe; Saint-Preux est un Tartufe modéré, sage, délicat, qui, sans doute, « convoite » la femme de son hôte, mais qui se borne à la convoiter, qui la désire vertueusement; qui, sans doute, profite du bien d'Orgon, mais qui se borne à en profiter sans le dérober brutalement, qui en profite vertueusement, qui donne vertueusement du grain aux oiseaux de Julie, qui donnera aux enfants d'Orgon des leçons de vertu et de délicatesse et qui est le plus vertueux des écornifleurs[34].

On connaît les affrontements de 1912, les charges pour et contre à la Chambre et au Sénat, les sorties de Maurice Barrès sur « l'extravagant musicien » et l'inspirateur des Kropotkine, des Garnier et des Bonnot. Si la *Revue chrétienne*, protestante, consacre alors un numéro à la défense de Jean-Jacques, à droite la *Revue critique des idées et des livres* riposte par la plume féroce de Paul Bourget ou d'Henri Clouard. Dans l'*Action française*, on dépèce le « métèque », le « juif », le Rousseau « dur et laid, hagard et loufoque ». Les festivités du 30 juin s'achèvent par des bagarres entre républicains et Camelots du roi et des arrestations. La politique, toujours, l'emportait, entraînant Rousseau

34. A. Dide, *J.-J. Rousseau, le protestantisme et la Révolution française*. Paris, 1910, pp. 187-198; E. Faguet, *Rousseau artiste*. Paris, 1911, pp. 96, 111, 150.

dans un débat qui le dépassait, mais où il demeurait, de part et d'autre, un symbole et un mythe mobilisateur.

Cette année 1912 ne fut pas celle de *La Nouvelle Héloïse*. Prudemment neutre, le manuel d'Abry, Audic et Crouzet proposa, en dix lignes, l'image d'un roman gentiment champêtre, abordant les grands sujets, idylle moralisante à l'usage des classes, et l'anthologie d'Eugène Fallex s'en tint à quelques textes sur l'opéra, la ville, les vendanges, le bonheur domestique[35]. Bien frêle rempart contre la canonnade adverse. Le sénateur catholique Las Cases dénonce un style au service de l'hypocrisie, de l'égoïsme, de l'orgueil; pour G. de Reynold, les personnages du roman « déclament des leçons de morale du haut de leurs désordres »; pour A. Du Fresnois, Julie est « une jeune fille folle de son corps » et la fausse sensibilité de Rousseau nous conduit « sur le chemin de l'animalité ». Et revient la vieille antienne : « Tout ce que Rousseau a inventé, c'est un jargon passionné. Lisez les lettres d'amour qu'échangeaient les gens de 1793 : ah! que de passions dévorantes! Et ouvrez les recueils de discours des révolutionnaires : ah! que de beaux sentiments, que de sensibilité ! Mais les discours avaient pour conclusion les massacres de Septembre ». Ne fallait-il pas rappeler que Jean-Jacques avait fait couler autant de sang que de larmes? Quant à H. Clouard, reprenant Proudhon, il voyait dans le roman le produit « d'un cœur dévirilisé, d'une volonté passive, d'une raison désorientée » — crimes majeurs aux yeux des prophètes de l'énergie nationale. Que pouvait, contre ces sorties furieuses, les conférences publiées à Genève par Bernard Bouvier, président de la Société Jean-Jacques Rousseau? Au moment où la droite dénonçait la corruption de la tradition française, n'y avait-il pas quelque naïveté à faire voir dans *La Nouvelle Héloïse* « le premier héros de la mélancolie », l'« harmonie préétablie » avec la pensée allemande, l'idéal helvétique, l'hommage à la religion protestante et « les premiers germes de l'anarchisme romantique[36] »?

---

35.   E. Abry, C. Audic, P. Crouzet, *Histoire illustrée de la littérature française*. Paris, 1912, pp. 401-402; E. Fallex, *Morceaux choisis de J.-J. Rousseau*. Paris, 1912.

36.   Las Cases, « L'idole », *La Libre parole,* 30 juin 1912, p. 1; A. Du Fresnois, « *Julie ou La Nouvelle Héloïse* », *Revue critique des idées et des livres*, XVII, juin 1912, pp. 679-690; H. Clouard, « Rousseau : Remarques sur l'écrivain », *ibid.* , p. 675; G. de Reynold, « Enquête sur J. -J. Rousseau », *Les Feuillets*, juin 1912, p. 200; B. Bouvier, *Jean-Jacques Rousseau*. Genève, 1912, pp. 237-274.

Même si les commémorations de 1912 se déroulent sous le haut patronage du Président Fallières et sacrent officiellement Jean-Jacques grand écrivain national, l'opposition, on le voit, n'avait pas désarmé. La même année cependant paraissent un important numéro de la *Revue de métaphysique et de morale* et des articles de Lanson, Mornet, Baldensperger, Beaulavon; un peu partout en Europe et outre-Atlantique ont lieu conférences, banquets, expositions. Le Bicentenaire imposait Rousseau en même temps qu'il célébrait la République et la Révolution dont elle se réclamait. Mais *La Nouvelle Héloïse* continue de jouer les parents pauvres. Il serait tentant de poursuivre cette revue, de chercher si les manuels et histoires littéraires de notre siècle se sont montrés plus accueillants. Le temps manque : bornons-nous à quelques coups de sonde.

Au lendemain de 1912, les adversaires un moment se taisent, enroués d'avoir tant criés. J. Lemaître, goguenard, s'amuse à rédiger une petite nouvelle, *Le tempérament de Saint-Preux*, suite burlesque au roman de Rousseau. Julie n'est pas morte et, à Clarens, où l'on parle toujours autant de vertu, Saint-Preux est devenu à la fois l'amant de Claire et de Julie; pour faire bonne mesure, le vigoureux jeune homme s'est encore assuré les faveurs de la servante Fanchon. Le parfait Wolmar, bien sûr, n'a rien vu, et le récit s'achève sur la lettre candide qu'il adresse à Milord Édouard : « Tout va toujours ici le mieux du monde. Cependant, quoique Saint-Preux mène la vie la plus saine et la plus conforme à la nature, il est, depuis quelque temps, dans un état d'extrême fatigue[37] ».

C'était sarcastique, mais pas trop méchant. Bien moins en tout cas que les sorties du baron Seillière, qui raille « la mort érotico-mystique » de Mme de Wolmar, résume le roman dans la formule « platonisme et détournement de mineure » et désigne Julie comme « la plus folle et l'on pourrait dire la plus effrontée des tentatrices et des excitatrices à la débauche ». André Thérive s'esclaffe en 1926 devant « l'absurde roman de *La Nouvelle Héloïse*, plus extravagant à sa façon que *Gargantua* ». A. Brou, en 1927, conclut sévèrement : « Pour faire œuvre morale, il eût fallu à l'auteur une idée moins inconsistante du devoir, ne pas confondre sensibilité et conscience, pas plus qu'émotion et pensée, ne pas tant mêler aux prêcheries les tableaux voluptueux ».

---

37. J. Lemaître, « Le tempérament de Saint-Preux », dans *Nouveaux contes en marge*. Paris, 1914.

C.-A. Fusil n'est pas plus tendre en 1929 : « roman de la dernière inconsistance », « baudruches venteuses », scènes « pauvres et niaises » dont on pourrait « tirer un recueil de lettres pour collégiens à l'imagination précoce[38] ». Sautons deux décennies pour feuilleter le manuel de Gonzague Truc : « passion des sens [...] peintures voluptueuses [...] chaleur malsaine et trouble [...] ménage à trois ». Une dizaine d'années encore et André Billy, qui fait paraître le roman en 1771, y découvre toujours « des choses assez pénibles, ou assez délicates, sur ce que l'amour a été pour Jean-Jacques », car « les ardeurs qu'il prête à sa Julie et à son Saint-Preux offrent quelque chose de fumeux et d'un peu douteux ».

L'hostilité morale n'a pas désarmé en 1958, lorsque Henri Berthaut traite de Rousseau dans l'*Histoire de la littérature française* publiée sous la direction de J. Calvet. L'idylle nous fatigue, assure le critique, le roman de la femme vertueuse « est bâti sur un paradoxe choquant », car « un parfum de péché traîne dans ses exhortations vertueuses, et ses deux amoureux chantent trop le *Reviens, pécheur* sur l'air de *Femme sensible* ». Oubliée d'ailleurs, l'*Héloïse* n'est plus « qu'un champ pour florilèges[39] ». Poussons enfin jusqu'en 1967 pour voir comment l'*Histoire de la littérature française* du romancier Paul Guth, destinée à un très large public, traite la malheureuse *Héloïse*. Jean-Jacques, « pionnier de la presse du cœur », pratique « l'alternance de flou brûlant et de moralisation verbeuse pour vierges échauffées ». On n'échappe pas au morceau de bravoure :

> Suisse et protestant, Jean-Jacques renverse des siècles de cocuage français. En un onctueux sermon à la chlorophylle, aux affadissements lacustres, il prêche contre les cocus comme un Calvin qui aurait donné des leçons de clavecin. *La Nouvelle Héloïse* prend aussi l'aspect d'un manuel de puériculture, rédigé par un homme qui a abandonné ses cinq enfants à l'Assistance et d'un traité d'agriculture écrit par un Olivier de Serres myope, qui ne saurait pas distinguer un volubilis d'un topinambour. Pour réprimer ses passions, ce nouvel Abélard n'a d'ailleurs pas eu besoin de subir l'opération de son ancêtre. Ses empêchements suffisaient.

---

38. E. Seillière, *Les étapes du mysticisme passionnel*. Paris, 1919, pp. 28, 40; *Jean-Jacques Rousseau*. Paris, 1921, pp. 111, 330, 334, 340; A. Thérive, *Le retour d'Amazan ou une Histoire de la littérature française*. Paris, 1926; A. Brou, *Le dix-huitième siècle littéraire*. Paris, Téqui, 1927, t. III, p. 130; C.-A. Fusil, *L'Anti-Rousseau*. Paris, 1929, pp. 61-112.
39. H. Berthaut, *De Candide à Atala*, t. VII de l'*Histoire de la littérature française* publiée sous la direction de J. Calvet. Paris, Del Duca, 1958, p. 167.

Depuis Proudhon, le thème de la dévirilisation avait la vie dure. Mais ces déliquescences, conclut Guth, convenaient aux femmes du XVIIIe siècle : « Pour endormir dans leur lit ces éternelles petites filles, il fallait un faux homme qui fût à la fois, en prose, puisque la tragédie est morte, un Racine fade et un Corneille mou. Voilà Jean-Jacques[40] ! ».

Restons-en là, sans trop savoir que conclure, sinon que *La Nouvelle Héloïse* a traversé un interminable purgatoire. Au-delà du romantisme, une certaine emphase sentimentale, le vocabulaire même de l'amour et la forme épistolaire sont passés de mode, mais il demeure singulier que le roman se soit attiré tant d'hostilité et tant de sarcasmes. Bien des attaques assurément sont le fait d'adversaires politiques acharnés à dénigrer tout ce qui sort de la plume de Rousseau et à dénoncer, sur tous les plans, sa néfaste influence. Reste que, en un siècle et demi, manuels et histoires de la littérature, quand ils le citent[41], s'en tiennent à quelques lignes où jamais l'œuvre n'est perçue dans sa richesse idéologique, psychologique et affective. « Julie l'oubliée », soupirait en 1929 Robert Kemp, et André Lebois, trente ans plus tard : « Nous n'avons plus les yeux qu'il faut, les cœurs qu'il faut[42] ».

Sans doute l'érudition s'est-elle montrée moins négligente, et les travaux sur l'*Héloïse* sont aujourd'hui légion. Mais il demeure, entre un spécialiste comme H. Coulet qui tient la *Julie* pour le plus beau roman français du XVIIIe siècle, et le public atteint par les manuels, un fossé difficile à combler. Le phénomène éditorial le prouve. Le *Contrat social* fait l'objet des éditions savantes de Dreyfus-Brisac dès 1896, de Beaulavon en 1903, de C. E. Vaughan en 1918 et peut s'acheter dans les Classiques Hatier dès 1921 et de nos jours dans dix éditions différentes. *La Nouvelle Héloïse* a dû

---

40. G. Truc, *Histoire illustrée des littératures*. Paris, 1952, pp. 166-167; A. Billy, dans *Neuf siècles de littérature française*. Sous la dir. de Em. Henriot. Paris, 1958, p. 309; P. Guth, *Histoire de la littérature française*. Paris, 1967, t. II, p. 541.

41. Signalons, à titre d'information, qu'on ne trouve quasiment rien chez : M. Braunschvig, *Notre littérature étudiée dans les textes*. Paris, 1920; M. Allain, *Histoire générale de la littérature française*. Paris, 1922; G. de Plinval, *Précis d'histoire de la littérature française*. Paris, 1925; Ed. Maynial, *Précis de littérature française*. Paris, 1926; R. Jasinski, *Histoire de la littérature française*. Paris, 1947; H. Clouard, *Petite histoire de la littérature française*. Paris, 1965; A. Chassang et Ch. Senninger, *XVIIIe siècle : Points de vue et références*. Paris, 1966.

42. R. Kemp, *Les Nouvelles littéraires,* 14 décembre 1929; A. Lebois, *Littérature sous Louis XV*. Paris, 1962, p. 126.

patienter jusqu'à D. Mornet, en 1925. L'œuvre pâtit, c'est entendu, de sa longueur. Toujours est-il qu'elle a paru chez Garnier en 1960, chez Garnier-Flammarion en 1967. Mais on ne la trouve ni dans le « Livre de Poche », ni dans « Folio ». Du reste, même les spécialistes... Ne faut-il pas attendre 1949 pour que M. B. Ellis y découvre la « synthèse » de la pensée de Rousseau? Enfin, si l'on a tenu déjà des colloques sur les *Discours*, sur l'*Émile* ou sur le *Contrat social*, celui qui s'ouvre aujourd'hui est, à ma connaissance, le premier consacré à *La Nouvelle Héloïse*.

Raymond Trousson

II

UN TEXTE POLITIQUE
ROUSSEAU'S POLITICS

Democracy and Anti-Democracy in
La Nouvelle Héloïse

Partial Associations in *La Nouvelle Héloïse*

La Nouvelle Héloïse et la politique :
de l'écart à l'emblème

L'égalité dans *La Nouvelle Héloïse*

To Revolt or to Conform:
the Dilemma Confronting Julie d'Étange
and the Abolition of Nobility in June 1790

DEMOCRACY AND ANTI-DEMOCRACY

IN *LA NOUVELLE HÉLOÏSE*

One of the many ironies connected with Jean-Jacques Rousseau is the intimate association of his name and thought with democracy and the democratic spirit on the one hand and the use of his name and thought by anti-democratic, reactionary, and totalitarian ideologues and practitioners on the other hand. Rousseau's reputation as a revolutionary and a democrat rests on the belief of those (apparently the majority of critics) who see his thought inclined towards the advocation of popular government; others (Robespierre being one of the first in date to come to mind) believe that Jean-Jacques's thought is inclined towards the justification of tyranny.[1] In Roger Barny's judgment, the contradictory interpretations of Rousseau's political thought are a direct result of contradictions in that thought itself.[2] Barny's analysis seems as valid today as it was when it was published in 1974. Both sides continue to cite the same texts to prove opposite theses, and — given the ambiguities in Rousseau's thought and expression — in a sense both sides are right.[3]

---

1. See, *inter alia*, Julia Simon-Ingram, "Alienation, Individualism, and Enlightenment in Rousseau's Social Theory," *ECS* 24 (Spring 1991), 318, n. 4: "Many commentators have focused on what they have seen as the totalitarian implications of the *Social Contract*, in particular the subsumption of particular interests under the general will which results in the absolute sovereignty of the state. Many of these analyses argue for an 'individualist' reading of the *Second Discourse* in contrast to the 'collectivist' *Social Contract*. My own reading attempts to demonstrate the 'totalitarian' implications of 'individualist' theory, given the dialectical framework that Rousseau establishes in both the *Discourses.*"
2. Roger Barny, "Jean-Jacques Rousseau dans la Révolution," *Dix-Huitième Siècle*, VI (1974), 59-98. Simon-Ingram also sees Rousseau's own ambiguities as at least one source of contradictory interpretations of his thought (*passim*).
3. The bibliography on this subject is so immense that I will indicate here only one recent work: *Études sur les Discours de Rousseau/Studies on Rousseau's Discourses*, ed. by Jean Terrasse (Ottawa: Association nord-américaine des études Jean-Jacques Rousseau/North American Association for the Study of Jean-Jacques Rousseau, 1988). Contrary and contradictory interpretations of Rousseau's thought continue to be expressed at virtually every meeting in which his works are discussed and in the many books and articles published about the man and his writings.

There are also those who, like W. T. Jones, boldly state that Rousseau did not work out his ideas analytically in the fashion of his commentators. "That is not the way his mind worked," avers Jones. "He did not reason things out; rather he simply 'saw a truth.' Granted that his truths were often muddled and sometimes not truths at all, it is still remarkable how often an *ex post* [*sic*] case can be made for one or another of his insights."[4] Jones fails to note how often an *ex post facto* case can be made *against* one or another of Rousseau's insights, thus further muddling an already muddled mess.

In a recent essay I have explored the irony of Rousseau's reputation as a democrat and a revolutionary in the light of his appeal to anti-democrats and even despots, and concluded that an examination of his work might lead one to see Jean-Jacques as rather conservative and anti-democratic in fact.[5] In this essay I intend to offer a reading of part of the message contained in Book IV, Letter 10, and Book V, Letters 2 and 7 of *La Nouvelle Héloïse*. I hope to suggest that the Jean-Jacques who authored these letters in the name of the admiring Saint-Preux was possessed of a basic mistrust of the common people and of a desire to keep the ruling caste in place. But first, it will be necessary to provide a theoretical framework for my analysis, which will depend on a certain understanding of the meaning, the use and the abuse of the term *volonté générale*.

The problem of interpretation stems not so much from a misunderstanding of what the *volonté générale* is, but rather from separating out its meaning and its implementation. Rousseau himself distinguished the *volonté générale* from the *volonté de tous*: the former refers to the will of the people as it seeks the common good, whereas the latter is the will of the people as it seeks the individual good of each participant. While the *volonté de tous* may be thought of as the actual (not the theoretical) basis of representative party politics as they have evolved over the years, the *volonté générale* is a more abstract basis for the well-being of the community, according to which individual benefits are sacrificed for the common weal.[6] The *volonté générale* has

---

4. W. T. Jones, "Rousseau's General Will and the Problem of Consent," *Journal of the History of Philosophy*, XXV (January 1987), 124, n. 20.

5. Theodore E. D. Braun, "Diderot, Rousseau, and Democracy; or *Jacques* and *Julie*," to appear in *Transactions of the Northwest Society for Eighteenth-Century Studies*. Some of the ideas (and some of the expression of those ideas) found in that essay are repeated in the present essay.

6. Peter Breiner clarifies this point admirably in his article "Democratic Autonomy, Political Ethics, and Moral Luck," *Political Theory* 17 (November 1989), 550-579; see especially pp. 560-562 on this issue.

nothing to do with form of government (although it does rely upon public assemblies and although, since the sovereign is the collectivity, the *volonté générale* denies the doctrine of the divine right of kings): monarchy, democracy, oligarchy, despotism — at least in theory, any kind of government can assure that the *volonté générale* is maintained.

Rousseau does not in fact preach democracy, but only the participation of all in the formulation and maintenance of the *volonté générale*. Perhaps in this respect his thought is close to Diderot's: like Rousseau, Diderot rejected the doctrine of the divine right of kings, and like Rousseau, he believed that sovereignty, or political authority, resided in the people. Let us listen to what he says in the article "Autorité politique" in the *Encyclopédie*:[7]

> Aucun homme n'a reçu de la nature le droit de commander aux autres. La liberté est un présent du ciel, et chaque individu de la même espèce a le droit d'en jouir aussitôt qu'il jouit de la raison. (p. 898)

> Le prince tient des sujets mêmes l'autorité qu'il a sur eux; et cette autorité est borné par les lois de la nature et de l'état. (p. 898)

> . . . le gouvernement [de France], quoique héréditaire dans une famille, et mis entre les mains d'un seul, n'est pas un bien particulier, mais un bien public, qui par conséquent ne peut jamais être enlevé au peuple, à qui seul il appartient essentiellement et en pleine propriété. (p. 899)

Is it a coincidence that the *Contrat social* (and *Julie, ou La Nouvelle Héloïse*, which can be seen as a fictional illustration of the ideas in the *Contrat social* and *Émile*) followed the publication of vol. 1 of *L'Encyclopédie* by a scant decade — a decade in which Jean-Jacques could assimilate the essential message of his erstwhile friend Denis? We note that for Diderot as for Rousseau, the form of government adopted by a particular nation is unimportant: what matters is that the government must work for the common good (that is, it must put the *volonté générale* into effect) rather than for its own interests or those of the directors of the government; and political authority resides in all cases in the subjects themselves, who are thus simultaneously subjects and sovereign. Or, to put it in Peter Breiner's words, "It is therefore the business of the members of the sovereign to pass laws that at once express and maintain moral authority — that is, maintain the

---

7. *Encylopédie, ou Dictionnaire raisonné des sciences, des arts et des métiers* (Paris: Briasson, David l'Aîné, Le Breton, and Durand, 1751), I, 898-900.

identity between citizen and sovereign. And this is accomplished only if the citizens are steadily at work asking what the general will (or the common good) demands" (p. 559). We will soon see how this principle applies to the estate at Clarens.

However, one final point needs to be made before we move to the shores of Lac Léman. Those who see in Rousseau a revolutionary or a democrat may well be blinded by the brilliance of some of his statements, and forget how far he moves away from the spirit of such lyrical outpourings in the development and elaboration of his thought further on or in other works, so that what it turns out that he really means is far removed from what he appeared to say at the outset. But we must forgive this temporary blindness, remembering La Rochefoucault's famous maxime 26: "Le soleil ni la mort ne se peuvent regarder fixement." One cannot with impunity stare at Rousseau's brilliant statements. But how spectacular they can be!

> Le premier qui, ayant enclos un terrain, s'avisa de dire, *ceci est à moi*, et trouva des gens assez simples pour le croire, fut le vrai fondateur de la société civile. Que de crimes, que de guerres, de meurtres, que de misères et d'horreurs, n'eût épargné au genre humain celui qui, arrachant les pieux ou comblant le fossé, eût crié à ses semblables: Gardez-vous d'écouter cet imposteur; vous êtes perdus, si vous oubliez que les fruits sont à tous et que la Terre n'est à personne.[8]

> Tout est beau, sortant des mains de l'auteur des choses: tout dégénère entre les mains de l'homme.[9]

The long lyrical passage introducing the *Confessions*[10] is also in this category, but it is too long to be cited here, and is known to everyone interested in Rousseau studies.

Unfortunately, Rousseau prefers untested theory and speculation to hard facts, a methodology that adds to the problem of interpretation. In at least one case, he is very explicit on this score: "Commençons donc par écarter tous les faits, car ils ne touchent pas à la question" (*Œuvres complètes*, Pléiade edition, III, 132). Unlike Rousseau, we must stick to the facts; and a brief examination of the above-mentioned

---

8. Jean-Jacques Rousseau, *Discours sur l'origine de l'inégalité*, beginning of the Seconde Partie, in the Pléiade edition of the *Œuvres complètes*, general editors Bernard Gagnebin and Marcel Raymond (Paris: Gallimard, 1964), III, 164.
9. Jean-Jacques Rousseau, *Émile*, in the Pléiade edition of the *Œuvres complètes* (1969), IV, 245.
10. Jean-Jacques Rousseau, *Confessions*, in the Pléiade edition of the *Œuvres complètes* (1959), I, 5.

letters from *La Nouvelle Héloïse* will demonstrate, I think, Rousseau's basic distrust of the people and his desire to keep the ruling caste in place. I refer to Julie and Wolmar's administration of Clarens.[11] In these letters, Julie's former lover and current house-guest, Saint-Preux, enthuses over the particulars of the administration of the Wolmars' property at Clarens, on the eastern shore of the Lake of Geneva. He thrills in particular to their handling of the servant problem: how can one keep the servants happy, content with their lot, and attached to the family? It is significant to our thesis that the hero sees the servants not from the perspective of his own humble origin but rather from that of the upper class. Perhaps it is Rousseau's own experience as a servant that makes him distrust the male workers, whom he presents as basically lazy and prone to petty thievery, drunkeness and womanizing. The female workers are presented as people who, left to their own devices, would abet the men while adding their own dimension to the general immorality that characterizes Rousseau's depiction of the lower classes in this book. Whatever the cause, a system of paternalism, deception and manipulation is contrived to control their urges and channel their energies towards proper and productive ends.

The Wolmars hide their wealth from their employees, adopting during the harvest season a temporary spartan way of life and a false spirit of comaraderie with their workers with whom they only *appear* to be friendly. By various tricks and deceits, the workers are induced to greater efforts and greater productivity, while the real benefits of their labors are reaped by their employers. The workers' spare (one can hardly call it "free") time is planned for them. Only rarely do men and women socialize together, and then in tightly controlled circumstances. The penalty for those who defy orders to conform to a strict, military, authoritarian regimen is exile, that is, they are fired; the rewards for social conformity are ever-increasing wages and security until death.

The Legislator of the *Contrat social* could hardly have devised a better means of social control. Nor could Jean-Jacques, Emile's tutor, have manipulated his pupil any better than Julie and her husband manipulate their workers. One is reminded of the manner in which the wealthy in the *Discours sur l'origine de l'inégalité* manipulate the others to create laws that essentially preserve the status quo (pp. 177-178).

---

11. Jean-Jacques Rousseau, *Julie, ou la Nouvelle Héloïse*, in the Pléiade edition of the *Œuvres complètes* (1964), II, 441-470, 527-557, and 602-611.

And how can one ignore the disdain expressed by Rousseau almost everywhere in the *Confessions* for the common people, from the street boys in Geneva to the servants in Turin to the poor in Paris? Who can forget how Rousseau gravitated towards the rich and powerful, the famous and the influential?

Rousseau, in a word, defends not democracy, not government by the consent of the governed, not political authority arising from the people who possess it totally and inalienably, but government by the wealthy, and autocratic and hypocritical rule by despots — benign, in the case of Wolmar, it is true; but he is no less a despot for it. Power and authority do not reside in the people in Clarens, but in the upper classes. It is also noteworthy that women are distinctly subordinated to men for Rousseau, and that there seems little hope for equality between the sexes with him. In short, it is hard to understand how Rousseau can be considered a revolutionary, if by that we mean a person who seeks to overthrow or even to alter the status quo.

If we are to judge Rousseau's political thought by what he depicts at Clarens, we must conclude that he does not embrace popular democracy. Indeed, Jacques Proust sees in "La petite société de Clarens . . . un mixte du second état de nature décrit dans *L'Inégalité* et de la démocratie patriarcale que Rousseau prônera bientôt aux patriotes corses."[12] Rousseau seems driven by other needs than popular sovereignty; as Maurizio Viroli has pointed out,

> For Rousseau, to live in a well-ordered community is the principal condition for happiness and personal dignity. When men feel themselves to be in their proper place and all around them to be in its proper place, then their existence becomes *douce*. By contrast it is better to live alone than to live in a disordered society, for there is no condition so onerous as the absence of liberty.[13]

"Liberty," as Viroli uses it in this context, is understood to mean conformity to the *volonté générale*.

But how can Clarens be seen as an illustration of Rousseau's ideal society as seen in the *Discours sur l'inégalité* and the *Contrat social*? How can the Wolmar household be considered in any way as a society

---

12. J. Proust, "Diderot, Rousseau, et la politique," *Revue européenne de sciences sociales*, 28 (1989), 68.

13. Maurizio Viroli, "The concept of *ordre* and the language of classical republicanism in Jean-Jacques Rousseau," in Anthony Pagden, ed., *The Languages of Political Theory in Early-Modern Europe* (Cambridge: Cambridge University Press, 1987), p. 178.

in which "the citizens are steadily at work asking what the general will (or the common good) demands," as Breiner put the question in a passage already referred to? Surely, the house servants and the day laborers hired by the Wolmars do not consider these questions. These paid employees, whether they be full-time or seasonal employees, look only to their own advantage: if they obey the Wolmars' rules, they will be well taken care of; if not, they will be dismissed peremptorily.

The answer to this question can be found in a final irony, with which I close this essay. Specifically, it can be found in the organization and the stratification of the society that Jean-Jacques grew up in, that is, in the kind of democracy practised in Geneva. We recall that Rousseau proudly referred to himself as a "citoyen de Genève." Now not everyone, not even every adult male, who lived in Geneva was a citizen, even if the family resided there for some time.

There were perhaps as many as six social classes in the Geneva that Jean-Jacques knew: the Aristocrats of the Petit Conseil; the Citoyens; the Bourgeois (who, like the Citoyens had the right to vote but could not be elected to the principal magistratures; they could also, like the Citoyens, exercise the most lucrative professions: the maîtres-artisans were all Citoyens or Bourgeois); the Natifs; the Habitants (neither they nor the Natifs could vote, and both were prohibited from exercising the most lucrative professions); and the Sujets, who were peasants, mercenary soldiers, and other people of low estate.[14]

The Wolmar family can truly represent the *volonté générale*, and fully identify sovereign and subject in the person of the citizen, *only* if the community consists entirely of Julie and Wolmar. Milord Édouard, Claire, and Saint-Preux are excluded as outsiders; the Wolmar and d'Orbe children are not yet fully Citoyens, being minors; the servants and the day workers are at best Natifs or Habitants, even Sujets. Julie and Wolmar, perhaps emblematic of Genevan Aristocrats rather than mere Citoyens, are in fact the only full members of the community and Wolmar is the only voting member of the community, since women do not have the right to vote. In this sense the deception they wrought upon their employees can be justified as being the expression of the *volonté*

---

14. This schema is somewhat simplified in Jean-Jacques Rousseau, *Confessions*, ed. Jacques Voisine (Paris: Garnier Frères, 1964), p. 5, n. 2, where we read: "Pour être *citoyen* de Genève il fallait être fils ou fille de bourgeois et né dans la ville, à la différence des *natifs*, nés à Genève de parents n'ayant pas droit de bourgeoisie, et des *habitants*, qui ne justifient ni de l'une ni de l'autre de ces qualités."

PARTIAL ASSOCIATIONS

IN *LA NOUVELLE HÉLOÏSE*

> If, when no adequately informed people deliberate, the citizens were to
> have no communication among themselves, the general will would always
> result . . . and the deliberation would always be good. But when factions,
> partial associations at the expense of the whole, are formed, the will of
> each of these associations becomes general with reference to its members
> and particular with reference to the State. One can say, then, that there
> are no longer as many voters as there are [citizens], but merely as many
> as there are associations. . . . In order for the general will to be well
> expressed, it is therefore important that there be no partial society in the
> State. . . . (*S.C.* II.3)

I. Introduction: The Partial Association Problem

John C. Hall claims that "no part of Rousseau's *Social Contract* has
been so frequently misunderstood"[1] as the passage just cited, which
leads to a ban on partial associations. Perhaps the main difficulty is to
determine the intended scope of this ban: whether it is to apply to all
or only to some partial associations — namely, those which would
interfere with, if not altogether preclude, the appropriate expression of
the general will in well-formed laws. Given both the stated rationale
for the ban and its explicit linkage with the voting behavior of citizens,
it is certainly reasonable to adopt the latter interpretation as Rousseau's
true intent.

But if so, the next question is: are there any partial associations
that avoid this description? Are there any partial associations that are
not factions? In order to answer this question, one might consider
Rousseau's subsequent remarks about voting, about "the simple right
to vote in every act of sovereignty . . . and the right to give an opinion,
to make propositions, to analyze, to discuss." (*S.C.* IV.1) The exercise

---

1. John C. Hall, *Rousseau: An Introduction to his Political Philosophy* (London:
   Macmillan, 1973), p. 131. Hall proceeds to consider several "more or less
   plausible but mutually incompatible interpretations of what Rousseau is objecting
   to: (1) factions which would intimidate their fellow-citizens or at worst plunge
   the state into civil war; (2) groups within the state that would have a permanent

of the various aspects of the latter right is surely essential if citizens are to be 'adequately informed,' and if their deliberations regarding a proposed law are to result in a genuine expression of the general will. Assuming, then, that citizens should deliberate before they vote, and that such deliberation involves — or should involve — sharing opinions about a proposed law, and also analyzing and discussing those opinions, what can Rousseau possibly mean when he suggests that 'the general will would always result and the deliberation would always be good, if, when an adequately informed people deliberates, the citizens were to have no communication among themselves'? Indeed, how can citizens be adequately informed, how can they deliberate at all, if they 'have no communication among themselves'?

These questions, of course, simply replicate the problem of scope with which I began; and so, if the ban on partial associations is to be understood as applying not to all such associations but only to factions, so too the ban on communication should be construed as excluding some but not all forms of communication. For, as Rousseau observes,

> when the social tie begins to slacken and the State to grow weak; when private interests start to make themselves felt and small societies to influence the large one, the common interest changes and is faced with opponents; . . . contradictions and debates arise and the best advice is not accepted without disputes. (*S.C.* IV.1)

common interest and therefore their own general wills, and to which the individual might come to subordinate his own interest rather than to the general will of the whole community; (3) group voting or caucuses; (4) more trivially, given the method of compromise Rousseau sketches in the first two paragraphs of this chapter, that the average of two averages need not be the average of the whole; and (5) interest groups — i.e., either a group formed to promote policies that are equally in the interest of other members of the community, or a group each of whose members promotes, in appropriate circumstances, the individual interest of other members of the group in preference to the interests either of outsiders generally or of a specific class of outsiders." (pp. 131-135, *passim*) Hall suggests that Rousseau, in fact, is objecting only to interest groups of the latter kind. My own approach relies much more on what Rousseau says about voting behavior, and thus cuts across some of the possibilities Hall adumbrates.

Indeed, I suspect that Rousseau's concept of factions is quite similar to that presented by Madison in *Federalist* #10: viz., "By a faction, I understand a number of citizens, whether amounting to a majority or a minority of the whole, who are united and actuated by some common impulse of passion, or of interest, adverse to the rights of other citizens or to the permanent and aggregate interests of the community." (Cf. Ralph H. Gabriel, ed., *Hamilton, Madison, Jay: On the Constitution — Selections from the Federalist Papers* [Indianapolis: Bobbs-Merrill, 1954], p. 12.) Rousseau, however, would not view the interests of the community as simply the aggregative interests of its members.

What Rousseau seeks to exclude from public deliberation, then, are "those long debates, dissensions and tumult that indicate the ascendance of private interests and the decline of the State." (*S.C.* IV.2) And he is most specific regarding the deleterious consequence of this ascendance of private interests — whether of an individual or of a 'small society' (i.e., a faction): namely, that the citizen 'changes the state of the question and answers something other than what he is asked' —

> rather than saying through his vote it is advantageous to the State, he says it is advantageous to a given man or to a given party for a given motion to pass. (*S.C.* IV.1)

The well-formed State, Rousseau suggests, will seek to prevent this problem not only by adopting a "law of public order in assemblies: that the general will is always questioned and that it always answers" (*ibid.*); but also, by prohibiting those partial associations which would subvert 'the state of the question' citizens should answer with their votes.

So once again, are there any partial associations to which this ban would not apply? Are there, indeed, partial associations that would encourage, rather than subvert, appropriate deliberative and voting behavior by their members? I shall approach this question by considering certain partial associations that Rousseau certainly seems to commend and that are portrayed in considerable detail in his epistolary novel *La Nouvelle Héloïse*.

II. Dyads, Families and a Commune

The chronology of partial associations constructed in *La Nouvelle Héloïse* proceeds from the intimate relationships of lovers and friends, to the formation of conjugal and then nuclear families, and finally to the establishment of 'our little community' — as Claire designates the Clarens commune. In addition, Saint-Preux supplies a detailed report of an already existing laissez-faire 'community' of peasant-artisans in the High Valais region of Switzerland. But, even though all of these partial associations are presented in the novel with Rousseau's apparent approval, the question is: which, if any, would be permitted in a well-formed State? which would enable their members to deliberate and to vote in the requisite manner?

A. *Dyads:* Now, it may seem rather odd to classify the relationships of lovers, friends or spouses as partial associations; but

Rousseau's account of how 'the state of the question' might be altered
clearly accommodates, even requires, this classification. For, if a
citizen's concern for what is advantageous to his lover, friend or wife
takes precedence over his concern for what is advantageous to the State,
and if he changes 'the state of the question' accordingly when he votes,
the dyadic relationship to which he belongs constitutes a dyadic faction.
Yet in *La Nouvelle Héloïse*, Rousseau clearly seems to approve the
formation of dyadic relationships. As Saint-Preux observes, "it is not
good for a man to be alone. Human souls need to be joined together in
pairs in order to be worth their full value." (*L.N.H.* II.13)

Now this remark occurs in Part II — that is, after the dyadic
relation between Saint-Preux and Julie as lovers has been terminated
by the latter's father. And so, they seek to reconstitute their relationship
as one between friends. For, Saint-Preux continues,

> the united strength of two friends, like that of the bars of an artificial magnet,
> is incomparably greater than the sum of their individual forces. Divine
> friendship, this is your triumph! But what is even friendship next to that perfect
> union which connects the whole energy of friendship with bonds a hundred times
> more sacred? (*Ibid.*)

In addition to the precarious friendship, which continually
threatens to revert to a lover's dyad, between Saint-Preux and Julie,
Rousseau depicts other, somewhat more stable friendships to which
Saint-Preux is a party — with Lord Bomston, with Claire, even
(eventually) with Julie's father. But clearly, Rousseau's exemplar of a
friendship dyad is that between Julie and Claire. When the former urges
the latter to become the first addition to the Clarens commune, she
claims that "we have but one family, just as we have but one heart with
which to cherish it." (*L.N.H.* IV.1) Not just united strength, but a single
heart: these suggest the potential value to those who are 'joined together
in pairs.' And though Saint-Preux had acknowledged a feeling of
jealousy for 'so tender a friendship' when he was still Julie's lover, he
subsequently admits that his own heart "no longer distinguishes between
Julie and Claire and does not separate the inseparables." (*L.N.H.* I.38,
V.9)[2]

---

2. Choderlos de Laclos offers an ironic treatment of close friendship as a moral
    person, of 'inseparables' who are all-too-easily separated, by chicanery and —
    to be sure — seduction. Cf. *Les Liasons Dangereuses* (New York: New American
    Library, 1962), pp. 167-173, *passim.*

What, then, of 'that perfect union' to which Saint-Preux alludes — a union which combines love and friendship, a union between husband and wife? Though the conjugal dyad formed by Julie and Wolmar is rather dispassionate, Julie does claim that:

> each of us is precisely what the other needs; he instructs me and I enliven him. We are of greater value together, and it seems that we are destined to have only a single mind between us, of which he is the understanding and I the will. (*L.N.H.* III.20)

This description of a particular conjugal dyad should be compared, and perhaps contrasted, with that which Rousseau offers as he anticipates (and arranges!) the marriage of Émile and Sophie.

> The social relationship of the sexes is an admirable thing. This partnership produces a moral person of which the woman is the eye and the man is the arm, but they have such a dependence on one another that the woman learns from the man what must be seen and the man learns from the woman what must be done. If woman could ascend to general principles as well as man can, and if man had as good a mind for details as woman does, they would always be independent of one another, they would live in eternal discord, and their partnership could not exist. But in the harmony which reigns between them, everything tends to the common end; they do not know who contributes more. Each follows the prompting of the other; each obeys, and both are masters. (*É.* 377)

Rousseau's principle of gender complementarity may well have its difficulties, of course. Julie's version seems to invert the respective contributions to the single mind or moral person, assuming that the eye denotes practical reason and the arm, volition. And despite Rousseau's insistence, in *Émile*, that 'both members of the conjugal dyad are masters,' only the husband can ever become a citizen (in Rousseau's well-formed State) and, in that capacity, will 'represent' the dyad in his deliberative and voting functions.[3]

---

3. Several years ago, my wife and I purchased the rights to exclusive use of a cabin that (in the end) belongs to a partial association. According to the By-laws of this association, each cabin — and there are eleven included on the property and in the association — has one vote in all decisions. Though two of the cabins are 'owned' by individuals, the remaining nine 'belong' to conjugal dyads. So far as I am aware, each dyad votes after reaching agreement but without any gender discrimination or hierarchy. In effect, each dyad comprises a 'citizen' whose constitutive members are equally, and amicably, represented in its vote. Might there be a way of construing, or perhaps reconfiguring, Rousseau's concept of a moral person so as to overcome its apparent sexist bias?

Nevertheless, in saying 'that she and Wolmar are of greater value together,' Julie not only echoes Saint-Preux's thesis — viz., 'that human souls need to be joined together in pairs in order to be worth their full value,' but she also seems to refer to Rousseau's thesis that a conjugal dyad is a moral person. Indeed, whether a dyad is constituted by lovers, friends or spouses, and though it enables its members to attain greater strength and to possess a single heart (or sensibility?) and a single mind (or harmony of understanding and will?), its most critical function lies in the formation of a moral person. For, the two individuals who are thus joined together achieve thereby 'their full value.'

Julie, furthermore, clarifies the value of such a moral person itself, at least in the case of the conjugal dyad, when she claims that "people do not marry in order to think exclusively of each other, but in order to fulfill the duties of civil society jointly, to govern the house prudently, to rear their children well." (*L.N.H.* III.20) But not the least of the civic duties to be jointly fulfilled by the conjugal dyad is that its representative, the citizen, engage in public deliberation and then vote on proposed laws; or at least this will be true in a well-formed State. And since such a State is likewise "a moral person whose life consists in the union of its members." (*S.C.* II.4), the optimal dyad *qua* minimal moral person (assuming, indeed, that no solitary individual can be a moral person *per se*) will be one which sustains the State, *qua* maximal moral person, by encouraging its representative to respond to the appropriate 'state of the question' with his vote.

Insofar, it would appear that dyadic relationships, though in the requisite sense partial associations, are not necessarily or invariably factions, and so would be permissible in a well-formed State. Yet that conclusion must be qualified, since there is always the danger that the members of a dyadic relationship will begin 'to think exclusively of each other' and, as a result, incline its representative to give precedence to the interests of the dyad and thereby subvert 'the state of the question.' Saint-Preux, though intending to praise 'the character of this pair' (i.e., Julie and Wolmar) to his friend Bomston, suggests that "you must picture them taken up with their family and living for each other apart from the rest of the universe." (*L.N.H.* V.5) If even the most exemplary conjugal dyad is portrayed as tempted to abnegate its civic duty, as self-absorbed and detached from the larger society, one must wonder whether any dyad can be exempted from the ban on partial associations.

B. *Families:* Though there are in fact two nuclear families directly portrayed in *La Nouvelle Héloïse*, only one receives much attention — that of Julie, Wolmar and their two sons. (The other includes Claire, Monsieur d'Orbe and their daughter; but d'Orbe dies — at the beginning of Part IV.) In a rather lengthy account of the Wolmar family, Saint-Preux indicates that "the first care in which Julie and Wolmar are united, and indeed the chief care of man in civil society, is to provide for the needs of children." (*L.N.H.* V.2) This observation effectively links the three objectives of marriage as stated by Julie: 'to fulfill the duties of civil society jointly, to govern the house prudently, to rear the children well.' That is, providing for the needs of children, for their education and for their patrimony, is itself a civic duty. The Wolmars, 'by enhancing the value of the Clarens estate rather than purchasing new estates, and by investing their money safely rather than profitably,' seek to leave their own example of non-acquisitive, prudent household management as the most appropriate patrimony. (cf. *ibid.*) And Saint-Preux supplies a detailed report of the Wolmar's educational theory — unsurprisingly, a summary of that to be found in *Émile* — which he, Saint-Preux, has been charged to implement, though Wolmar and Julie do not abnegate their own responsibilities in this regard.

Accordingly, and insofar as care for the patrimony and education of children constitutes the fulfillment of a primary civic duty by the parents in a nuclear family, this partial association would seem to be the positive and desirable foundation for a well-formed State that Rousseau intends it to be. And Saint-Preux certainly seems to reinforce this possibility when he comments that the members of the families he visited in the High Valais "have towards each other an unaffected simplicity; the children of the age of reason are the equals of their fathers; . . . the same liberty rules in the house and in the republic, and the family is the image of the State." (*L.N.H.* I.23) Such a nuclear family would then constitute another moral person whose younger (male) members have already begun to experience what, in Rousseau's view, "ought to be the end(s) of every system of legislation: namely, freedom and equality." (*S.C.* II.11) Thus, if the nuclear family is the State 'writ small,' and if it prepares its members to recognize the essential conditions of well-formed laws, it would seem to pass muster so far as permissible partial associations are concerned.

Unfortunately, Rousseau himself unwittingly rejects this possibility when he describes such a laissez-faire 'community' of productive and tranquil peasant-artisans near Neufchatel. For, he suggests, the fundamental rule in this society is for each household to become entirely self-sufficient vis-à-vis both other families and the State: i.e., the rule is that "each is everything for himself, no one is anything for another."[4] But in that case, the laissez-faire society is neither a partial association nor a moral person; and, what is worse, it is reducible to essentially unrelated households or nuclear families whose members quite deliberately 'live for each other apart from the rest of the universe.' Even if each such family were to be the image of the State, as Saint-Preux claims, this is true because it has a general will of its own 'which is particular with reference to the State.' And, if its (male) head were to engage in public deliberations and then vote on a proposed law, while remaining committed to the operative principle just noted, he would perforce change 'the state of the question' and give precedence through his vote to the interests of his family over those of the State. In short, rather than comprising a positive foundation for a well-formed State, the nuclear family would seem to represent a paradigmatic instance of a faction; and as such, it must be banned.

C. *A Commune:* Julie and Wolmar, whose marriage produces a conjugal dyad and then a nuclear family, also initiate the formation of a still more inclusive moral person at Clarens. That is, they establish a pastoral commune, or partial association, that Claire refers to as "our little community." (*L.N.H.* V.10) Eventually, the members of this commune will include two distinct groups: its inner circle will consist of Julie (until her death), Wolmar and their two sons, Julie's father, Claire and her daughter, Saint-Preux, and Lord Bomston; while its outer circle comprises an indeterminate, if still limited number of domestic servants and farm workers.[5] According to Saint-Preux's description,

> A small number of good-natured people, united by their mutual wants and reciprocal benevolence, concur by their different employments in promoting the same end; every one finding in his situation all that is requisite to contentment

4. Cf. Jean-Jacques Rousseau, *Politics and the Arts: Letter to d'Alembert on the Theatre,* tr. by Allan Bloom (Ithaca: Cornell University Press, 1968), pp. 60-62, *passim.*
5. Wolmar's policy is to maximize farm production in order to employ more workers, so that there will be a continual and reciprocal increase of producers and consumers, of products and labor. But, given that the Clarens estate is finite and that the Wolmars do not seek to increase the size of their estate, this process must eventually conclude with an optimal balance or equilibrium between land and population.

and not desiring to change it, applies himself as if he thought to stay here all his life; the only ambition among them being that of properly discharging their respective duties. (*L.N.H.* V.2)

As with the conjugal dyad, the various members of the Clarens commune share a common end to which they contribute in different, yet complementary ways.

Now, it seems to me that this partial association at Clarens exhibits many of the characteristics of intentional communities, such as the kibbutzim in Israel, Twin Oaks, Oneida and the Shaker communities in the United States, and the Hutterite colonies in Canada. Not least, those in the Clarens inner circle regarded their little community as at once a refuge and a hope, as a retreat from a disordered, corrupt world but also as a kind of mission to that world. Thus, Saint-Preux remarks that

the reason why the inhabitants of this place [i.e., Clarens] are happy...is because they here know how to live; not in the sense in which these words would be taken in France, where it would be understood that they had adopted certain customs and manners in vogue: No, but they have adopted such manners as are most agreeable to human life, and the purposes for which man came into the world. (*L.N.H.* V.2)

But, precisely because the Clarens commune has this ambivalent orientation, of detachment from and exemplar for the world, its status as a partial association becomes problematic.

On the one hand, consider Rosabeth Kanter's claim "that the most critical problem which any community faces is to ensure the commitment of its members — to the community's work, to its values, and to each other." To solve this problem, an intentional community must devise a package of commitment mechanisms: that is, a set of social practices and beliefs which serve "to detach the individual from the larger society and attach/commit that person (instrumentally, affectively, and morally) to the commune."[6] And clearly, the Clarens commune does employ such a package of commitment mechanisms. To wit: a careful structuring of its physical, social and economic environment; an emphasis upon openness, or transparency, in the relationships among

---

6. Rosabeth Moss Kanter, *Commitment and Community: Communes and Utopias in Sociological Perspective* (Cambridge, MA: Harvard University Press, 1972), p. 65. Cf. Chapter 4 regarding the 'commitment packages' employed by successful (as measured by longevity) intentional communities.

its members (or at least among those in the inner circle); the maintenance of a simple, industrious life-style; and the provision of oppor-
tunities to experience communion. This last mechanism is by no means
the least important in the Clarens commitment package. The members
of the inner circle gather occasionally in silence ('after the manner of
Friends' — i.e., the Quakers), which, Saint-Preux claims, enables them
to be "friends collected in each other." (*L.N.H.* V.3) That is, they
experience a particularly keen sense of their collective identity and
purpose. But there is also an occasion, once each year, when the whole
commune — inner and outer circles alike — enjoys a comparable
experience: namely, the grape harvest which is followed by a festival
— with a feast, dancing, whatever. (I don't mean that this harvest
celebration would be equivalent to the Druid festivals, of Samhain or
Beltane; but, who knows?) This is an especially significant mechanism
for creating a sense of community, of communion, and even — albeit
temporarily — of equality, within the Clarens commune. Jean
Starobinski suggests that "this harvest celebration is reminiscent of the
general will of the *Social Contract*. . . . The festival expresses, in the
'existential' realm of emotion, what the *Social Contract* formulates in
the theoretical realm of law."[7] But in that case, no less than when its
inner circle engages in silent communion, the Clarens commune will
have successfully detached its members from the larger society and
secured their primary commitment to itself. In other words, and in the
requisite sense, the Clarens commune will have become a faction, a
partial association whose members may mimic the general will but
thereby subvert that will.

On the other hand, the Clarens commune *qua* exemplar might also
encourage civic life, even in a State that is not well-formed. Rousseau,
after imagining 'that Émile and Sophie might actually restore the golden
age from a simple retreat in the country, were they to do no more than
complete together what Sophie's worthy parents had begun,' cautions
Émile as follows:

> do not let so sweet a life make you regard painful duties with disgust, if such
> duties are ever imposed on you. Remember that the Romans went from the plow
> to the consulate. If the prince or the state calls you to the service of the fatherland,
> leave everything to go to fulfill the honorable function of citizen in the post
> assigned to you. (*É.* 474)

---

7.   Jean Starobinski, *Jean-Jacques Rousseau: Transparency and Obstruction*, tr. by
       Arthur Goldhammer (Chicago: University of Chicago Press, 1988), p. 96.

However, given Emile's character, Rousseau thinks it unlikely that he (Émile) "will be sought out to serve the state." (*É.* 475) Similarly, Lord Bomston indicates that,

> although I no longer have any interest in Parliament, while I am a member that is enough for me to do my duty until the last. But I have a faithful colleague and friend, whom I can empower to answer for me in current affairs. (*L.N.H.* VI.3)

Such comments (but nothing is said about Wolmar's or Saint-Preux's or Julie's father's civic responsibilities) may well suggest that an intentional community, such as the Clarens commune, can tolerate, but is unlikely to encourage, the participation of its members in the affairs of a State that is not well-formed. That is, a state whose 'citizens' are really only subjects, since they are denied 'the simple right to vote in every act of sovereignty and also the (complementary) right to give their opinions, to analyze and discuss' proposed laws. But, were such an intentional community located within a well-formed State, perhaps it might escape the ban on those partial associations that are factions.

Still, since it is most unlikely that an intentional community could enhance the commitment of its members to the State without weakening the force of the various practices and beliefs it had instituted in order to commit its members to itself, the very survival of such a community would seem to require that it become a faction. For, were its citizen-members to participate in public deliberations and then vote on proposed laws in the larger community, they would almost certainly give precedence to the interests of their intentional community over those of the State, and would thereby preclude a proper expression of the general will of that State. Consequently, intentional communities such as the Clarens commune would most probably be prohibited by a well-formed State.

III. Conclusion

Though Rousseau claims, in a concluding note (cf. *L.N.H.* VI.13) that *La Nouvelle Héloïse* is not only 'agreeable to him, but will be so to every well-disposed reader because it is pure and not mixed with unpleasantness,' I confess that my own (admittedly focused) reading has a less happy outcome. For none of the partial associations I have considered — dyads formed by lovers, friends or spouses, the nuclear family, intentional communities — satisfies Rousseau's criterion unambiguously; none, that is, altogether and straightforwardly eludes his ban on factions, which ban seems required to ensure that the general will is well-expressed in laws adopted by the citizens of a well-formed State. And yet, Rousseau clearly believes that such partial associations are most 'agreeable,' and even indispensable if individuals are to attain 'their full value.'

Now Rousseau does consider, albeit briefly, the possibility of applying the ban quite rigorously to conjugal dyads and families. In the *Émile*, he refers to the second wave in Plato's *Republic*: that is, the 'alleged community of women [and children]' which Socrates recommends for the guardian class. To be sure, Rousseau objects to the 'civil promiscuity which confounds the two sexes in the same employments and in the same labors,' to the fact that "having removed private families from his regime and no longer knowing what to do with women, [Socrates] found himself forced to make them men." (*É.* 362,363) But were this problem overcome, Rousseau almost seems to accept the elimination of private families from his well-formed State. As he remarks, "the often repeated reproach on this point proves that those who make it against [Plato] have never read him." (*ibid.*) Almost, but not really; for he then argues "that the love of one's nearest is the principle of the love one owes the state; that it is by means of the small fatherland which is the family that the heart attaches itself to the large one; that it is the good son, the good husband, and the good father who make the good citizen!" (*É.* 363)

And so, Rousseau would much prefer (as would I) not only to permit, but even to encourage the formation of conjugal dyads and families. Moreover, this preference could be extended to intentional communities, given the pastoral commune he would have liked to establish, were he to become a rich man (cf. *É.* 345-354) — a commune very much like that formed by Julie and Wolmar at Clarens.

Perhaps, this preference accounts for Rousseau's alternative to the ban on partial associations that are factions: namely, that "if there are partial societies, their number must be multiplied and their inequality prevented." For, he claims, this alternative is another "valid means of ensuring that the general will is always enlightened and that the people is not deceived." (*S.C.* II.3)

The argument of this paper, in fact, has involved a review of some of the difficulties to which the ban leads, as illustrated in *La Nouvelle Héloïse*, in order to supply oblique support for the multiplication alternative. But of course, this alternative has difficulties as well. How, for instance, can a well-formed State effectively prevent inequalities among the various partial associations that have been multiplied? How can it ensure that the members of such associations will question the general will and hear its response? How, indeed, can it ensure that citizens — who are also sons, husbands, fathers and, perhaps, lovers, friends, and members of intentional communities — will avoid the deception involved in the ascendance of private interests and, instead, contribute through their active participation in public deliberation and then, with their votes, to appropriate expressions of the general will? These are issues that I hope to address on another occasion.

Howard R. Cell
Glassboro State College

Works Cited

Jean-Jacques Rousseau, *On the Social Contract*, with *Geneva Manuscript* and *Political Economy*. Edited and translated by Roger D. and Judith R. Masters. New York: St. Martin's Press, 1978.

Jean-Jacques Rousseau, *La Nouvelle Héloïse*. Translated and Abridged by Judith H. McDowell. University Park: Pennsylvania State University Press, 1968.

Jean-Jacques Rousseau, *Eloisa: Or a Series of Original Letters Collected and Published by J. J. Rousseau*. Translated by William Kenrick. London: Printed for C. Bathurst *et al.*, 1795.

Jean-Jacques Rousseau, *Émile, or On Education*. Translated by Allan Bloom. New York: Basic Books, 1979.

LA *NOUVELLE HÉLOÏSE* ET LA POLITIQUE :

DE L'ÉCART À L'EMBLÈME

En préambule à un cours qu'il professa « dans la vieille Sorbonne[1] » en 1957-1958, et dont le titre était alors *Aspects politiques des sociétés modernes*, Raymond Aron se référait à Auguste Comte pour alerter son auditoire sur les sens multiples du mot « politique ». Assez curieusement, il affirmait alors que le mot français « politique » traduisait deux mots anglais, « polity » et « politics », lesquels désignent et distinguent d'une part l'action, le programme et la méthode d'un individu, d'un groupe ou d'un gouvernement, d'autre part le domaine dans lequel rivalisent ou s'opposent les « politiques » au sens précèdent.

Je ne m'attarderai pas sur ces prolégomènes sémantiques de Raymond Aron. Je les mentionne parce que Rousseau s'est volontiers interrogé sur le sens des mots, sur leurs rapports avec les concepts et sur leur relative instabilité. Je ne sache pas qu'il ait eu besoin de l'anglais pour donner son sens au mot « politique », encore qu'il ait nourri sa méditation sur le pouvoir et la souveraineté par la lecture de Locke et de Hobbes. J'observe seulement qu'il a été tenté d'employer un vieux mot, tombé en désuétude, de la langue française, un mot que l'anglais avait peut-être fait entrer dans son patrimoine, le mot « politie », qui reflétait dans notre langue la *politeia* des Grecs plus que leur *politike techne*. Ce mot paraît à plusieurs reprises dans le *Contrat Social*, désignant une réalité qui tient à la fois de la société et du gouvernement, et s'opposant, comme la « police », à la barbarie.

La « politie » ou la politique semble ne pas relever de l'acte d'écrire propre à *La Nouvelle Héloïse* et il y a quelque paradoxe à la prendre comme objet d'étude dans ce texte. Le roman des âmes sensibles, les « belles âmes » qui se révèlent dans ce récit, transcendent toute pensée politique. Les origines de l'œuvre et sa structure première permettent au demeurant de comprendre cet écart. Le moment de *La Nouvelle Héloïse*, le lecteur des *Confessions* le sait, est en effet celui où « le grave citoyen de Genève », « l'austère Jean-Jacques » redevient

---

1. Cf R. Aron, *Mémoires*, Paris, Julliard, 1983, p. 335 ss.

« le berger extravagant[2] » (427). Finies les tâches ingrates qu'il avait accepté de mener pour Madame Dupin. Les extraits de l'abbé de Saint-Pierre laissent place aux *Amours de Claire et de Marcellin*, au *Petit Savoyard*, à *Julie*. En commençant son roman, il se jette dans le « pays des chimères », il situe « son délire » dans un monde idéal, « peuplé d'êtres selon son cœur » *(ibid.)*. Aux sources de *La Nouvelle Héloïse*, on croit voir comme un adieu à la politique et à la polémique, aux élans de révolte et d'indignation des deux *Discours* et de la *Lettre à d'Alembert*. Quant à la forme de ce texte, la première version est tout ordonnée à la passion amoureuse et aux figures mythiques des deux amants. La noyade finale est une apothéose, dans la mort, de l'amour impossible en ce monde. Origines et structure de l'œuvre nous écartent de la cité des hommes. Ainsi, au Moyen-Âge, le *Roman de la Rose* avait-il exalté l'amour d'Héloïse et d'Abélard, hors du mariage, contre les conventions et les contraintes de la société.

Mais il n'est pas si facile à Jean-Jacques de cesser d'être citoyen de Genève, de renoncer à l'honneur du nom genevois. Le printemps de 1763 est encore loin, où il abdiquera son droit de bourgeoisie. Au printemps de 1756, il tâche encore, malgré qu'il en ait, « d'honorer le nom genevois », il aime encore « tendrement ses compatriotes » et serait fâché « de ne pas se faire aimer d'eux » (lettre du 12 mai 1763). « Il est beau d'avoir une patrie » (657) : Jean-Jacques pense encore en avoir une. C'est pourquoi l'on perçoit une gêne dans la seconde préface, en forme de dialogue, de *La Nouvelle Héloïse*. Le lecteur, après avoir demandé à Rousseau : « vous vous nommerez? [...] vous mettrez votre nom? [...] votre vrai nom? *Jean-Jacques Rousseau*, en toute lettres? » ajoute « À la tête d'un livre d'amour, on lira ces mots : Par Jean-Jacques Rousseau, citoyen de Genève? » . Et cette fois, il s'attire une réponse négative : « Non, pas cela. Je ne profane point le nom de ma patrie; je ne le mets qu'aux écrits que je crois pouvoir lui faire honneur » (27). C'est la mauvaise conscience du Citoyen qui se fait entendre.

Il y a peut-être aussi un certain masochisme, à moins que ce ne soit une ruse, à se faire ainsi maltraiter par son lecteur supposé, et à s'incliner devant lui. Car l'ouvrage, en prenant sa forme définitive, a cessé d'être un pur et simple « livre d'amour ». Certes, les *Confessions* diront à nouveau la « honte » que Jean-Jacques avait à « se démentir »,

---

2. Les chiffres entre parenthèses dans le texte ci-dessus renvoient aux pages de l'édition de *La Nouvelle Héloïse*, tome 2 des *Œuvres Complètes* de la collection La Pléiade. Pour les *Confessions*, *ibid.*, t. 1.

mais elles apporteront aussi toute une défense et une explication du sens
positif et du contenu éducatif de *La Nouvelle Héloïse*. Ce n'est pas l'un
de ces « livres efféminés qui respirent l'amour et la mollesse » (434).
Ce n'est pas une évasion hors de la cité des hommes. Il a pour objet
les mœurs et l'honnêteté conjugale, un objet « qui tient radicalement à
tout l'ordre social » et même Rousseau affirme qu'il avait en vue la
« concorde et la paix publique » en réunissant les protagonistes de cette
histoire autour de la pieuse Julie et de l'athée Wolmar (*Confessions*,
435). Cette finalité de morale et d'utilité publiques expliquent, si l'on
en croit l'auteur de *Confessions*, le bonheur d'écrire du romancier, bien
plus que le délire d'imagination des premiers jours. « L'amour du bien »
a cherché à tirer parti des folies, « à les tourner vers des objets utiles »
(4). Le champ de l'écriture romanesque s'étend à l'économie domestique, à l'éducation, à la bienfaisance, à la religion (qui n'est pas
seulement subjective), et jusqu'à la politique d'une certaine façon.

✳✳✳

C'est la relation ambiguë du roman avec la pensée politique de Rousseau
que je voudrais tenter de suivre, à partir de quelques points de repère.
Il ne suffit pas de constater que le sens de l'œuvre a changé dans sa
forme définitive, pour dire que la politique y a fait son entrée, et que
c'est bien l'ouvrage du Citoyen. Le fait que le personnage principal de
cette fiction romanesque soit une femme, soit *la* femme peut-être, ferait
à lui seul problème, si nous étions tenté par cette affirmation. D'un titre
à l'autre, de *Julie* à *La Nouvelle Héloïse*, d'une version à l'autre, la
femme règne. Or, si l'on en croit les deux inséparables cousines, qui
sont d'accord sur ce point, la politique ennuie les femmes. Les pères
de Claire et de Julie parlent beaucoup politique, ils commentent les
gazettes, ils sont eux-mêmes des sortes de nouvellistes, et Claire est
lasse de les entendre : « Hier après le concert, [...] nos deux pères
restèrent avec Milord à parler de politique, sujet dont je suis si excédée
que l'ennui me chassa dans ma chambre » (618). Julie fait écho : « Mon
oncle nous a tant ennuyées [de la politique], écrit-elle un jour à
Saint-Preux, que je comprends comment vous avez pu craindre d'en
faire autant » (305). Lorsque la politique n'ennuie pas les femmes et
qu'elles s'en mêlent, on n'a pas à s'en féliciter. Sous le regard de nos
héroïnes suisses et sous celui de Saint-Preux, les grandes dames
influentes de la cour de France ne trouvent pas grâce. Julie prononce
le mot célèbre, qui suscitera tant d'inquiétude politique chez Jean-

Jacques : « la femme d'un charbonnier est plus respectable que la maîtresse d'un prince » (633). Elle parle alors au nom de la vertu, mais aussi d'une certaine idée précise de la place qui revient aux femmes. À Paris, Saint-Preux a remarqué la grande influence des femmes : « les livres n'ont de prix, les auteurs n'ont d'estime qu'autant qu'il plaît aux femmes de leur en accorder » et il déplore qu'elles « décident souverainement des plus hautes connaissances, ainsi que des plus agréables. Poésie, littérature, histoire, philosophie, politique même, on voit d'abord au style de tous les livres qu'ils sont écrits pour amuser de jolies femmes » (276). On notera que la politique est l'une de ces plus hautes connaissances que pervertit la légèreté féminine en France. Je doute que Rousseau ait fait sienne la formule trop célèbre que La Harpe prête à Mme du Deffand : « de l'esprit sur les lois », mais Saint-Preux jette un singulier discrédit sur les écrivains politiques français, analogue à celui qui atteignait Montesquieu, et cela par quelque sociologie misogyne. Julie ne paraît pas vexée de ces condamnations de son amant, et son jugement va dans le même sens : « J'avoue que la politique n'est guère du ressort des femmes » (305). L'utilité de la politique lui paraît trop lointaine : « ses lumières sont trop sublimes pour frapper directement mes yeux ».

Cette mention du sublime n'est pas ironique, ne nous y trompons pas. Il apparaît en effet que les deux héroïnes du roman affirment que la politique les ennuie ou qu'elle n'est pas de leur ressort, par une manière de prétérition. Elles se distinguent des Françaises en ce qu'elles ne souhaitent pas être mêlées au jeu mondain de la politique, au plaisir du pouvoir, occulte ou non, à l'action des grands de ce monde, ce qui fait en somme la matière des gazettes. Quand la politique relève des « hautes connaissances », quand elle est la « politie », pourrait-on dire, Julie et Claire ne s'en écartent pas vraiment. Elles affecteraient plutôt de s'en écarter et de s'en désintéresser. À la fin du livre, Claire séjourne à Genève et communique à sa cousine ses réflexions sur cette « petite république » et sur l'état de l'esprit public. Elle a de fortes et nettes formules sur l'équilibre des parties de l'État, elle porte aussi de vives attaques, qui rappellent d'assez près le style du prophète Jean-Jacques; ainsi compare-t-elle Genève aux « vastes Empires — je la cite — où tout se soutient par sa propre masse, et où les rênes de l'État peuvent tomber entre les mains d'un sot, sans que les affaires cessent d'aller » (658). Il passe là comme un souvenir de la fin du *Discours sur l'origine de l'inégalité*. Claire a l'âme républicaine : « Plus je contemple, dit-elle, ce petit État, plus je trouve qu'il est beau d'avoir une patrie, et Dieu garde de mal tous ceux qui peuvent en avoir une et qui n'ont qu'un pays! Pour moi, je sens que si j'étais née dans celui-ci, j'aurais l'âme toute Romaine » (657). Quand donc elle s'excuse auprès de Julie d'avoir parlé politique : « Hé bien! ne me voilà-t-il pas encore dans cette maudite politique? Je m'y perds, je m'y noie, j'en ai par dessus la tête, je ne sais plus par où m'en tirer etc... » (659), on ne la croit qu'à demi. Les nouvelles des grandes cours, les conversations politiques de son père l'ennuient, mais l'observation de la république de Genève ne la rebute pas. Julie de son côté, avant d'affirmer, dans un Post-Scriptum, que la politique n'est guère du ressort des femmes, avait rappelé à Saint-Preux qu'ils avaient lu ensemble *La République* de Platon, qu'ils s'étaient fortifiés ensemble grâce aux « vies héroïques de Plutarque ». Devenue le Mentor de Saint-Preux, elle évoque les leçons de philosophie de naguère, et renvoie à son ancien précepteur une image de lui-même, marquée de sérieux, où l'approche de la politique est empreinte de gravité et d'élévation. Pendant ses voyages à Paris et à Londres, Saint-Preux s'entend rappeler que ses leçons de philosophie incluaient la réflexion sur les cités. Ce philosophe formait à la pensée politique. Si ses voyages peuvent lui être utiles, c'est que, selon Julie, « il n'a pas mal étudié les principes de la politique et les divers systèmes du gouvernement » (185). Pendant le séjour parisien, elle demande à Saint-Preux des descriptions, et qu'il lui communique ses réflexions. Il serait bon en particulier qu'il recherche les causes de la misère du peuple, dans cette ville si riche, qu'il entende et fasse entendre la voix des opprimés. « L'intrépide appui de la vertu désintéressée suffit pour lever une infinité d'obstacles et l'éloquence d'un homme de bien peut effrayer la tyrannie au milieu de toute sa puissance » (219), lui écrit-elle. Le Bien, la propagation du Bien par l'éloquence, qui semblent avoir leur efficacité par eux-mêmes, sont des composantes de la politique. La fin de la politique est d'assurer la liberté.

Héroïne d'un livre d'amour, Julie est loin d'être enclose en ce que Charles de Villiers appellera l'« érotique ». Comme souvent chez Rousseau, des affirmations qui ne peuvent être reçues aujourd'hui que comme misogynes, telle ici l'incapacité à la pensée politique, s'accompagnent de conceptions par lesquelles une mission exemplaire et salvatrice est dévolue aux femmes. Nous rencontrons les femmes sur les chemins de la politique : funestes ailleurs, elles sont bénéfiques ici. *La Nouvelle Héloïse* doit beaucoup à *L'Astrée*, mais tout l'effort de Julie va à ce que Saint-Preux ne soit pas seulement un Céladon et les femmes des déesses de la carte du Tendre. L'Amour, qui n'est pas la

galanterie, peut être aussi plus qu'une passion : une force en accord
avec une société qui serait bonne et légitime.

***

Même la première version de *La Nouvelle Héloïse*, plus purement
romanesque, avait son poids et son dynamisme sociaux. L'épisode du
Valais n'est pas régi seulement par la poésie amoureuse, et la courbe
de la destinée des amants n'est pas celle de deux solitaires. Rousseau,
si las qu'il soit des traités politiques, comme ceux de l'abbé de
Saint-Pierre, est encore, dans son roman, l'auteur de la *Lettre à
d'Alembert*, qui oppose à L'*Encyclopédie* sa propre vision de Genève
et de la Suisse. Les Valaisans de *La Nouvelle Héloïse* sont les frères
des Montagnons, et Saint-Preux se découvre Suisse avec eux, il
entrevoit qu'au milieu d'eux son amour pour Julie connaîtrait son
épanouissement : « nous pratiquerions au sein de cet heureux peuple,
et à son exemple, tous les devoirs de l'humanité : sans cesse nous nous
unirions pour bien faire, et nous ne mourrions pas sans avoir vécu »
(84). Il explique longuement à Julie d'où lui viennent cette conviction
et cet espoir : « Ils en usent entre eux avec […] simplicité; les enfants
en âge de raison sont les égaux de leurs pères, les domestiques
s'asseyent à table avec leurs maîtres; la même liberté règne dans les
maisons et dans la république, et la famille est l'image de l'État » (81).
Dans la thématique profonde de *La Nouvelle Héloïse* apparait ici, très
tôt, le sens des développements ultimes de l'œuvre. D'emblée, ce
roman d'amour, puissamment lyrique, entraîne avec lui toute une
méditation sur la vie des hommes en société. Une correspondance
essentielle s'esquisse entre la vie de la famille et celle de l'Etat, entre
la maison et la cité.

   Les lieux et les temps, dès les origines de la création romanesque
(on vient encore de le rappeler récemment à propos du roman grec[3]),
mêlent fiction et réalité, lors même que l'imaginaire amoureux, la
séparation des amants, la quête des retrouvailles et l'aventure constituent la structure directrice. Le roman de *La Nouvelle Héloïse* s e
construit sur la séparation, les départs et les retours de Saint-Preux et
sur autre chose. Les propos de Julie en appelaient à la valeur formatrice
des voyages. L'expérience de Saint-Preux, mais celle aussi de milord

---

3.   Alain Billault, *La création romanesque dans la littérature grecque*, Paris, P.U.F,
      1991.

Édouard, de Claire, de Wolmar peut-être, lui qui est venu de la Russie, sont des expériences de la diversité du monde. Il n'est pas excessif de dire que le roman offre au lecteur une géographie politique. Le voyage autour du monde de Saint-Preux mis à part (peu d'échos en sont donnés, malgré quelques allusions à portée symbolique à l'île de Tinian), cette géographie, où se distinguent l'esprit des peuples, leur sociologie et leur politique, est celle d'une Europe triangulaire, entre la Suisse, la France et l'Angleterre, ou encore Genève, Paris et Londres. En ce sens, *La Nouvelle Héloïse* n'est pas un roman suisse : l'ouverture valaisane et le retour à Clarens sont des épisodes capitaux, Rousseau s'est beaucoup documenté pour les écrire, ces lieux suisses sont des foyers de riche signification, mais ils ne se suffisent pas à eux-mêmes. La géographie de ce roman vaut par les oppositions de la Suisse et de la France, c'est-à-dire de la république et de la monarchie absolutiste, la Savoie rejoignant la France à cet égard, comme on le voit lorsqu'est expliqué le contraste des deux rives du Léman. L'Angleterre occupe une position intermédiaire. Les formes du gouvernement, ou plus exactement les principes de la politique, tendent d'ailleurs à se substituer aux réalités proprement géographiques : Claire compare la situation présente des Genevois à une Genève idéale, les « marchands et les banquiers » (663) de la Genève réelle oubliant, selon elle, l'« antique simplicité » de leur cité et sa « fière liberté » (658).

***

Les débats touchant à la politique ne sont pas absents de *La Nouvelle Héloïse* : la conduite personnelle, les questions de morale individuelle peuvent rarement, selon Rousseau, être détachées de ce qui relève de l'esprit public et de l'organisation politique. Je ne ferai pas l'inventaire de ces débats, qui donnent lieu parfois à de véritables dissertations, parfois à de rapides échanges. Certains ont lieu aux moments cruciaux du roman : je note deux d'entre eux, le premier à propos du mariage impossible de Julie et de Saint-Preux, le second à propos des volontés de suicide de Saint-Preux.

C'est un lieu commun de la littérature dramatique et romanesque que le conflit des générations, l'autorité d'un père qui contrarie et empêche les amours des enfants, à cause du préjugé social. Rousseau évite la banalité, c'est évident, mais il n'esquive pas, bien au contraire, le rôle du préjugé, et le lieu commun se transforme sous sa plume en un questionnement ardent, fondamental et politique. Le baron d'Étange et milord Édouard s'affrontent dans la colère à ce propos. Selon Édouard, Saint-Preux est de « tous les hommes le plus digne de Julie ». Les préjugés ne sauraient prévaloir sur ce fait. Il le dit au baron, qui « s'échauffe ». Claire rapporte la scène et fait entendre uniquement la voix du milord anglais. C'est un âpre et large mouvement d'éloquence, écho de mille débats du siècle (par exemple la fameuse et sans doute apocryphe réplique de Voltaire : « vous finissez votre nom, je commence le mien »), une véritable diatribe contre la noblesse, la Suisse des origines étant évoquée contre M. d'Étange : « Osez-vous dans une République vous honorer d'un état destructeur des vertus et de l'humanité » (170). Tout cela est fort maladroit, en la circonstance, de la part d'Édouard. « Conçois ma chère, ce que je souffrais, dit Claire à Julie, de voir cet honnête homme nuire ainsi par une âpreté déplacée aux intérêts de l'ami qu'il voulait servir » *(ibid)*. Cette éloquence, dans sa sincérité même, est déplacée, mais c'est celle-là même qui anime Jean-Jacques, et que l'on perçoit, brûlante d'indignation, dans ses écrits politiques. Elle ressemble aussi à celle que le lecteur des *Confessions* peut prêter à Isaac Rousseau, le père de Jean-Jacques, quand il se disputa avec le capitaine Gautier, apparenté dans le grand Conseil de Genève, jusqu'à vouloir se battre avec lui (*C.,* 12). Eloquence déplacée donc, et qui l'est aussi dans un roman, d'après les normes habituelles du goût. On se souvient du mot de Stendhal, selon lequel la politique dans une œuvre littéraire, c'est comme un coup de feu au milieu d'un concert. Dans la bouche de milord Édouard, la politique a la violence du coup de feu. Mais comme dans *La Chartreuse de Parme*, elle n'est pas vraiment un corps étranger dans *La Nouvelle Héloïse*. L'ensemble du roman dit que la soumission aux préjugés n'est pas une fatalité. Dans le pays de milord Édouard justement, dans sa terre au moins, où il offre aux amants de venir vivre, « l'odieux préjugé n'a point d'accès ». Heureuse contrée : « l'habitant paisible y conserve encore les mœurs simples des premiers temps et l'on y trouve », je cite la lettre d'Édouard à Julie, « une image du Valais décrit avec des traits si touchants par votre ami » (199). Retour de ce thème apparu dès les débuts du roman : ce n'est pas le règne de l'égalité, mais celui du moins de la simplicité, qui s'y apparente.

Autre moment crucial, celui où Saint-Preux songe a suicide. Les deux lettres opposées, pour et contre le suicide, ont donné lieu à bien des commentaires, les uns prenant parti pour Édouard, les autres pour Saint-Preux. Il arrive qu'aujourd'hui on trouve ces exposés excessivement développés, relevant de la dissertation plus que du roman. En réalité, le débat n'est pas livresque, il importe plus que jamais à Saint-Preux, dans le désespoir où il est plongé. Il importe aussi à la destinée des hommes. Saint-Preux avait invoqué l'exemple des suicides héroïques des Romains, pendant les guerres civiles. Édouard lui rétorque qu'il faut regarder « les beaux temps de la république ». Les Romains alors devaient à la patrie « leur sang, leur vie et leurs derniers soupirs ». « Mais, explique-t-il encore, quand les lois furent anéanties, et que l'État fut en proie à des tyrans, les citoyens reprirent leur liberté naturelle et leurs droits sur eux-mêmes. Quand Rome ne fut plus, il fut permis à des Romains de cesser d'être : ils avaient rempli leurs fonctions sur la terre; ils n'avaient plus de patrie » (290). Ces propos ont une proximité remarquable avec certaines phrases du *Contrat social* évoquant la possible dissolution du contrat et par conséquent la reprise par l'individu de sa liberté naturelle[4]. Saint-Preux entendra Édouard : il renonce à se détruire, la liberté naturelle à elle seule ne constitue pas un droit, il partira à la recherche d'une patrie, il espérera en trouver une. D'une certaine façon, le retour ultime auprès de Julie fera naître en lui le sentiment d'avoir découvert une société vivante, humaine, exemplaire. Clarens est comme le substitut d'une patrie.

***

On peut considérer Clarens comme un emblème politique. Lieu du bonheur et de la transparence, ce n'est pas un État, mais cette communauté et cette organisation familiale disent quelque chose de la communauté politique, sinon de l'État lui-même. L'apologue socratique des petites lettres et des grandes lettres, dans *La République* de Platon[5], trouverait ici son application si on le retournait. La justice dans la cité (les grandes lettres), bien comprise, peut aider à comprendre et à établir la justice dans l'individu (petites lettres), chez Platon. « Si nous admettons une justice pour l'individu, demandait Socrate, nous en admettons une aussi pour l'État tout entier? » La petite communauté de Clarens peut aider à comprendre et à rectifier les plus grandes communautés.

L'utopie est une forme littéraire emblématique, dont on a maintes fois étudié, depuis quelque temps, les caractéristiques littéraires et

---

4.   *Op. cit.*, I, 6, *Œuvres politiques*, Classiques Garnier, éd. J. Roussel, 1989, p. 258.
5.   *Op. cit.*, 368 a.

l'esprit. Ses liens avec la réalité morale et politique du temps, chez Thomas More et ses successeurs, ont été relevés : liens de critique, d'intention réformatrice ou révolutionnaire. L'ensemble du tissu romanesque de *La Nouvelle Héloïse* propose une critique du temps présent, celle des mœurs, des pratiques sociales et des institutions. Le mythe ultime de Clarens est une tentative de fin heureuse pour l'histoire des deux amants, et cela tourne court; il est aussi une proposition positive, une lumière pour la société moderne. Depuis que l'utopie a mauvaise presse, les dénonciations se sont accentuées, à propos des aspects contraignants de la vie à Clarens, jusqu'à faire voir dans ce rêve de bonheur social une manifestation du prétendu totalitarisme de Rousseau. Mon propos n'est pas d'examiner les pièces de ce procès, mais de voir comment Clarens s'articule à ce que nous avons précédemment observé.

Le bonheur des gens dans cette communauté n'est pas celui des individus isolés; il n'est pas non plus celui de la communauté ignorant les individus. Ce lieu, tout pétri d'idéal et de rêve, n'est pas étranger aux complexités du réel. Rousseau propose le détail d'une « économie domestique » aux lecteurs français pour les convaincre qu'il existe des moyens de relier ce qui est à ce qui doit être. Clarens appartient à un monde d'inégalité. Ce n'est pas une île absolue. Rousseau propose une image thérapeutique de diminution de l'inégalité et d'atténuation de ses effets. Bien des utopies décrivent complaisamment des sociétés égalitaires : Clarens ne se range pas dans cette catégorie littéraire. « Il est manifestement contre la loi de la nature, lisait-on à la fin du *Discours sur l'origine de l'Inégalité*, qu'une poignée de gens regorge de superfluités, tandis que la multitude affamée manque du nécessaire ». Depuis cet énoncé, la réflexion du Citoyen s'est poursuivie. Le *Discours sur les richesses* affirmait qu'il faut « changer le vil argent en bonnes œuvres, faire refluer les biens au dehors pour l'assistance du pauvre[6] ». Clarens est la mise en forme narrative, l'exemple qui se veut pratique de l'utilité sociale de la bienfaisance. Les mendiants et les gueux ne trouvent jamais Julie insensible. Elle explique à Saint-Preux le pourquoi de ses aumônes. Avec Wolmar, elle pense que les bienfaits sont utiles aux riches qui en sont les auteurs autant qu'aux bénéficiaires. Pensée classique, lieu commun fort ancien, qui s'intègre à une pensée sociale et politique. De même les rapports entre maîtres et serviteurs sont-ils

---

6. *Discours sur les richesses ou lettre à Chrysophile*, éd. Bovet, Paris, 1853.

réglés, réglementés pourrait-on dire, selon un ordre domestique rigoureux, la main du maître, l'œil du maître constamment présents. À Clarens, la raison achève l'œuvre de la nature. On a pu penser que cela revient à consolider l'inégalité sociale. À chacun, sa place serait assignée dans la société comme la nature assigne à chaque organe dans un corps vivant, un fois pour toutes. En fait, la pensée de Rousseau n'est pas un organicisme, R. Derathé l'a bien démontré. Rousseau tente dans son roman d'apporter des correctifs à l'inégalité, par l'intégrité morale, et il cherche à éviter la violence dans les rapports entre les riches et les pauvres. Si un radicalisme apparaissait dans la *Lettre à d'Alembert*, *La Nouvelle Héloïse* est comme une exploration de la paix sociale et des conditions de cette paix.

L'appel aux ressources morales est considéré, par nos politiques modernes imbus de réalisme, comme un renoncement à la politique. Une telle pensée est nulle, selon Rousseau. Pour lui, on le sait, la politique est inséparable de la morale. Par sa description de Clarens, Rousseau écrit en somme son article *Economie domestique*, comme il avait écrit pour l'*Encyclopédie* son article *Economie politique*. Or, de l'un à l'autre de ces travaux, on ne saurait parler d'hétérogénéité. Clarens est le volet d'un dyptique. La vie des hommes est faite, dans l'état social, de l'accord des deux « économies ». Elle doit être morale.

La « bonté naturelle » de Julie est source de bonheur pour les habitants de Clarens. « Elle n'a point à pleurer des calamités publiques. Elle n'a point sous les yeux l'image affreuse de la misère et du désespoir ». Le villageois est à son aise à Clarens. Dans une note, Rousseau fait mention d'un village voisin, où l'on reconnait Montreux : « cette commune est assez riche, dit-il, pour entretenir tous les communiers, n'eussent-ils pas un pouce de terre en propre » (553). Ainsi une petite communauté suisse nourrit-elle et protège-t-elle ses membres. Et Julie est comme une mère pour Clarens. Une petite communauté l'est pour ses membres. Saint-Preux aurait pu vivre à Clarens dans une mère-patrie.

Faut-il penser que la vraie forme de la société civile est celle des petites communautés de ce type? Les statuts du bourg d'Oudun, chez Rétif de la Bretonne[7], seraient alors le développement logique d'une préférence politique de Rousseau, selon un type d'organisation politique qui s'est longtemps appelé communiste. En vérité, le rêve villageois de Jean-Jacques n'est pas, répétons-le, une proposition directement

7. *La vie de mon père*, Classique Garnier, éd. G. Rouger, 1970, p. 242 ss.

politique. À propos de la misère, Rousseau écrit que « c'est au souverain de faire en sorte qu'il n'y ait point de mendiants » (539). Comme un partage de responsabilités, il revient à la cité de prendre les mesures nécessaires, aux citoyens de se montrer humains et fraternels. L'économie domestique et l'économie politique se complètent. Ni l'une ni l'autre ne saurait s'écarter de la moralité.

***

La part du rêve est immense dans *La Nouvelle Héloïse*, l'imaginaire de Rousseau ne cesse de s'y révéler. Ce que Br. Baczko a appelé l'imagination sociale est à l'œuvre, et elle travaille sur le réel. Le tableau du domaine de M. et Mme de Wolmar est enchanteur, tellement le narrateur est convaincu d'avoir touché au pays de la paix et du bonheur. Il n'en traite pas moins des rapports sociaux, et des aspects les plus difficiles de ces rapports, de la relation du politique et du non-politique au sens limité de ces mots, de la vie des hommes en société, de la « politie ». Julie, sans s'intéresser à la politique des gazettes, sans faire de théorie, touche aux problèmes de fonds. Essentiel est celui-ci, sur lequel je concluerai : « L'homme, dit-elle, est un être trop noble pour devoir servir simplement d'instrument à d'autres, et l'on ne doit point l'employer à ce qui leur convient sans consulter aussi ce qui lui convient à lui-même [...] . Il n'est jamais permis de détériorer une âme humaine pour l'avantage des autres, et de faire un scélérat pour le service des honnêtes gens » (356). C'est bien sûr la propre voix de Jean-Jacques qui se fait entendre à travers celle de son personnage. La voix de Julie, comme la sienne, est celle de la liberté, des droits fondamentaux de l'homme, que les structures de la société et de la cité doivent servir. Cette femme, qui pense que la politique n'est pas du ressort des femmes, ne se désintéresse pas des choses publiques, elle demande seulement que celles-ci ne détériorent pas l'âme humaine. Le roman des belles âmes et de l'âme féminine initie à quelque lumière sublime, à laquelle il faut espérer que la politique ne soit pas étrangère, à un ordre réel, au-delà des apparences fallacieuses. L'une des richesses de *La Nouvelle Héloïse* réside en ce que la politique y est à la fois absente et présente : pour le lecteur de Rousseau, le roman est comme un arrière-fond de l'œuvre politique.

Jean Roussel

L'ÉGALITÉ DANS *LA NOUVELLE HÉLOÏSE*

La description de Clarens qui se trouve dans *La Nouvelle Héloïse* est pleinement conforme aux idées économiques que Rousseau a exposées dans ses autres ouvrages. Il s'agit, en effet, d'une communauté agricole — et l'on sait combien Jean-Jacques a de l'estime pour le métier de cultivateur, la « première vocation de l'homme », le « seul état nécessaire » et « le plus utile », celui qui amène « la prospérité, la force et la grandeur » à un peuple[1] et qui rappelle les « charmes de l'Âge d'Or ».

Cette fière revendication de l'agriculture, aux accents élégiaques et emportés, culmine dans *La Nouvelle Héloïse* par l'appui pris sur la Nature — c'est la « condition naturelle » à l'homme, qui au XVIIIe siècle est la légitimation suprême.En outre, cette collectivité est pleinement autarcique. Tout le nécessaire — le vin, l'huile et le pain, ainsi que la broderie, la dentelle et la toile[2] — est produit et consommé sur place, avec un minimum d'échanges et peu d'argent. Les besoins sont pleinement satisfaits et il n'y a pas de surplus.

C'est ce même modèle de Clarens — la communauté qui travaille « sans sortir d'elle même » —, que Rousseau recommande aux Corses pour conserver leur indépendance[3], qui apparaît dans la peinture des Montagnons de Neuchâtel qui se trouve dans la *Lettre à d'Alembert*[4] et qui se retrouve dans l'*Émile* et dans le *Discours sur l'économie politique*.

Cependant, une différence considérable du point de vue social sépare toutes ces œuvres du roman, où la médiocrité des paysans cultivant leurs terres de leurs propres mains, tant vantée par Rousseau, est remplacée par une exploitation seigneuriale où il y a des maîtres, des domestiques et des ouvriers. Même si Jean-Jacques se soucie de nous rappeler que le luxe en est absent et que les seigneurs n'afferment pas leurs terres mais les cultivent eux-mêmes, travaillant coude à coude avec les journaliers — ne serait-ce que pendant les vendanges —, Clarens semble fort loin de l'image de la médiocrité rousseauiste.

---

1. *La Nouvelle Héloïse, Œuvres complètes*, vol. II (*O.C.* II), Gallimard, p. 535.
2. *Op. cit.*, p. 535.
3. *Projet de constitution pour la Corse, O.C.* III, Gallimard, p. 914 et 924.
4. « Jamais menuisier, serrurier, vitrier, tourneur de profession n'entra dans le pays; tous le sont pour eux-mêmes, aucun ne l'est pour autrui ». *Lettre à d'Alembert*, Garnier-Flammarion, Paris, 1967, p. 134.

Pourquoi, dans *La Nouvelle Héloïse,* Rousseau remplace-t-il par des seigneurs les paysans indépendants qu'il vante partout ailleurs? Cela revient à nous demander quel est l'objectif poursuivi par Jean-Jacques dans ce roman. Ce n'est certainement pas la fondation d'un ordre social légitime, ce qui sera accompli dans le *Contrat social,* mais plutôt la présentation d'une espèce de groupe d'affinité imaginaire, d'une « société selon son cœur[5] » avec des êtres réels — cette Mme d'Houdetot dont il s'est épris, ce jeune Saint-Lambert, lui-même — qu'il façonne à son goût et qu'il fait mouvoir à sa faintaisie. C'est pourquoi la priorité est donnée aux sentiments, au cœur, dont la grandeur permet la concorde et même l'union par-dessus les différences, soient-elles religieuses ou idéologiques. Ainsi *La Nouvelle Héloïse* nous présente la communion idyllique d'un athée, d'une dévote et d'un rationaliste, symbole d'une autre communion, celle-ci impossible bien que tant rêvée par Rousseau, avec Diderot et autres membres de la « côterie ».

Or les relations sociales sont, dans un tel contexte, secondaires. C'est le décor. Mais Jean-Jacques, toujours soucieux de réalisme, compte bien peindre des rapports vraisemblables. Il n'est pas question d'imaginer une société élégiaque car, les « êtres selon son cœur » étant et des citadins et réels, quoique idéalisés, Rousseau imagine les situations qui pourraient exister si seulement ces personnages acceptaient d'abandonner la ville aux mœurs dépravées, ainsi que leur vie oisive et inutile, pour vivre « selon la nature », dans la simplicité de la vie champêtre. Comme il l'explique dans la Deuxième Préface, ce serait « romanesque » de songer à d'« illustres Paysans cultivant leurs champs de leurs propres mains[6] », car les villageois sont « rustauds » et « simples ». Il ne peut donc être question de paysans dans cette communauté d'êtres exceptionnels, du moins quant aux personnages principaux qui rayonnent par leurs vertus. Rousseau définit, en conséquence, les « belles âmes » comme des « gens aisés », ce qui revient à dire des propriétaires, des seigneurs — soient-ils des bourgeois ou des nobles, si mélangés d'ailleurs dans cette fin d'Ancien Régime.

Le tableau des liens entre ces seigneurs et leurs domestiques est tout à fait idyllique et l'on pourrait le caractériser par un mot : relations patriarcales. En effet, Rousseau y peint des « bons et sages régisseurs » qui font « de la culture de leurs terres l'instrument de leurs bienfaits[7] »,

---

5. *La Nouvelle Héloïse, op. cit.,* p. 441.
6. *Ibidem,* p. 21.
7. *Ibidem,* p. 603.

qui répandent autour de soi le bonheur et qui sont la bénédiction du pays, en y apportant l'abondance et la joie. Ces maîtres bienveillants « engraissent » tout ce qui les entoure et font « regorger » par leurs dons les granges, les caves et les greniers des paysans[8], leur objectif n'étant pas de faire un plus grand gain, mais de nourrir plus d'hommes[9].

Le rapport avec les domestiques est idyllique. Ces seigneurs « humains » et « chéris » regardent leurs serviteurs comme des « enfants[10] »; leur maison est la leur, la « maison paternelle où tout n'est qu'une même famille[11] ». L'amitié, la familiarité, l'attachement et la confiance y règnent.

Par opposition à ces liens affectifs caractérisés par une « bienveillance réciproque », Rousseau décrit d'autres liens, ceux-là basés sur l'appât du gain, où des « maîtres inhumains » dévorent les fruits de la terre et, par leur avidité, leur rigueur et leur inflexibilité, répandent la misère parmi les malheureux paysans.

Cette dernière description ne renvoie-t-elle pas aux nouvelles relations capitalistes qui sont en train de se développer en France à cette époque, et n'assistons-nous pas à une apologie de l'Ancien Régime, de la part du Genevois? On sait que ses idées socio-économiques furent à l'époque considérées rétrogrades et que Diderot refusa même de publier son *Discours sur l'économie politique* dans la section d'économie de l'*Encyclopédie*. Or cette même défense des « bienveillants seigneurs », étant reprise dans *Émile et Sophie*, prouve que Rousseau n'a pas perdu le nord dans *La Nouvelle Héloïse*, mais que c'est bien là son idéal social[12]. Nous y retrouvons, en effet, une nouvelle apologie de la vie champêtre et des temps des patriarches chantés dans *La Nouvelle Héloïse*[13]. Comme M. et Mme de Wolmar, Émile et Sophie répandent l'abondance et la joie parmi les villageois :

> Je m'attendris en songeant combien de leur simple retraite Émile et Sophie peuvent répandre de bienfais autour d'eux, combien ils peuvent vivifier la campagne et ranimer le zèle éteint de l'infortuné villageois. Je crois voir le peuple

---

8. *Ibidem*, p. 603.
9. *Ibidem*, p. 442.
10. *Ibidem*, p. 447.
11. *Ibidem*, p. 462.
12. *Ibidem*, p. 603.
13. « Un des exemples que les bons doivent donner aux autres est celui de la vie patriarcale et champêtre, la première vie de l'homme, la plus paisible, la plus naturelle, et la plus douce à qui n'a pas le cœur corrompu ». *Émile*, Gallimard, *O.C.* IV, p. 859.

se multiplier, les champs se fertiliser, la terre prendre une nouvelle parure, la multitude et l'abondance transformer les travaux en fêtes, les cris de joye et les bénédictions s'élever au milieu des jeux autour du couple aimable qui les a ranimés[14].

Mais ces relations patriarcales, si bienveillantes soient-elles, comportent l'exploitation. À Clarens, on trouve même un souci de productivité fort surprenant de la part de Rousseau. En effet, Wolmar choisit de préférence des journaliers du pays car, bien qu'ils ne soient pas toujours les plus robustes, ils ont le grand avantage d'être toujours disponibles bien qu'on ne les paye qu'une partie de l'année[15]. Étrange raisonnement de la part d'un égalitaire.

De plus, Jean-Jacques envisage plusieurs moyens d'émulation — peu coûteux, ajoute-t-il, — pour stimuler les ouvriers au travail, parmi lesquels un prix de « bénéficence », que l'on accorde dans les cas où le maître est pleinement satisfait du travail réalisé[16], une gratification à la semaine, octroyée, à l'époque des grands travaux, au plus diligent des travailleurs, des surveillants qui contrôlent le travail des journaliers moyennant une récompense, et finalement le moyen le plus surprenant, qui fait frémir les rousseauistes, la délation, que Rousseau envisage comme une fonction noble et même sublime, comme elle l'était parmi les Romains[17].

Ainsi, non seulement la servitude, quoique « avilissante et basse », règne-t-elle dans cette communauté idyllique, mais aussi la contrainte, qui n'est pas exclue malgré les liens d'amitié et de familiarité. Bien au contraire, ces liens ne font qu'affermir, selon Rousseau, l'autorité du maître, qui acquiert de ce fait un pouvoir immense.

À Clarens, tout se fait donc par attachement : les services ne semblent que des témoignages d'une amitié réciproque, mais la bonté des seigneurs s'avère être le meilleur moyen d'assujetir les serviteurs, qui intériorisent les normes et voient leur devoir comme un plaisir. Sous le voile du plaisir, la contrainte n'est cependant que plus forte :

Dans la République on retient les citoyens par des mœurs, des principes, de la vertu; mais comment contenir des domestiques, des mercenaires, autrement que par la contrainte et la gêne? Tout l'art du maître est de cacher cette gêne sous

---

14. *Émile, op. cit.*, p. 859.
15. *La Nouvelle Héloïse, op. cit.*, p. 443.
16. *Ibidem*, p. 443.
17. *Ibidem*, p. 463.

le voile du plaisir ou de l'intérêt, en sorte qu'ils pensent vouloir tout ce qu'on les oblige de faire[18].

Ces paroles, effrayantes dans la bouche d'un égalitaire, ont effarouché nombre de rousseauistes, qui se demandent comment Rousseau peut concilier la contrainte et la servitude, manifestes dans *La Nouvelle Héloïse*, avec la société libre et égalitaire du *Contrat social*, et pourquoi il se plait à imaginer sa communauté idéale comme hiérarchique et inégalitaire. Y a-t-il d'autres raisons, outre la vraisemblance des rapports dont on a parlé plus haut?

Il faut d'abord expliquer que Rousseau semble deviner cette contradiction et se sent parfois mal à l'aise avec certains de ses propos, au point d'essayer d'atténuer leur portée. Ainsi, dans la lettre X de la quatrième partie, il sent l'obligation de rajouter, après sa défense de la servitude, qu'elle « est si peu naturelle à l'homme qu'elle ne sauroit exister sans quelque mécontentement[19] », quoique ce mécontentement, affirme-t-il, ne s'exprime pas « par égard au maître ».

Or, quelques pages plus loin, il revient sur ce sujet, se ravisant sur ce qu'il vient de dire et développant sa pensée : « Il n'y a jamais ni mauvaise humeur ni mutinerie dans l'obéissance[20] ». Si la contrainte et la liberté ne s'opposent pas, dit-il, c'est « parce qu'il n'y a ni hauteur, ni caprice dans le commandement, qu'on n'exige rien qui ne soit raisonnable et utile, et qu'on respecte assés la dignité de l'homme quoique dans la servitude pour ne l'occuper qu'à des choses qui ne l'avilissent point. Au surplus, rien n'est bas ici que le vice, et tout ce qui est utile et juste est honnête et bienséant[21] ».

Ainsi, ce qui justifie la servitude, c'est l'utilité commune, l'intérêt collectif, la volonté générale qui, étant toujours juste et raisonnable, ne regarde que le bien commun. De ce fait, de même que le citoyen du *Contrat social* est assujetti à la volonté générale, de même les serviteurs de Clarens obéissent à Wolmar, qui représente l'intérêt de la collectivité.

Ainsi, la contrainte n'est pas l'apanage de *La Nouvelle Héloïse;* au contraire, on la retrouve aussi bien dans l'*Émile* que dans le *Contrat social*, dans cette formule magistrale qui résume l'essence de la pensée rousseauiste :

---

18. *Ibidem*, p. 453.
19. *Ibidem*, p. 460.
20. *Ibidem*, p. 469.
21. *Ibidem*, p. 469.

> Quiconque refusera d'obéir à la volonté générale y sera contraint par tout le corps; ce qui ne signifie autre chose sinon qu'on le forcera d'être libre[22].

Or l'assujettissement à la volonté générale se conjugue parfaitement, du point de vue de l'éducation de l'individu, avec la contrainte, déguisée en liberté, imposée à Émile par son précepteur :

> Prenez une route opposée avec votre élève; qu'il croye toujours être le maître et que ce soit toujours vous qui le soyez. Il n'y a point d'assujetissement si parfait que celui qui garde l'apparence de la liberté; on captive ainsi la volonté même[23].

Il y a cependant un décalage entre les deux sortes d'obéissance, qui s'explique par l'opinion de Rousseau concernant les domestiques, qu'il considère comme des enfants, des mineurs, incapables de jugement par eux-mêmes :

> L'on diroit que ces ames venales se purifient en entrant dans ce sejour de sagesse et d'union. L'on diroit qu'une partie des lumieres du maitre et des sentimens de la maitresse ont passé dans chacun de leurs gens; tant on les trouve judicieux, bienfaisans, honnêtes et supérieurs à leur état[24].

C'est l'avis de la plupart des théoriciens de l'époque qui, sous l'influence des auteurs libéraux — surtout de Locke —, regardent avec mépris tous ceux qui ont perdu une partie de leur liberté et sont obligés de subsister sous la dépendance d'autrui. Ces hommes-là sont, de ce fait, exclus des droits politiques.

Ce même mépris se manifeste de façon très visible chez Rousseau, tant dans *La Nouvelle Héloïse* — dans les qualificatifs qu'il emploie : mercenaires, âmes vénales, coquins, de la canaille — que dans la dédicace du *Second Discours*, où il s'emporte contre cette « stupide Populace » « avilie par l'esclavage et les travaux ignominieux[25]. »

Cependant, il y a chez Rousseau une tension entre ce mépris aux accents libéraux et la revendication de la valeur homme, indépendamment de sa condition, qui est absente chez les théoriciens libéraux. Ainsi, les domestiques de Clarens, « tout valets qu'ils sont, l'honneur

---

22. Livre I, ch. VII, p. 364 (Gallimard, *O.C.* IV).
23. *Émile, op. cit.*, p. 362.
24. *La Nouvelle Héloïse, op. cit.*, p. 470.
25. *Discours sur l'origine et les fondemens de l'inégalité parmi les hommes*, Gallimard, *O.C.* III, p. 113.

leur devient plus cher que l'argent[26] ». Mais, malgré cette tension qui jaillit parfois, Jean-Jacques légitime la hiérarchie et l'inégalité comme un « partage d'emplois », un échange de services qui concourt « par divers soins à une fin commune[27] ». Ce « petit nombre de gens doux et paisibles, unis par des besoins mutuels et par une réciproque bienveillance », ne se plaint pas de ce partage ni n'envie l'emploi d'un autre, car tous recherchent « le bien commun[28] ».

Cette justification de la division du travail et de l'inégalité, en vue de la satisfaction des nécessités mutuelles et du bien-être collectif, est pleinement platonicienne et doit être rapprochée de la Cité de *La République*, où producteurs et gouvernants échangent des services, poursuivent le bien de la collectivité et ont des rapports d'amitié. À tel point que la formule de Wolmar caractérisant Saint-Preux, « Platon, votre maître », peut s'appliquer aussi à Rousseau.

En effet, de même que dans *La République* tout changement des conditions est exclu — et Platon a recours, comme on le sait, au mythe des trois métaux pour légitimer l'immuabilité de l'ordre de sa Cité —, dans *La Nouvelle Héloïse* « la grande maxime » de Julie est de « ne point favoriser les changemens de condition[29] ». Ainsi, Mme de Wolmar maintient de force les villageois dans leur état au nom de l'intérêt général et de leur propre bonheur.

Sur ce point, qu'il devine contesté, Rousseau sent cependant le besoin de développer sa pensée, en faisant intervenir Saint-Preux dans un long débat avec Julie, qui est rapporté dans les lettres II et III de la cinquième partie.

Mme de Wolmar utilise deux arguments principaux : l'un, que le maintien des conditions ne porte pas de préjudice à l'individu mais, au contraire, préserve ses mœurs et garantit son bonheur, pourvu qu'on veuille bien « rendre heureux chacun dans la sienne, en adoucissant et honorant son état[30] ». De ce fait, l'aspect fondamental n'est pas tant la condition sociale, mais la considération qui s'y rattache, de même que, dans la Cité gréco-romaine — que Rousseau a certainement à l'esprit —, l'essentiel était le statut juridique et politique — le fait d'être Citoyen ou non — et non le métier qu'on exerçait.

---

26. *La Nouvelle Héloïse, op. cit.*, p. 455.
27. *Ibidem*, p. 547.
28. *Ibidem*, p. 547-548.
29. *Ibidem*, p. 536.
30. *Ibidem*, p. 535.

Le deuxième argument se rapporte à l'intérêt commun auquel l'intérêt individuel doit se soumettre. Ainsi, les talents doivent être développés en ayant égard aux besoins de la société. C'est l'utilité publique qui compte en premier lieu; « les peuples bons et simples — ajoute Julie — n'ont pas besoin de tant de talens[31] ». De ce fait, « pour le vrai bien de la société », il y a « peu d'avantage à développer le génie et les talens naturels de chaque individu[32] ».

En conséquence, les peuples qui veulent suivre « l'ordre de la nature » préserveront leur « simplicité champêtre », en ne développant pas « les talens enfouis [qui sont] comme les mines d'or du Valois que le bien publique ne permet pas qu'on exploite[33] ». La conclusion qu'en déduit Julie est : « n'instruisez pas l'enfant du villageois ».

Si, au contraire, on n'a d'égard que pour l'individu — et c'est là la position de Saint-Preux —, il importe de « tirer des hommes tout ce que la nature leur a donné », de « nourrir leurs inclinations de tout ce qui peut les rendre utiles[34] ». Tandis que, dans le cas de Julie, on s'applique « à l'espece [...] et nul n'exerce de son ame que la partie commune à tous, dans le second, on s'applique à l'individu[35] ».

On voit bien de quel côté penche Rousseau; si on avait des doutes, cette phrase de Julie pourrait les dissiper :

> On n'a des talens que pour s'élever, personne n'en a pour descendre; pensez-vous que ce soit là l'ordre de la nature[36].

Ainsi, outre les deux arguments exposés, Rousseau a recours à un troisième — peut-être le plus important de son point de vue —, pour justifier le maintien des conditions : c'est de ne pas porter atteinte à l'harmonie universelle, créée par la Providence. « Reste à la place que la nature t'assigne dans la chaîne des êtres », écrira-t-il dans l'*Émile*[37]. Et, dans *La Nouvelle Héloïse,* il justifie dans des termes semblables l'immuabilité sociale :

> Tout concourt au bien commun dans le sistême universel. Tout homme a sa place assignée dans le meilleur ordre des choses, il s'agit de trouver cette place et de ne pas pervertir cet ordre[38].

---

31. *Ibidem*, p. 538.
32. *Ibidem*, p. 564 .
33. *Ibidem*, p. 566-567.
34. *Ibidem*, p. 567.
35. *Ibidem*, p. 567.
36. *Ibidem*, p. 537.
37. *Op. cit.*, p. 308.
38. *La Nouvelle Héloïse, op. cit.*, p. 563.

D'origine stoïcienne, cette idée d'ordre est une des clés de voûte de son système, qui permet d'expliquer ce qu'on a appelé son « conservatisme », ainsi que son opposition à toute transformation sociale. En effet, tout au long de ses écrits, des *Écrits sur l'abbé de Saint-Pierre (Jugement sur la polysynodie*[39]) à *Émile et Sophie ou les solitaires*, Rousseau reste fidèle à cette notion capitale qui l'amène à accepter tant la servitude à Clarens que l'esclavage d'Émile.

> Tous les états sont presque indifférens par eux-mêmes, pourvu qu'on puisse et qu'on veuille en sortir quelquefois[40].

Pour dépasser l'inégalité, il suffit de pouvoir quitter son état de façon symbolique, grâce à l'imagination — solution adoptée par Rousseau lui-même le long de sa vie[41] —, ou de façon quasi-réelle, pendant ces époques de fête décrites dans *La Nouvelle Héloïse*. Au moment de ces saturnales, quand la communion des différents états s'instaure, quand le travail et la fête s'unissent dans un accouplement parfait, « la douce égalité [...] rétablit l'ordre de la nature[42] ». Au cours de ce bref délai, une catharsis a lieu : on chante, on danse, on rit, on dîne avec les paysans, on travaille avec eux.

> Tout le monde se met à table : maîtres, journaliers, domestiques; chacun se lève indifferement pour servir, sans exclusion, sans préférence[43].

Mais cette égalité est de courte durée. Une fois les vendanges finies, tout revient à sa place et la servitude recommence. Or, même pendant ces instants où, apparemment, toutes les barrières des conditions sociales disparaissent, les distances ne sont pas tout à fait dépassées. Les paysans restent « rustauds », leurs manières « gauches », leur soupe « un peu grossière[44] ». C'est uniquement la bienveillance des maîtres qui permet un certain nivellement qui leur

---

39. Gallimard, *O.C.* III, p. 637-638.
40. *La Nouvelle Héloïse*, *op. cit.*, p. 608, note.
41. « Ayant une imagination assez riche pour orner de ses chimères tous les états, assez puissante pour me transporter, pour ainsi dire, à mon gré de l'un à l'autre, il m'importait peu dans lequel je fusse en effet. » *Les Confessions de Jean-Jacques Rousseau.* Seuil, Paris, 1967, L. IX, p. 286.
42. *La Nouvelle Héloïse*, *op. cit.*, p. 608.
43. *Ibidem*, p. 608.
44. *Ibidem*, p. 607.

serve de « consolation[45] ». En effet, ces « âmes élevées » veulent bien
« sortir pour eux de sa place[46] », tempérant ainsi « la bassesse de la
servitude et la rigueur de l'autorité[47] », car elles « ne dédaignent point
le Pauvre[48] » et trouvent même des charmes dans l'entretien des
paysans.

Mais l'égalité a des limites et la familiarité, comme dit Julie, ne
peut être que « moderée[49] ». Il n'est pas question certainement que les
domestiques « fussent tentés de les prendre au mot et de s'égaler à eux
à leur tour[50] ». Or, si par hasard il arrivait à un des serviteurs « de
s'oublier, on ne trouble point la fête par des réprimandes, mais il est
congédié sans remission dès le lendemain[51] ». La solution ne peut être
plus expéditive.

Ainsi, malgré cette égalité transitoire qui n'est qu'une pseudo-
égalité, un semblant d'égalité, l'opposition des inférieurs et des supérieurs subsiste à Clarens. Cette « communauté des cœurs » n'est en effet
possible que grâce à l'existence d'un groupe social qui est exclu de ce
monde moral et élevé, et ne partage avec les « belles âmes » que le
monde de la production. Comme dans la Cité de *La République* de
Platon, la hauteur intellectuelle et morale des supérieurs exige à Clarens
l'existence du monde réel de la production, qui leur procure le loisir
suffisant pour cultiver leur esprit. C'est pourquoi l'élévation des maîtres
entraîne « la bassesse de la servitude ». Une bassesse nécessaire du
moment que, comme l'affirme Rousseau, tout dans la société a ses
inconvénients :

> Quoi! la liberté ne se maintient qu'à l'appui de la servitude? Peut-être. Les deux
> excès se touchent. Tout ce qui n'est point dans la nature a ses inconvéniens, et
> la société civile plus que tout le reste. Il y a de telles positions malheureuses où
> l'on ne peut conserver sa liberté qu'aux dépends de celle d'autrui, et où le Citoyen
> ne peut être parfaitement libre que l'esclave ne soit extrêmement esclave[52].

Certainement, de *La Nouvelle Héloïse* aux ouvrages politiques, la
contradiction s'avère, au premier abord, frappante. Or, à moins de

---

45. *Ibidem*, p. 608.
46. *Ibidem*, p. 607.
47. *Ibidem*, p. 458.
48. *Ibidem*, p. 556.
49. *Ibidem*, p. 458.
50. *Ibidem*, p. 609.
51. *Ibidem*, p. 458.
52. *Du contrat social, op. cit.*, L. III, ch. XV, p. 431.

croire, comme l'a dit M. Beaulavon, que les écrits de Rousseau ne sont que pure extravagance, il nous faut bien lui faire confiance quand il déclare que ses contradictions sont purement verbales[53], et que ses idées sont un système où tout se tient[54].

Mais de quelle égalité s'agit-il, en fin de compte, dans le *Contrat social* et dans les autres ouvrages rousseauistes considérés politiques? Quelle est l'égalité « morale » et « légitime » que le pacte substitue à l'égalité « naturelle »? Le *Contrat social* étant « un livre à refaire » et difficile à comprendre, selon l'aveu de Jean-Jacques à Dussaulx, il vaut mieux nous abstenir pour le moment d'y chercher des réponses. On trouve, par contre, un développement de cette question dans la note XIX du *Second Discours*, où Rousseau affirme que l'égalité « rigoureuse » de l'état de Nature, même si elle était pratiquable dans la société civile, devrait être remplacée par une égalité qui tienne compte des services rendus par chacun à l'État. C'est ainsi, ajoute-t-il, que les premiers Athéniens ont su distinguer quelle était « la plus avantageuse des deux sortes d'égalité, dont l'une consiste à faire part des mêmes avantages à tous les Citoyens indifféremment, et l'autre à les distribuer selon le mérite de chacun[55] ».

Cette première égalité qui n'établit pas de différences entre les « méchants » et les « bons » est, selon Rousseau, injuste, C'est ainsi que, pour lui, ce sont les différences de mérite qui justifient l'inégalité, avis majoritaire à l'époque chez tous les auteurs qui, d'une façon ou d'une autre[56], sont sous l'influence du cadre théorique libéral. C'est pourquoi, dans les *Considérations sur le gouvernement de Pologne*, il propose d'anoblir les bourgeois « dont la conduite serait digne d'honneur et de récompense[57] », et d'octroyer, petit à petit, la liberté aux serfs qui en auraient été trouvés dignes[58].

---

53. « Il faudrait pour ce que j'ai à dire inventer un langage aussi nouveau que mon projet. » *Ébauches de prologue aux Confessions*, Seuil, *O.C.* I, p. 70. Voir aussi *Émile*, L. II, p. 345, note.

54. « J'ai écrit sur divers sujets, mais toujours dans les mêmes principes : toujours la même morale, la même croyance, les mêmes maximes, et, si l'on veut, les mêmes opinions ». *Lettre à Christophe de Beaumont*, Gallimard, *O.C.* III, p. 928.

55. *Discours sur l'origine de l'inégalité...*, *op. cit.*, p. 222, note.

56. Je me permets de renvoyer à mon livre *Rousseau y el pensamiento de las luces* (Tecnos, Madrid, 1987), où j'ai essayé de montrer que Rousseau, bien que posant les mêmes problèmes que les théoriciens libéraux, apporte des solutions bien différentes, car basées sur l'idéal de la Cité grecque.

57. Gallimard, *O.C.* III, p. 1026.

58. *Ibidem.*

Concluons en disant que le concept d'égalité de Rousseau a des accents platoniciens, de même que son idéal politique est fondé sur la Cité gréco-romaine. Ces accents sont manifestes dans *La Nouvelle Héloïse* mais, à mon avis, ils existent aussi dans le *Contrat social* et dans les autres ouvrages politiques. Pour Platon (*La République*, 558c et ss.), comme d'ailleurs pour Aristote (*Politique*, L. III, ch. IX), l'égalité s'exprime par un rapport entre la fonction sociale, et la situation et la récompense qui s'y attachent, et non pas par la prétention totalement injuste, du point de vue grec, de passer par-dessus les différences dans les fonctions sociales, au profit d'une égalité universelle. C'est pourquoi Platon marque la différence entre l'égalité des égaux, qu'il justifie, et la démocratie, qu'il condamne, et qui consiste à partager l'égalité parmi des hommes inégaux.

Si nous relisons le *Contrat social* maintenant, notre hypothèse d'un Rousseau défenseur d'une égalité d'égaux acquiert vraisemblance. En effet, dans la Cité du *Contrat social* toutes différences économiques, sociales, ethniques, culturelles, religieuses, etc, sont abolies. C'est une société construite « ex nihilo », d'où, en conséquence, les conflits sont absents. De ce fait, l'égalité devient possible grâce à l'inexistence des inégaux.

Mais quelle serait la prise de position de Rousseau devant les antagonismes sociaux? D'après ce qu'il écrit dans le *Second discours* aussi bien que dans les *Lettres écrites de la montagne* et dans les *Considérations*, les droits politiques ne seraient pas octroyés — sauf les exceptions dues au mérite — à ceux qu'il appelle « peuple abject », « Populace toujours prête à vendre sa liberté », etc. Or ce groupe, inexistant dans le *Contrat social*, où il est question de politique, apparaît par contre dans *La Nouvelle Héloïse,* où il s'agit de la description du monde de la production et où, comme l'affirme Rousseau, règne « la subordination des inférieurs [et] [...] la concorde entre les égaux ».

María José Villaverde
Universidad Complutense de
Madrid

TO REVOLT OR TO CONFORM:

THE DILEMMA CONFRONTING

JULIE D'ÉTANGE

AND THE ABOLITION OF NOBILITY

IN JUNE 1790

All modern readers, especially women, surely hope that Julie will revolt against her father and follow her lover. How could this not have been, deep down, what Rousseau, as an adept of nature, dreamt of? It seems very difficult for us today to understand the letter which Germaine de Staël wrote in 1786, when she was only 20 years old, on Rousseau's novel *La Nouvelle Héloïse*: his objective was to encourage women guilty of Julie's error to repent, by giving them the example of the virtuous life she led in the aftermath. In this long letter, Mme de Staël admires Rousseau's novel for the moral lesson it offers as well as its digressions into various other issues such as suicide and dueling; but she gives only a fleeting glance at the political aspect of the novel's plot. "Peut-être que, suivant le cours habituel de ses pensées, il [Rousseau] a voulu attaquer, par l'exemple des malheurs de Julie et de l'inflexible orgueil de son père, les préjugés et les institutions sociales. Mais comme il révère le lien auquel la nature nous destine! . . . Qui oserait se refuser à sa morale!"[1]

Julie does, we believe, revolt against society by falling in love with Saint-Preux whom Rousseau depicts as the perfect partner for her. In the words of Lord Bomston, a strong plea is made against the decision of Julie's father not to allow his daughter to marry a commoner and to impose upon her his tyrannical wish to fulfill the promise given to an old friend. Julie gives in to her father. Her compliance might be seen

---

1. G. de Staël, *Lettres sur les ouvrages et le caractère de J.-J. Rousseau*, Genève, 1979, letter 2.

as indicating a conservative attitude on the part of Rousseau, wishing
to keep women in their place in a traditional society where their
submission to the male order was the rule. However, we must not forget
the much wider social context, involving habits and customs, of which
Rousseau was so well aware. In this novel, as in other works of his,
there is both the attempt to rebel against society as it has become and
the even greater effort to reconcile the individual with the laws of nature
which alone make any society worth living in.

Rousseau understood how attached men were to their environment
and how they treasured certain habits and customs in which they had
been bred. Julie would not be happy if she eloped with Saint-Preux;
her ties with her parents, relatives, and friends are too strong to allow
her to break with them. After falling in love with the young man and
then giving in to her father, she continues to rebel against society
through her life-long love for Saint-Preux and her early death. Her
compliance with her father's wishes should be considered not so much
as conforming to the social order as not wishing to go against the natural
order requiring obedience to one's parents. Therefore, her decision is
a mature one, typical of Rousseau's wisdom when dealing with the
socio-political problems of his day. His writings deplored the evils of
society and encouraged "revolt," but his advice was to do so within the
context of the social order as it stood so as to bring about real and lasting
change. The revolution he advocated lay in a gradual evolution of ways
of thinking and acting so that no man should ever consider himself
superior to another because born of a so-called "noble family."

The passages condemning the prejudices of nobility are scarce in
La Nouvelle Héloïse, but they are very powerful. By paying off
Saint-Preux for his tutorial services, M. d'Étange wishes to make clear
that he is in no way in debt to a "commoner": an insulting way of
treating the other man once he has learned that he is neither noble nor
rich (Part I, letter 22). When told that Saint-Preux is an "honest" man,
his suspicions are aroused even more. The arrogance he displays in
dealing with people not of his social order explains the resentment felt
by many third estate deputies against nobles when they arrived in
Versailles in 1789.

The disdainful remark made by Julie's father is carried further
during his interview with Lord Bomston. In this passage, Rousseau
indulges in an attack on the pretentions of nobility to be superior to the
order of nature. Saint-Preux is endowed with many natural gifts: youth,
health, beauty, common sense, sound habits and courage; he will also

benefit of the wealth Lord Bomston proposes to give him. Thus, all he lacks is nobility: a "vain prerogative" in a country where it is not required (Switzerland), but which he really possesses in the bottom of his heart. After a brief interruption by Julie's father, Bomston goes on to attack nobility's claim to superiority on the basis of descent from a long ancestry whose beginnings were probably not noble and might even have been dishonest. How ridiculous, he claims, to judge a man by his ancestry rather than by his actual merits and worth (Part I, letter 62). Almost thirty years before the abolition of nobility at the National Assembly on 19 June 1790, these lines of Rousseau's helped to serve the popular current of resentment against nobles who would suffer in consequence during the revolutionary years.

The *Dictionnaire des Constituants (1789-1791)*[2] offers its readers an index of the main themes discussed during the National Assembly (classifying the orators according to their estate). Exceptionally, it also gives the numbers of references made to the three chief Enlightenment authors — Montesquieu, Voltaire and Rousseau — as follows:

	Clergy	Nobles	Third Estate	/ Total deputies
	331	311	673	/ 1315
Montesquieu	1	6	21	/ 28
Voltaire	4	5	7	/ 16
Rousseau	3	17	27	/ 47

These figures would, naturally, be higher if the index were based on the original speeches in the *Archives parlementaires* and not on our dictionary which merely gives a summary, but they indicate the importance of Rousseau in the intellectual background of the Constituent deputies[3] and the early years of the French revolution. Another indication may be seen in Louis-Sébastien Mercier's newspaper *An-*

2.   E.H. Lemay, *Dictionnaire des Constituants (1789-1791)*, with the collaboration of C. Favre-Lejeune, the participation of Y. Fauchois, J. Félix, M. L. Netter and J. L. Ormières, and the assistance of A. Patrick, Voltaire Foundation, Oxford-Paris, 1991.

3.   A vast literature has been devoted to this subject, namely: R. Barny, *Rousseau dans la Révolution: le personnage de Jean-Jacques et les débuts du culte révolutionnaire (1787-1791)*, Voltaire Foundation, Oxford, 1986, and my preceding communications at the meetings of this society: "Rousseau dans le discours politique de trois Constituants-juristes," *Swiss-French Studies*, vol. II, no. 2, Nov. 1981, pp. 6-22; "Inégalité et vote par tête au printemps 1789," J. Terrasse, *Studies on Rousseau's Discourses,* North American Association for the

nales patriotiques (3 Oct. 1789/19 Nov. 1792), which carried a quotation from Rousseau under its title in 17 per cent of its numbers: 20 different texts borrowed mostly from the *Social Contract*. In July 1791, the paper announced publication of Mercier's book *De Jean-Jacques Rousseau, considéré comme l'un des premiers auteurs de la révolution*, with a long excerpt explaining Rousseau's role in the new public order, built on the ruins of despotism and aristocracy thanks to the abolition of hereditary nobility, "germe éternel de dissension parmi tous les peuples policés."[4]

Throughout the parliamentary debates, Rousseau is quoted from the *Contrat social, Émile, Lettre sur les spectacles* and his work on Poland. *Julie ou la Nouvelle Héloïse* is never mentioned, but this does not mean that our deputies had not read the book which had had such success when it appeared in 1761, followed closely by the *Contrat social* and *Emile*. If the latter two works are more important for their political contribution, *La Nouvelle Héloïse* offers an impressive attack on nobility. In his general criticism of that order, Lord Bomston throws a better light on English nobles: more enlightened, their primary duty consisted of service to the nation rather than to the monarch. In England, law stood above the king and was defended, in the interests of the nation, by nobles prouder of their merits than of their ancestry (Part I, letter 62). In spite of the admiration for America and her newly achieved liberty, England was the model more often referred to in the Constituent debates because her history and her institutions were more relevant to French experience.[5]

The defence Lord Bomston makes of English nobility may be contrasted with the arguments used by the French nobles opposing the abolition of their order in June 1790. The question appears to have come up accidentally on the evening of Saturday June 19 when

---

Study of Jean-Jacques Rousseau, Ottawa, 1988, pp. 195-205; "Rousseau et la peine de mort à l'Assemblée constituante," G. Lafrance, *Studies on the Social Contract*, North American Association for the Study of Jean-Jacques Rousseau, Ottawa, 1989, pp. 30-37; "La part d'Émile dans la régénération de 1789," colloque international, Montmorency, 27 Sept.-4 Oct. 1989 (forthcoming).

4. H. Aureille (research underway on the *Annales patriotiques*, at the Institut Raymond Aron, EHESS-Paris) has kindly given us this information.

5. See our "Les modèles anglais et américain à l'Assemblée constituante," *La Crise des Institutions et les Réformes*, Transactions of the Vth International Congress on the Enlightenment (1979), no. 9, Voltaire Foundation, Oxford, pp. 872-884; and "Lafitau, Démeunier and the Rejection of the American Model at the French National Assembly, 1789-1791," in M. R. Morris (ed.), *Images of America in Revolutionary France*, Georgetown, Washington, D.C., 1990, pp. 171-184.

discussing the forthcoming July 14 celebrations. Alexandre de Lameth proposed to eliminate the chained figures representing four French provinces at the foot of Louis XIV's statue. Lambel, a rather obscure lawyer and notary, then came up with the idea of eliminating all titles of nobility by burying them in "le tombeau de la vanité." This idea caught on very quickly among the liberal nobles, such as La Fayette. Charles de Lameth claimed that titles were an offence to the constitution's emphasis on "equality" and belonged to the feudal order destroyed on the night of August 4 1789: "Hereditary nobility goes against reason and harms true liberty; there is no political equality, no encouragement to be virtuous there where citizens are entitled to honours other than those attached to their actual functions in that society." Noailles, famous for his role on August 4, was most enthusiastic about this new idea: "Let us destroy these vain titles, frivolous children of pride and vanity . . . . Do we say marquis Franklin, count Washington, baron Fox? One says, Benjamin Franklin, Fox, Washington, names which need no qualification . . . but are always pronounced with admiration."

Leading third estate deputies, such as Lanjuinais and Le Chapelier, spoke in favour of abolition. Less well known, Anthoine, a lawyer and member of the lower courts, wrote to Necker (July 5, 1790) criticizing his attitude in favour of two social orders. Anthoine claimed that commoners felt noble in their hearts, where the law of equality had been engraved long before the declaration of the rights of man. According to him, equality was the foundation of the constitution.

The argument used by the conservative nobles in defence of their status was based on the principle that nobility was part of monarchy: one could not be eliminated without the other and in the past it had been the role of nobles to fight for the king. Contrary to the English, they emphasized the ties between nobles and king, rather than nobility's duty to protect the legal rights of the nation as opposed to the king. Some nobles invoked the declaration of the rights of man as protecting property rights, therefore their prerogatives. One noble, Count d'Escars, claimed that their status was God-given and no human power could deprive them of it. Another deputy, Count Faucigny, claimed that destroying the honours of nobility would not put an end to those granted bankers and usurers. Moreover, the question being of such importance, they reminded the Assembly that it was against parliamentary rules to take a decision during an evening session, especially when the matter had not been placed on the agenda. The discussion became more and more heated, nobles being equated to the evils of feudalism; long before the feudal period, all Frenchmen (so one deputy, Bouchotte, claimed) had been considered equal. Finally, the motion was voted upon and five days later, 147 nobles signed a protestation against the decree, several among them writing up individual memoranda to justify their opposition before their noble electorate. La Queuille published what appeared to be a counter-revolutionary manifesto: abolishing nobility, he claimed, was attacking the liberty of all Frenchmen since nobles had fought for them in the past and the interests of both were linked.[6]

Returning to the novel, if the revolt against the prejudices of nobility seems evident, should we then accept Michel Launay's claim that Rousseau sought to consolidate social inequality by regulating it and assigning to each member of society his place in that body, prohibiting all changes?[7] Rather than put an end to the revolutionary message conveyed by the novel, emphasis should (we believe) be placed on the attempt to link customs and habits, natural to man, with the natural equality of all men. At no time, probably in the history of the world, did such faith exist in the possibility of a revolution conducted in a rational manner as in 1789. Certainly, if revolution meant violent change, Rousseau did not believe in its feasibility; but he hoped, by the example of *Julie* and his later works, to persuade men that their future happiness had more chance if they conducted their lives in close relationship to nature.

Early in their liaison, Julie writes to Saint-Preux, whom she has sent away, that her father has returned home after an absence of eight months. She describes her joy at seeing "the best of fathers" and asks him to try to understand her feelings for her parents. In this letter (part I, letter 20), Rousseau stresses the importance of family unity and harmony into which the outsider should enter and conform. With her father at home, Julie admits that all her thoughts as a daughter have been devoted to him, as they should be. In his answer, Saint-Preux explains the great difference separating them, due not to rank or fortune, which honour and love can replace, but to the fact that she lives in the midst of a well-regulated family where blood relations and friendship bind each member together. On the contrary, he has no family and almost no country; therefore his love for her is all the more important

6. E. Laurent et J. Mavidal, *Archives parlementaires*, 1ᵉ série, 1789-1799 Paris, 1882, vol. XVI, 19 June 1790: for all the speeches mentioned above.
7. R. Pomeau, "Le dossier de l'œuvre," in Rousseau, *Julie ou la Nouvelle Héloïse*, Garnier, Paris, 1960, p. lxxxiii.

(Part I, letter 21). In this passage, Rousseau differentiates between a sort of nomadic existence (that of Saint-Preux, closely resembling his own) and one consisting of strong community ties (parents, family, village). Where the latter predominate, ties based purely on a love relationship were considered secondary. Since passions are short-lived, it is obvious that Rousseau would ideally place them in a context where other ties were important. But the ideal state is the objective to strive for, not necessarily the reality. Rousseau's apparent compliance with the social order (reality) did not mean it was the perfect state of things. As Saint-Preux ends his letter to Julie: "toi; ma Julie, ah! je le sais bien, le tableau d'un peuple heureux et simple est celui qu'il faut à ton cœur" (Part I, letter 21). Indeed, in this picture Rousseau depicts a state where Julie would naturally be allowed to marry her lover: the reconciliation of society with nature. Such, however, was not the way of the world as it then stood.

The 1789 revolution introduced the principle of political equality, a new idea which went far beyond the mere abolition of nobility. However, by abolishing titles and prerogatives based on one's ancestry, the Constituent Assembly realized that after destroying the Bastille and the feudal system, it was now (a year later) tearing down another bastion of the "ancien régime." When Julie writes to her cousin Claire, "quels monstres d'enfer sont ces préjugés qui dépravent les meilleurs cœurs, et font taire à chaque instant la nature!" (Part I, letter 63), she is preparing the revolt of the third estate deputies who, in 1789, would claim double representation so as to confront the privileged orders with some measure of success. Not only were they requesting political equality, but they deplored all the humiliating stigma which differentiated them from nobles: different costumes worn in public ceremonies; special benches in church reserved for nobles; military schools closed to sons of commoners; and upper ranks of the clergy reserved to sons of nobles, as were the offices in the superior royal courts.

Lord Bomston complains to Claire about the ridiculous prejudices which turn men away from the paths they would naturally take and upset the harmony which could develop between young people made for each other. He deplores the tyranny of Julie's father as, later, third estate deputies were to deplore titles and tokens differentiating them from nobles. Rousseau set the problem in romantic terms which 18th century readers appreciated, often with tears in their eyes. Lord Bomston echoes the future aspirations of the third estate when he suggests; "Que le rang se règle par le mérite, et l'union des cœurs par leur choix, voilà le véritable ordre social; ceux qui le règlent par la naissance ou par les richesses sont les vrais perturbateurs de cet ordre; ce sont ceux-là qu'il faut décrier ou punir. Il est donc de la justice universelle que ces abus soient redressés; il est du devoir de l'homme de s'opposer à la violence, de concourir à l'ordre . . ." (Part II, letter 2). If Lord Bomston's efforts to convince the tyrannical and unreasonable old man (Julie's father) end in failure, this does not mean that those efforts should not be renewed in other ways, and Julie's exemplary life as a wife and mother are proof that her initial revolt did not trespass on her fundamental virtue.

The great enthusiasm and optimism of the 1789 revolution owed much to the romantic faith in nature which Rousseau tried so hard to convey to his readers in such a refreshing manner.

Edna Hindie Lemay

III

ROMAN OU TRAITÉ D'ÉDUCATION?
EDUCATION OR ETHICS?

St. Preux or the New *Honnête Homme*

Reading *Julie* Amour-propre-ly

Wolmar comme médiateur politique

Jean-Jacques, Saint-Preux et Wolmar :
aspects de la relation pédagogique

L'éthique de *La Nouvelle Héloïse*
et du Vicaire Savoyard

ST. PREUX OR THE NEW *HONNÊTE HOMME*

"*Suivre nature et plaire*" — these were the watchwords of the *honnête homme*.[1] As Nannerl Keohane pointed out, here "following nature" meant something "wholly unlike what Rousseau later meant by acting according to nature."[2] Though Keohane does have a great deal more to say about Rousseau, she does not explore this statement, nor does she connect him to the development or downfall of the idea of the *honnête homme* in French thought. In *La Nouvelle Héloïse*, however, the frequency with which the characters refer to each other as *honnêtes hommes*, or discuss the ideal character of the *honnête homme*, or criticize the actions of supposed *honnêtes hommes* in Parisian society, is striking. One might read *La Nouvelle Heloise* as Rousseau's effort to criticize *honnêteté* as a social ideal and to offer an alternative model of *honnêteté*. That is what I propose to explore in this paper.

I. The *honnête homme* in French society

The *honnête homme*, introduced into French literature by Nicholas Faret in his *L'honnête homme ou l'art de plaire a la cour*, closely followed the model of his Italian counterpart and inspiration, Baldesar Castiglione's *Cortegiano*. For Faret, as for Castiglione, the ideal was first and foremost a military man, but one who also possessed other, tamer virtues that helped him fit in well in polite company. Following the tumult of the *Fronde*, the French Court came to appreciate the usefulness of an ideal which made peaceful social intercourse possible. At first the *honnête homme* retained his martial bearing, but gradually, this hero was housebroken and no longer a fighter. In fact, not only would he cease being a professional soldier, he would have no trade at all.[3]

---

1. The *honnête homme* was an ethical ideal type found in seventeenth century literature, but one that continued to hold sway well into the eighteenth century as well. A. J. Krailsheimer, *Studies in Self-Interest from Descartes to La Bruyère* (Oxford: Oxford University Press, 1962), p. 82.
2. Nannerl Keohane, *Philosophy and the State in France: The Renaissance to the Enlightenment,* (Princeton: Princeton University Press, 1980), p. 284.
3. Domna C. Stanton, *The Aristocrat as Art: A Study of the Honnête Homme and the Dandy in 17th and 19th Century French Literature* (New York: Columbia

The *honnête homme*, as a new moral ideal invented in the seventeenth century, provided a means of softening the rough edges of warrior courtiers. Magendie, in his extensive study, showed how, as the ideal evolved, it contained two rather distinct strands: one worldly and aristocratic, emphasizing such matters as proper behavior at court; and the other, a moralistic, bourgeois strain.[4] The ideal of the *honnête homme* could be used either to include or to exclude: thus, one might argue that true *honnêtes hommes* belonged to the social elite, those who qualified according to a class definition. On the other hand, those of inferior birth who nonetheless lived the lives of *honnêtes hommes* could hope for promotion and preferment on that basis. Still, there were definite economic limitations. As continental philosophy would later divide itself into two camps by seizing on different halves of Hegel's famous dictum, "the real is rational; the rational is real," in the seventeenth century the idea of the *honnête homme* played a similar role, thus we have the possibility that "gentlemen are *honnêtes hommes* or *honnêtes hommes* are gentlemen."[5]

The period covered in Magendie's study extends from 1600 to 1660, yet, for good or ill, the influence and importance of the idea of the *honnête homme* continued well into the eighteenth century.[6] It was an ideal that La Bruyère could poke some fun at when he noted in his *Characters* that "the well-bred man [*honnête homme*] is one who commits neither highway robbery nor murder, whose vices, in short, cause no scandal. Everyone knows that a good man is well bred, but it is amusing to reflect that not every well-bred man is good."[7] In the eighteenth century the *philosophes* attacked the ideal of the *honnête homme*, but, as more than one writer has suggested, it was Rousseau's fate to administer the "coup de grace" to the philosophy of *honnêteté*,

University Press, 1980); Remy Saisselin, "L'evolution du concept de l'honnêteté de 1660 a 1789" (unpublished Ph.D. dissertation, University of Wisconsin, 1957).

4. M. Magendie, *La Politesse Mondaine et les théories de l'honnêteté en France au XVIIe siecle de 1600 à 1660* (Paris: Librairie Felix Alcan, 1925).

5. Thomas Crow, "Moralists and the Legacy of Cartesianism," in Denis Hollier, ed., *A New History of French Literature* (Cambridge: Harvard University Press, 1989), p. 332.

6. Andre Leveque, "L'honnête homme et l'homme de bien au XVIIe siecle," *PMLA* 72 (1957), pp. 620-632 at 620.

7. Jean de La Bruyère, *Characters*, tr. Jean Stewart (Harmondsworth: Penguin, 1970), p. 229.

replacing it with a new commitment to the *sensibilité du moi*.[8] *La Nouvelle Héloïse* was one of his principal vehicles for delivering this attack. Before looking at his challenge, we need to form a better idea of his target.

What did it mean to be an *honnête homme?* A full, detailed answer to that question would be long, complicated and well beyond the scope of this essay. For one thing, as a seventeenth century commentator wrote, the term "*honnête homme*" had become synonymous in popular usage with several similar phrases: *le galant homme, homme de bien,* and *l'homme d'honneur*.[9] Perhaps we can simplify matters here by focusing on what it meant for an *honnête homme* to follow nature and please.

First of all, as Keohane rightly observed, nature to the mind of the *honnête homme* was certainly different from what it would become in Rousseau's vision. "Nature" was nature in the classical sense, not something original, primal, savage, or uncivilized. Nature was not *sans fard* — unvarnished, raw — but rather nature at its most privileged and embellished. The *honnête homme* thought of "natural" in the sense that a fifth century Greek sculptor might have. Greek statuary represented the true nature of man — but let's face it, no human being fashioned by the hand of God ever looked quite like a statue carved by Myron or Praxiteles. The sculptor's work revealed man's nature — that is, an eternal idea of man or man in his most perfect form, the goal to be attained. The natural could be revealed by stripping away all that was individualistic and instead seeking out what was best in order to create an ideal representation.[10] The *honnête homme*, in following nature, was trying to "be all that he could be" by imitating the ideal. One exemplary *honnête homme*, the chevalier de Meré, suggested that a person could make *honnêteté* a part of his nature by acting *honnête* both in public and in private. But since "external appearances are only images of internal acts," the result of this play-acting would be that *honnêteté* would become habitual.[11]

---

8. Saisselin, p. 204; Jean Pierre Dens, *L'Honnête Homme et la Critique du Goût* (Lexington, KY: French Forum Publishers, 1981), p. 138.
9. Letter from Corbinelli to Bussy-Rabutin. Roger de Rabutin, Comte de Bussy, *Lettres* (Paris: Delaulne, 1697) I, pp. 338-9.
10. Dens, pp. 65-68.
11. [Antoine Gombaud, chevalier de] Meré, *Œuvres Complètes,* (Paris, 1930), III, p. 141.

Others were less sanguine about the success of this strategy. One observer of seventeenth century society wrote: "most men are artificially honnête. . . their *honnêteté* is merely counterfeit."[12] Another suggested that people were merely masquerading, substituting what they wanted to be for what they were.[13] All this suggests the underlying tension inherent in the command to follow nature, namely the dichotomy between being and seeming — *être et paraître*.

What of the other half of the injunction, *plaire*? Pleasing meant working toward harmony in society. It meant recognizing that everyone desired happiness and that the best way to achieve one's goal was to discover means of reconciling one's own happiness with the happiness of others. Sometimes reconciliation may necessitate a degree of self-sacrifice. *Honnêteté* is accommodationist. The *honnête homme* realizes that a display of vanity or aggressiveness will only invite retaliation. As Damien Mitton suggested, *honnêteté* is nothing but a well-regulated *amour propre*.[14] It is the management of one's own *amour propre* and that of others. *Honnêtes hommes* know better than to try to catch flies with vinegar — they always use honey. Meré and other *honnêtes hommes* were able to discover ways of captivating others by appealing to their egos.[15] How? The best method is through politeness — some people can resist talent or keenness of mind.[16]

The *honnête homme* especially desires to please distinguished women.[17] He is, after all, in many ways the creature of the salon. Central to salon life was the art of conversation; so, the *honnête homme* had to be a fine conversationalist. According to Meré, the art of conversation meant avoiding pedantry and making thoughts accessible and less abstract. It also meant fitting one's own comments into a conversation in a natural and constructive way, thereby supporting the harmony of the group. To do what *honnêteté* required, obviously a person had to be flexible. One modern critic has counterposed the

---

12.   Morvan de Belleregarde, *Reflexions sur ce que peut plaire ou deplaire dans le commerce du monde* (Paris: Arnoul Seneuze, 1688) p. 119.

13.   Marie de Hautefort in Gustave Lanson, ed. *Choix de lettres du XVIIᵉ siècle* (Paris: Hachette, 1909), p. 270.

14.   Henry A. Grubbs, *Damien Mitton (1618-1690): Bourgeois Honnête Homme* (Princeton: Princeton University Press, 1932), p. 55.

15.   Stanton, p. 68.

16.   Morvan de Belleregarde, quoted in Stanton, p. 132.

17.   Magendie, p. 895.

flexibility of the *honnête homme* to the "ponderous rigidity of *gens d'honneur.*"[18]

Not everyone was cut out for the life of an *honnête homme.* For one thing, the life required a good deal of leisure, hence the root of the class bias associated with the type. *Honnêtes hommes* had no time for or interest in productive activity. Consequently, only wealthy aristocrats or bourgeoisie had much hope of succeeding as *honnêtes hommes.* Domestics could not hope to be *honnêtes hommes.*[19] Aside from this class bias, there were other barriers. Chief perhaps was the simple fact that not everyone would have *lé bon goût* — the ability, as Meré expressed it, to sense to what extent things will please and to prefer the excellent to the mediocre.[20] It took a certain natural instinct or a "hyperacuity of superior beings" able to see things at a glance and not through a gradual reasoning process.[21]

The *honnête homme* was not a savant; though the *honnête homme* was well educated. He had read the classics, possibly under Jesuit tutelage. Nevertheless, he would avoid ostentatious displays of learning as well as disputation and such forms of verbal conflict.

Finally, in his search for harmony, the *honnête homme* avoided things that might rock the boat — anything that smacked of true originality. In the salons he frequented, life consisted of "obedience to common usage and identical taste, arranging the day according to a uniform timetable, wearing the same costumes, speaking the same language, having the same interests, playing the same games and indulging in the same distractions."[22] He "transposed, reflected, reproduced but he did not start anything."[23] His taste remained purely *imitati.* He was, in twentieth century parlance, quite other-directed.

II. *Honnêteté* and the *Honnête Homme* in *La Nouvelle Héloïse*

How does *La Nouvelle Héloïse* attack this ideal? Not directly. Readers soon become aware that the characters themselves have not abandoned their own versions of the *honnête homme.* Repeatedly, Julie or Claire

18. Stanton, p. 49.
19. Saisselin, p. 78.
20. Meré, *Œuvres Complètes,* II, 29; also Dens, pp. 101-102.
21. Stanton, p. 202.
22. Rene Bray, "*Honnête Homme,*" in *Dictionnaire des Lettres Françaises: Le Dix-Septième Siècle* (Paris: Librairie Arthème Fayard, 1954), p. 502.
23. Dens, p. 107.

or St. Preux or even Baron D'Étange make positive comments or generalizations about the conduct or character of *honnêtes hommes*. Frequently these are used to describe the letter writer or recipient, or to enjoin one or the other to appropriate conduct. Thus, for example, we have St. Preux noting in a letter to Julie, that "one might imagine you more beautiful, but more lovable and more worthy of the heart of an *honnête homme*, it is not possible."[24] Or, St. Preux writing to Baron D'Étange that "the marriage of one *honnête homme* never dishonors another."[25] Or Julie, enlisting St. Preux's aid for Fanchon, remarking, "I say too much about it to an *honnête homme*." Or Bomston, writing to console St. Preux, "Life is an evil for a villain who prospers, but a good for an *honnête homme* who is unfortunate."[26] Or, Julie describing Wolmar as "the *honnête homme* whose hopes she has fulfilled."[27] Nor are these versions of *"honnêteté"* so idiosyncratic as to be unrecognizable; they do fall well within the bounds of the traditional discourse concerning *honnêteté* and the *honnête homme*. Baron D'Étange calls upon Julie to renounce St. Preux, arguing that "it is time to sacrifice a shameful passion to duty and *honnêteté.*"[28] The implication is clearly spelled out — only a "malhonnête homme would sacrifice his duty and his faith to a vile interest." In the end, given Julie's "conversion" and St. Preux's "cure," much of the Baron's call is heeded. And calls to individual sacrifice for the good of the larger society are, of course, consistent with the idea of *honnêteté*.

There is a class difference between Julie and St. Preux. When the Baron enquires about the young man's birth, he is told that it is "honnête" — not aristocratic. Recalling that Magendie claimed that *honnêteté* could be an inclusionary as well as an exclusionary ideal, St. Preux's class background need not automatically have ruled him out as a suitor for Julie, as Bomston later tries to convince the Baron. But Baron D'Étange himself represents less an *honnête homme* than an *homme d'honneur*. He comes from a family of soldiers and this background suggests the pre-*honnête homme* era. To prevent St. Preux from duelling with Bomston, Julie tells her lover that her father once

---

24. Jean-Jacques Rousseau, *Œuvres Complètes*, edited by Bernard Gagnebin and Marcel Raymond (Paris: 1964-69), II, p. 31. Hereafter this work will be cited as "*O.C.*"
25. *O.C.*, II, p. 327.
26. *O.C.*, II, p. 388.
27. *O.C.*, II, p. 256.
28. *O.C.*, II, p. 349.

killed a good friend in a duel. Honor carried to such lengths would seem to be the antithesis of *honnêteté*. Julie counsels St. Preux not to follow her father's example, but to be reconciled with Bomston.

So, how does Rousseau challenge the "*honnête homme*" in this text? He does so in both theoretical and practical ways. Like the moralists who put stock in the *honnête homme*, Rousseau accepts the value of a harmonious society ordered according to nature. But nature has a very different meaning and harmony a different manner of achievement. By allowing St. Preux to view the species in its natural habitat, the Parisian salons, he offers criticism of *honnêteté* as practiced. By designing an alternative society at Clarens, he gives new meaning to what it might mean to be *honnête* in a social setting.

III. St. Preux and the Salons

Much of the negative part of Rousseau's case against the *honnête homme* can be made by reviewing St. Preux's letters concerning Parisian life. St. Preux's task is to study man in his various relations. He expects Paris to be a great source of illumination. He praises the tone of conversation he hears, "neither ponderous, nor frivolous; knowledgeable without pedantry, gay without riotousness, [and] polite without affectation." In Paris, people reason without arguing. They don't plumb questions too deeply for fear of boring. No one attacks another's words with any heat, nor does anyone defend strenuously his own opinions.[29]

In this, St. Preux offers a textbook description of the conversation of *honnêtes hommes*. But on closer inspection, the delightful conversation of the salons is missing something — substance. What does one learn from all this? St. Preux asks. Does one learn "to judge soundly the things of the world?" Far from it. Instead, all this fine talk serves only to "plead with art the cause of falsehood, shake with the strength of philosophy the principles of virtue, color passions and prejudices with subtle sophisms and give error a certain fashionableness in the maxims of the day."[30] People in Paris do not say what they think, but what suits them to say they think before their audience. A few men and women do the thinking for the rest, and each salon develops its own set of rules and

---

29. *O.C.*, II, p. 232.
30. *O.C.*, II, p. 233.

opinions. These rules may differ greatly with the result that an *"honnête homme* in one house is a knave in the neighboring house."[31] Since individuals commonly frequent more than one salon, they need the flexibility of Alcibiades "to change their principles as they do their assemblies."[32] Thus, the same men are "molinists in one [salon], Jansenists in another, vile courtisans in the home of a Minister, mutinous frondeurs in the home of a malcontent."[33] The *honnêtes hommes* in Paris are not "those who perform fine actions, but those who say fine things."[34]

Despite all that the great city had to offer, St. Preux was left to conclude that the men there were no more humane, moderate or just than those elsewhere. Furthermore, while appearing open and agreeable on the outside, in fact, they hid their hearts away.[35] In short, St. Preux concludes that for these *honnêtes hommes, paraître* had replaced *être*.

A major factor contributing to this problem was the role played by women in Parisian society. While among the Swiss, men and women are scarcely ever together, in Paris it is totally the opposite. "Women like only to be with the men; they are only at ease with them."[36] The mistress of a salon is surrounded by a circle of men, men who seem to multiply by circulation. There, "a woman learns to speak, act and think like the men and they like her."[37] The critical strain introduced by St. Preux is continued later by Claire when she compares Genevan and Parisian women. She praises the simplicity and taste of Genevan women as well as the Genevan practice of separating the sexes and occupying each with its own particular duties and amusements. The effect of this separation is to increase the enjoyment of each other when they finally do come together: *s'abstenir pour jouïr.*[38]

---

31. *O.C.*, II, p. 234.
32. *O.C.*, II, p. 234.
33. *O.C.*, II, p. 241.
34. *O.C.*, II, p. 254.
35. *O.C.*, II, p. 255.
36. *O.C.*, II, p. 269. Rousseau expands considerably on this same theme in his *Letter to d'Alembert on the Theatre.*
37. *O.C.*, II, p. 269.
38. *O.C.*, II, pp. 661-662. This line of criticism resembles closely the arguments developed much more fully in the *Letter to d'Alembert.* Rousseau also has a great deal more to say about *honnêteté* there as well.

IV. *Honnêteté* at Clarens

St. Preux's description of the order that prevails at Clarens parallels Abelard's description of the appropriate rule for Heloise's community of sisters. Old passions and energies that brought trouble have been purified and channeled into the constructive activity of community building. This is similar to the task *honnêteté* was expected to perform in French society; but, the methods of going about the task at Clarens would be quite different.

Several times in the text Wolmar is described as *honnête* or as an *honnête homme*.[39] It is Wolmar whom Julie credits with establishing the order observed at Clarens. That order mirrors the order in his soul and in the government of the world.[40] Though Wolmar directs things, he does so ever so subtly and according to nature. Thus, "one recognizes the hand of the master [but] never feels it . . . [things seem] to go by themselves and one enjoys at the same time rule and liberty."[41]

At Clarens, in contrast with the milieu of *honnêtes hommes* in France, men and women will follow the Swiss practice of having limited contact between the sexes. After all, their inclinations, functions, duties and amusements are different; they "come toward a common happiness by different routes."[42]

Like Paris, Clarens is no classless society. Yet Rousseau has attempted to reconstruct *honnêteté* in a manner that strips away its class-based aspect. The first requirement for servants at Clarens is that they be "*honnête*, . . . love their master and serve of their own accord."[43] Now '*honnête*' here and in subsequent passages could be translated simply as 'good' or 'honest' without all the connotations associated with the *honnête homme*, yet a close look at the full texts in which Rousseau discusses what he means by *honnêteté* among servants suggests otherwise. One suspects that Rousseau was recalling his own days as servant when he allowed St. Preux to point out that "servitude is so unnatural to men that it is not known to exist without some discontentment."[44] Normally, harmony among servants is purchased only at the expense of the master. Servants who are not "*honnête*" steal.

39. *O.C.*, II, pp. 369, 511.
40. *O.C.*, II, p. 371.
41. *O.C.*, II, pp. 370-371.
42. *O.C.*, II, pp. 450-51.
43. *O.C.*, II, p. 445.
44. *O.C.*, II, p. 461.

But what they steal is harmony. Heads of households have two bad choices: they can protect themselves only by "preferring their interest to *honnêteté*" and inciting servants to spy one one another and report; or, they can let the thieves run wild.[45] Wolmar's household avoids the two alternatives by refusing to tolerate any but *honnêtes gens* who have no desire to trouble the order.[46] St. Preux suggests that, in general, one might conclude that *honnêteté* and servitude were incompatible and that one might never hope to find domestic servants who were also *honnête gens*.[47] Things at Clarens are different, however. Interaction among servants and between servants and masters is itself characterized by openness and honesty. The masters at Clarens do this by showing the servants their own character: they speak always in the same language and have one moral system for all. Servants see a master who is just, righteous, equitable, etc. and themselves strive to imitate such characteristics.[48] Servants at Clarens become more gracious, *honnête* and superior than their station in life. What spurs this development is the light of their master and mistress and also a well-directed self-interest.[49] The sentiments expressed here go well beyond what is required for simple honesty or goodness and recall Mitton's description of *honnêteté* as well-regulated *amour propre*.

Rousseau's new version of the *honnête homme* attacks class differences in another way as well. At Clarens there are no idlers; everyone joins in the productive labor of the estate. St. Preux, for example, helps with the grape harvest. The leisure of the Parisian *honnête homme* is forgotten.

There are no idlers and there is also no idle talk. People at Clarens do not converse for effect; they say what they think.[50] Furthermore, they need not always talk; they are capable of observing silence and being contemplative.

For the inhabitants of Clarens good taste, whether in gardens or other things, consists in simplicity and truth, in good order rather than in magnificence. Good order results not from the opinions of people but from the concord that exists between things and nature. Taste is not

---

45.   *O.C.*, II, p. 461.
46.   *O.C.*, II, p. 467.
47.   *O.C.*, II, pp. 467-468.
48.   *O.C.*, II, pp. 468-469.
49.   *O.C.*, II, pp. 469-470. Rousseau's terms here are *"grand intérêt"* and *"l'intérêt . . . si sagement dirigé."*
50.   *O.C.*, II, p. 468.

the result of marketplace decisions — "nothing is scorned because it is common; nothing is esteemed because it is rare." Nor are things considered tasteful because they bear the marks of art or contrivance. Good taste doesn't let art show.[51]

The new *honnête homme*, in Rousseau's plan, lets nature reveal itself instead of attempting to mold or correct it. In considering an educational plan for the Wolmar children, St. Preux suggests that the best method is to form a perfect model of the reasonable and *honnête homme* and then bring each child into conformity with the model through education — thereby "correcting nature." Wolmar's response is to laugh St. Preux out of court. "Correct nature? That's a good one!"[52] Instead, at Clarens, education will give full play to children's nature, channeling only ever so gently and with hidden hands. The constraints of the Jesuits' classical education, familiar to the *honnêtes hommes* in Paris, would be absent at Clarens.

The result of Rousseau's redefinition of *honnêteté* would be that "the good and *honnête* would depend not on the judgement of men but on the nature of things." He would eliminate the old difficulty of *honnêtes hommes* by elevating *être* over *paraître*.

Melissa A. Butler
Wabash College

51. *O.C.*, II, pp. 480-482, 545-550, 1610.
52. *O.C.*, II, p. 564.

READING *JULIE* AMOUR-PROPRE-LY

Amour-propre

L'amour-propre, as described in the *Discourse on Inequality*, is a
late stage in the process of self-evaluation and self-knowledge. It is
preceded by stages of valuing objects as necessary to self-preserva-
tion, pride in doing well, consciousness of oneself and others as
valuators, consciousness of others as having values, and consciousness of oneself as one who is being given a value. Complementing
it, and complicating its removal, is a style of society that feeds, then
feeds on, egoism: it is observable today in watching television
commercials. Amour-propre is an artificial passion in that it is caused
by persons valuing others. Sometimes the valuing is based on natural
qualities such as strength or beauty, more often it is based on artificial
qualities such as wealth or influence. One defining characteristic is
that it is a desire not only to be desired or desired as an equal of
others; but rather one of being desired above others, as superior to
others, first among the many, the best of the rest. Amour-propre is
the desire to stand highest and shine brightest, forever king of the
castle. A second defining characteristic is that this mode of self-
evaluation is dependent, and necessarily dependent, on the esteem of
others. If one wanted to be Hegelian about it (and why not?) one
should say that amour-propre is "self-in-other-esteem." One obtains
one's evaluation of oneself solely from the valuing of others: as
Rousseau puts it, one "exists only in the eyes of others." Since all
want to distinguish themselves, those afflicted with amour-propre
suffer a sad frustration: frustration because each desires to be
preferred over others, which is impossible, sad because we volun-
tarily yield to irresponsible others our most precious belonging,
freedom with its rights and its duties (*Contract*, Book I, chapter 4).[1]

---

1. J.-J. Rousseau, *Du contrat social, Œuvres complètes,* Tome III, 356,
    Bibliothèque de la Pléiade, éditeurs B. Gagnebin et M. Raymond, Dijon, 1966.
    All references to Rousseau's writings are to volumes two and three of this edition.
    Since *Julie* is in volume two, I will abbreviate to the part, letter and page numbers
    within the text.

Hence the consequence of amour-propre, and the conclusion of the *Discourse on Inequality*, is self-alienation, the unavoidable selling of one's sense of self to others, a loss of self-respect in its profoundest sense. Amour-propre is, then, voluntary slavery. The richest idea in Rousseau's philosophy is amour-propre. Indeed so rich is it, it is a mistake to try to give a one-word translation of it.[2] The correct way to understand it is to follow J. L. Austin's rule "its meaning is its use" and thus to understand it in context wherever it is used.

That one can read *Julie* along with the *Contract* and *Émile* as attempts to deal with the problem of amour-propre is implied in a "Note" by Alan Bloom in his translation of *Émile*, one judged by Bloom to be of such importance that it is given a page to itself. It is quoted here almost in its entirety:

> *Émile* was published in 1762, almost simultaneously with the *Social Contract* and two years after the *Nouvelle Héloïse*.[3] Together these three works constitute an exploration of the consequences for modern man of the tensions between nature and civilization, freedom and society, and hence happiness and progress which Rousseau propounded in the *Discourse on the Arts and the Sciences* (1750) and *The Discourse on the Origins of Inequality* (1754). They each experiment with resolutions of the fundamental human problem, the *Social Contract* dealing with civil society and the citizen, the *Nouvelle Héloïse* with love, marriage and the family, and *Émile* with the education of a naturally whole man who is to live in society. They provide Rousseau's positive statement about the highest possibilities of society and the way to live a good life within it.[4]

An Experiment In Living

It seems that Bloom is here encouraging us to read the novel *Julie* "amour-propre-ly": that is, that the fundamental human problem involves amour-propre as Rousseau presents it in *Inequality* where

---

2. M.B. Ellis offers an interesting suggestion that covers several instances of use in *Inequality*: "This is the principle of 'amour-propre,' by which he compares himself with his fellows, seeking distinctions, and which may be termed 'self-preference' as distinguished from 'love of self.'" M.B. Ellis, *Julie or La Nouvelle Héloïse, A Synthesis of Rousseau's Thought (1749-1759)*, 54, University of Toronto Press, Toronto, 1949.

3. *Émile* and *The Social Contract* were published in 1762 and *Julie* in 1761. The *Discourse on the Origins of Inequality* was published in 1755.

4. Alan Bloom, editor and translator, J.-J. Rousseau, *Émile or On Education*, Basic Books, New York, 1979, 29.

it is a problem.[5] But in spite of Bloom's encouragement, it should be admitted that there are obstacles that limit the study of amour-propre in *Julie*.

The first obstacle is expressed by M. B. Ellis in her book *Julie*: "'Amour-propre' is consistently denounced in favour of 'amour de soi', which is consistently recommended." (Ellis, *Julie*, footnote 1, 17) "The following words, uttered by Wolmar in *La Nouvelle Héloïse*, give expression to an idea to which Rousseau consistently clung: . . . Je conclus que le caractère général de l'homme est un amour-propre indifférent par lui-même, bon ou mauvais par les accidents qui le modifient . . ." (Ellis, *Julie*, 28). Ellis's first comment applies accurately to the use of amour-propre in *Inequality* but she fails to notice and emphasize the important change of meaning uttered by Wolmar. Amour-propre now is a neutral passion ("indifférent par lui-même").

A second obstacle to understanding amour-propre in *Julie* is somewhat complex. One might believe that amour-propre is most easily identified through impressionable personalities: that some more easily catch the infection and allow us to see it more clearly. Rousseau's play *Narcisse* provides a good illustration. But apart from St. Preux, there is a noticeable shortage of impressionable persons in *Julie*. Julie herself, Wolmar, Claire, Lord Bomston *et al.* tend to be, as we say, "very much their own persons" and do not "exist only in the eyes of others." Indeed, Rousseau goes out of his way to note this regarding Julie: "si peu sensible à l'amour-propre apprend à s'aimer dans ses bienfaits." (*Julie*, Cinquième Partie, Lettre II, 533.) St. Preux stands out, in contrast, by reason of his susceptibility to the judgment of others. For example, his susceptibility shows up in being unwilling to break up the party with the boys when visiting with the ladies of the night; especially in his claim that he thought he was adding water to his wine only to discover, to his horror, that he was adding white wine to red wine! A third limitation is the absence from the dramatic site of the novel of what one may call a society afflicted with amour-propre. There are, truly, helpfully and importantly, parts of St. Preux's description of Paris that are remarkably similar to descriptions of amour-propre in *Inequality*:

---

5. In language representative of the meaning in *Inequality,* Bloom writes: "Or, to describe the inner workings of his soul, he is the man who, when dealing with others, thinks only of himself, and on the other hand, in his understanding of himself, thinks only of others . . . ." The problem is "'man's dividedness.'" (Alan Bloom, "Introduction to Émile," in Jean-Jacques Rousseau, *Émile or on Education*, 5, 10, Basic Books, New York, 1979.)

for instance, "chacun songe à son intérêt, personne au bien commun
. . . c'est un choc perpétuel de brigues et de cabales, un flux et reflux
de préjugés." (*Julie*, Seconde Partie, Lettre IV, 234.) This third
limitation is most useful to this essay, for it suggests that if Julie is to
be interpreted by means of amour-propre and if meaning is to be given
to Bloom's words then the spotlight must be put on Clarens as one of
the ways of preventing the incidence of amour-propre and as a way of
"living the good life" within society.

In this essay, I shall take it that the "fundamental human problem"
involves avoidance of amour-propre as it is presented in *Inequality*: that
is, that we interpret *Julie*, in part, as one more attempt to deal with the
problem of alienation of self and an example of how to live the good
life. This interpretation implies, contrary to the impression one is left
with at the end of *Inequality*, that amour-propre is not universal and
can be avoided — in somewhat the same way in which Rousseau
suggests in the *Contract* that Corsica might be capable of self-rule.
There are places in the body of humanity where the disease has not
spread. Corsica is one, and, perhaps, Clarens is another. It implies, as
well, an awareness of amour-propre plus knowing, caring persons who
have ways and means of dealing with it. All of these circumstances can
be found in the novel.

Two Questions

However, evaluating Clarens as a defence against amour-propre and as
an instance of the good life for persons involves a problem that may
have been overlooked by both Rousseau and Bloom: avoiding amour-
propre and living the good life are not the same, a distinction that may
be hidden by the fact that both are good. The difference is that some
set of conditions may enable an individual or group of individuals to
escape amour-propre and yet fail resoundingly as an instance of how
to live the good life. The analogy between amour-propre and disease
may make the difference clearer. A set of conditions can serve to
prevent the occurrence of a disease and yet it doesn't follow that the
set of conditions produces health. All that it produces is the absence of
that disease. In the same way Julie and Wolmar may install a set of
circumstances at Clarens that plausibly prevents the presence and
development of amour-propre and yet Clarens is not a well-qualified
instance of the good life even if Rousseau and Bloom believe that it is:
the mere absence of amour-propre, evil though it be, is not the same

as the good life. Admittedly, we can't have the good life when
amour-propre is present, but its mere absence is no guarantee of the
good life. Absence is only a negation and hence is not, to use Bloom's
own words a "positive statement about the highest possibilities of
society and the way to live a good life within it." That Clarens may
prevent amour-propre and yet prove to be an unacceptable candidate
for the good life is the conclusion that I aim to draw at the end of this
essay.

Clarens and Prevention of Amour-propre

But prior to making an argument for that conclusion, we need to see a
picture of Clarens as a place that should prevent the emergence of
amour-propre. Let me quote some passages that provide the best
picture:

> Si je voulois étudier un peuple, c'est dans les provinces reculées où les habitans
> ont encore leurs inclinations naturelles . . . (*Julie*, Seconde Partie, Lettre XVI,
> 242). . . . Quand il est question d'estimer la puissance publique, le bel-esprit
> visite les palais du prince, ses ports, ses troupes . . . le vrai politique parcourt
> les terres et va dans la chaumiere du laboureur. Le premier voit ce qu'on a fait,
> et le second ce qu'on peut faire." (*Julie*, Cinquième Partie, Lettre II, 535.) . . .
> (L)es hommes ne sont pas faits pour les places, mais les places sont fait pour
> eux. (Cinquième Partie, Lettre II, 536) Ouvriers, domestiques, tous ceux qui
> l'ont servie, ne fut-ce que pour un seul jour deviennent tous ses enfans . . . .
> Ah! Milord! l'adorable et puissant empire que celui de la beauté bienfaisante!
> (*Julie*, Quatrième Partie, Lettre X, 444.) . . . Mais l'aspect de cette maison et
> de la vie uniforme et simple des habitans répand dans l'ame des spectateurs un
> charme secret. . . Un petit nombre de gens doux et paisibles, unis par des besoins
> mutuels et par une réciproque bienveuillance y concourt par divers soins à une
> fin commune: chacun trouvant dans son état tout ce qu'il faut pour en tre content
> et ne point desirer d'en sortir, on s'y attache comme y devant rester toute la vie,
> et la seule ambition qu'on garde est celle d'en bien remplir les devoirs. Il y a
> tant de modération dans ceux qui commandent et tant de zele dans ceux qui
> obéissent que des égaux eussent pu distribuer entre eux les mêmes emplois, sans
> aucun se fut plaint de son partage. Ainsi nul n'envie celui d'un autre; nul ne
> croit pouvoir augmenter sa fortune que par l'augmentation du bien commun; les
> maitres mêmes ne jugent de leur bonheur que par celui des gens qui les
> environnent. (*Julie*, Cinquième Partie, Lettre II, 547-8)

Sir Robert Filmer could not have described better this ideal
society. We can note Rousseau's strategy most quickly if we revert to
the description of Paris and assume, which I am sure is correct, that
what is true of an amour-propre society is true of Paris: "chacun songe

à son intérêt, personne au bien commun." At Clarens, by contrast, it would not be true to say simply that the interest of all is the interest of each, with no one seeking her or his own interest. It would be fairer to Rousseau's intention to say that each fulfills her or his interest through the common interest. And, indeed this identification with the common good is the insulation from amour-propre that Rousseau recommends.

Julie and Wolmar carefully choose suitable children from large country families as servants and inculcate love for one another, for their master and mistress, and hence love for the common good — to the extent that duty and happiness merge. Despite much evidence to the contrary in the novel, Rousseau assures us that the master and mistress of Clarens are no more than equal to their servants but, comically, this equality seems plausible only during the vendange (Cinquième Partie, Lettre VII, 607, 608). In effect, Clarens is a species of Platonic paternalism despite Rousseau's assurance that all are equal. For that reason, it is doubtful that Clarens will remain an effective protection against amour-propre. Everything in the strategy depends upon the persons and actions of Wolmar and Julie, which puts the lie to equality, and "(i)l n'y aura jamais qu'une Julie au monde." (Cinquième Partie, Lettre II, 532.) Her uniqueness also establishes brevity.

May I introduce briefly a hypothesis. I have indicated above that the problem of amour-propre is one of rampant egoism stimulated by a society that supports it. Rousseau does not have to look far to convince himself that this is so, and will be more so. Evidence of it is present in the writings of Hobbes, La Rochefoucauld and Mandeville, in Paris, and inside Rousseau himself. The hypothesis is that Rousseau comes to believe that one might combat amour-propre by using amour-propre: one encourages being good to others by flattering self-esteem when that good is done. The strategy presupposes that amour-propre is not essentially evil (even though Rousseau gives no argument for a *volte-face*); indeed it presupposes that amour-propre is indifferent, is good or bad depending upon the circumstances. The circumstances in *Julie* are an interesting part of the hypothesis. J.L. Mackie provides the language to express them when he speaks of one's preference for one's family as "minimal altruism": the minimal altruist who favours her or his brother isn't egotistical, but is not altruistic either. To sum up, Rousseau may have thought that amour-propre could be overcome by, so to speak, spreading it out over an extended family, in *Julie*, and over one's fellow citizens, as is suggested in his later political writings. According to this hypothesis, love of family and of one's country are attempts at minimal altruism, ones of extending amour-propre. I turn now to my conclusion.

At Best A Brief Defence, But a Poor Life

Despite the incongruity of combining Julie's importance as the mother of Clarens with the label Platonic paternalism, it is necessary to my criticism of Clarens as a place for the good life that I expand on the description of Clarens as a species of Platonic paternalism. In the *Republic*, Plato argues that only the philosopher can know the common good, the good that is good for all. He is like a father who knows what is good for his children, who are incapable of knowing what is good for them. Knowing the good, the paternalist has the moral right and moral duty of doing what is good for the ignorant others. Julie and Wolmar are the Platonic paternalists of Clarens. In his other writings on political morality, Rousseau is markedly critical of Sir Robert Filmer, the author who strenuously argued paternalism as a political morality in the seventeenth century. But neither Filmer nor his work *Patriarcha* are mentioned in the index of names and works cited for *La Nouvelle Héloïse* in Tome ll of the Pléiade edition.

It is especially important to mention the presence of paternalistic theory in *Julie* for the following reason. In an earlier essay that referred to the Lawgiver in Rousseau's *Social Contract*, I suggested that the Lawgiver should be understood as an "ad hoc" paternalist. Doubtless, the same could be said of Jean-Jacques, tutor of Émile. The reason for the qualification "ad hoc" is that Rousseau believes that the good life of freedom and equality cannot come about on its own, that another being who does not act for his own good, but who acts for the good of others who are unable to act for themselves, must intervene at the right time in the course of history to provide the appropriate grounds for a life of freedom, grounds for the self-rule of a people or a person. Once the appropriate intervention of the "ad hoc" paternalist has occurred, then there is no longer a justification for paternalism.

But what is startling about *Julie*, when one considers that it was published only one year before the *Contract* and *Émile*, is that there is not the slightest hint that Julie and Wolmar are "ad hoc" paternalists: on the contrary, they are full-time paternalists. If *Julie* is one of Rousseau's experiments in good living then the full-time paternalism of Julie and Wolmar is more than inconsistent, it is astonishing. Rousseau's greatness as a philosopher is allied most closely with his moral justification of democracy. A more likely reason for the advocacy of the paternalistic communal family of Clarens is that in the absence of the actuality of his democracy, paternalism for a common good is an acceptable alternative.

Whatever the precise cause of the choice of Clarens may be, three things seem clear: first, Clarens is a choice, second, it is a choice of an ideal life, third, the model chosen is a family. In Part Four, Letter Ten, where the domestic economy of Clarens is being explained to Milord Édouard, the community is referred to as a family on four occasions. In a typical example, Rousseau says: "Ai-je tort, Milord, de comparer des maitres si chéris à des peres, et leurs domestiques à leurs enfans? Vous voyez que c'est ainsi qu'ils se regardent eux-mêmes." (*Julie*, Quatrième Partie, X, 447.) What is less clear is the extent to which Rousseau appreciates the contradiction between the family and democracy as models of the ideal life.

Hence, it would be helpful to have before us a bare-bones comparison between paternalism and Rousseauist democracy. Paternalism is the doctrine that one or a few, the father or patriarchs, know the good of all or of the subjects, the subjects do not know their own good, thus, those who know have the right and the duty to do good for the ignorant. The knowers are justified morally on three counts. One, they do what is good, two, it is the good of others, three, they do not act for their selfish good. Thus, paternalism can be morally powerful. It was favoured, for example, by missionaries such as Albert Schweitzer. Rousseauist democracy is the doctrine that all members of a community should do what is good for all and, moreover, all must judge what is good for all. We shouldn't say, simply, that the common good is what all decide it is, for that may suggest that the common good is only an arithmetic sum of opinions on a particular occasion. Rather, Rousseau believes that for any group there exists a common good that differs from private goods, that judging that common good is within the competence of any sane adult, and that we all act morally when, and only when, each of us seeks to express and act for the common good of the community.

Perhaps the easiest way of emphasizing the difference between Wolmar's paternalism and Rousseau's general will democracy is to view both from the perspective of decision-making. In general will democracy there are three aspects: one, all give decisions, two, aiming for the good of all, three, the good of all is achieved.[6] By contrast, Wolmar's paternalism is merely one-third of general will democracy. When the issue is the good of the community of Clarens the decision-makers are Wolmar and Julie and, Rousseau assures us, the common good is achieved. What is not achieved is moral growth in the rest of the members. That is achieved by all members accepting the responsibility of willing the good of all. By treating the members of Clarens as children, and they regarding themselves as children, Wolmar denies them their moral freedom.[7]

Rousseau should have had greater faith in general will democracy, although that is too easy to say since general will democracy has yet to be tried. Rousseau's democracy, in contrast to Wolmar's paternalism, is the moral coming of age of politics. Wolmar's paternalism, on the other hand, deserves the same telling criticism that Rousseau made of representative democracy: paternalism and representative government are similar in being kinds of political activity wherein the political agents, Wolmar or elected representatives, decide what is good for others. The evil, as Rousseau argues so well in the *Contract*, is not so much that the agents may be mistaken in their choice of what is good for others, for they may not be. It is rather that Wolmar and elected representatives deny freedom and equality to their "family" members or subjects. The only morally justifiable kind of political activity is one in which all citizens are political agents, namely, one in which all decide what is good for all. In that way, and only in that way, do persons obtain a moral education and moral maturity in politics. There is, embedded in Rousseau's conception of democracy, a curious intermin-

---

6. Despite what I say here and in the paragraph above, I remain unsure which of two alternatives Rousseau really intends: the common good of a group exists independently of the decision-maker or is the decision of decision-makers who decide according to appropriate standards, that is, the standards of the general will. If general will democracy is the latter, a method of decision-making, then the third aspect is redundant. However, my argument is not affected much.

7. After I had written this essay, I found James Jones Jnr.'s interesting *La Nouvelle Héloïse: Rousseau and Utopia* (Librairie Droz, Genève, 1977). Its contention is in partial agreement with Bloom's "Note," *viz*, that *Julie* contains a deliberate statement of an ideal life (28, 44, 84). In Chapter IV Jones contends that Rousseau destroys Clarens as a Utopia within the novel (". . . destroyed it textually himself," 92). He claims, mistakenly, that Rousseau's essence of ideal existence is absolute harmony (88). Absolute harmony may have this role in *Julie*. In Rousseau's other major writings, freedom and quality are fundamental to the ideal.

gling of morals and politics that has yet to be understood fully. It has to do with the sense in which Rousseau politicized morality and moralized politics. Moral freedom and equality necessitate treatment of other agents as persons capable of deciding what is good for all, this kind of moral democracy is the first step, and it is one that we have yet to take. The second is that politics is other than power and manipulation. As Rousseau put it in the *Contract:* "the strongest is never strong enough unless we transform force into right and obedience into duty": somehow we must find together that which is morally right in political reality, either by seeing it as a matter of substance or as a method of agreement amongst free and equal agents. There is, in the *Contract* and *Émile*, a vision of moral politics that makes Clarens a silly, shabby, poor pretense of the good life. Rousseau is right when he says that moral politics begins with the sovereignty of the people. And I don't really accept the defence that Rousseau's only purpose in writing *Julie* was to invent a Harlequin romance "avant la lettre." How nice it is when the children do not talk at table is not good enough. If Bloom is right, that Julie is meant to be a "positive statement about the highest possibilities of society and the way to live a good life within it," then the author of *Julie* is very wrong.[8]

Jim MacAdam
Champlain College,
Trent University

---

8.   I should like to thank my research assistants, Christopher MacDonald and Lisa Kucman, for their careful and useful help.

WOLMAR COMME MÉDIATEUR POLITIQUE

Il y a deux Wolmar dans *La Nouvelle Héloïse* : le médiateur politique d'abord, qui est le mari de Julie, le maître de Clarens, sur lequel on en sait beaucoup plus que sur le Législateur du *Contrat social* mais qui a un statut très similaire, et dont l'œuvre semble être une réussite; le médiateur moral ensuite, qui est l'amoureux de Julie, qui rappelle Saint-Preux à Clarens, et dont l'entreprise visant à agir sur les anciens amants est au moins partiellement un échec. On les distingue rarement parce que les deux entreprises s'entremêlent dans le roman, en particulier dans le développement du personnage à mesure qu'il se dévoile et s'engage. On les distingue mal aussi parce que c'est la même formule pédagogique que Wolmar y met en œuvre : celle d'agir sur les cœurs[1].

Cette méthode est celle que Rousseau emploie lui-même dans *La Nouvelle Héloïse* en exposant ses lecteurs au spectacle des cœurs purs et des actions vertueuses, plutôt qu'en cherchant à nous atteindre directement par des raisonnements ou des sermons[2]. Si Wolmar se moque d'ailleurs des « systèmes » du philosophe Saint-Preux en les traitant de « rêves » (621), le philosophe Rousseau nous en a donné les raisons. Avant de penser, l'homme est un être qui sent, à travers ce qui l'entoure et avec ses proches, et la raison n'a d'autorité que dans les limites de l'expérience. La raison seule ne peut servir de moteur à la volonté, car l'impulsion ne vient que du sentiment, de la voix intérieure qui fournit à la volonté ses repères moraux. Rousseau oppose cette raison « sensitive » ou « naturelle » aux excès et aux prétentions de la raison intellectuelle; et surtout il souligne l'inévitable échec de celle-ci en matière de réforme morale et politique quand il s'agit de combattre

---

1. Le texte de Rousseau le plus explicite sur cette méthode est sa *Lettre à d'Alembert sur les spectacles*. À ce sujet, je me permets de renvoyer à mon article : « Agir sur les cœurs : spectacle et duplicité chez Rousseau », dans *Philosophiques*, Revue de la Société de philosophie du Québec, vol. XIV, no. 2, 1987.
2. Les « enfants » auxquels Rousseau va s'adresser « ne goûtent pas mieux la raison nue que les remèdes mal déguisés », dit-il dans la seconde préface de *Julie ou la Nouvelle Héloïse* (*NH*, p. 17. Toutes les références à cette œuvre renvoient au tome II de l'édition de la Pléiade et seront entre parenthèses dans le texte).

les passions. Celles-ci ne peuvent être combattues que par d'autres passions (493) : il faut donc agir sur les sens et sur l'imagination des hommes en utilisant les objets du monde qui les animent[3]. Il ne s'agit pas de se détourner de la raison pour réformer l'homme et la société, ou pour former l'enfant, mais de produire les conditions où cette raison puisse remplir la fonction limitée qui lui est propre.

Ceci requiert l'utilisation de l'illusion[4]. Mais les stratégies du paraître doivent être soigneusement adaptées selon qu'on s'adresse aux « grandes âmes », au « petit nombre », ou à un vaste public déjà corrompu; selon qu'on veut agir sur un homme ou un citoyen ou, entre eux, sur un enfant. La duplicité sera toujours nécessaire, mais selon des formules pédagogiques dont toute l'œuvre de Rousseau ne cesse d'égréner les différentes modalités.

C'est ce que manifestent les deux entreprises de Wolmar. Je les distinguerai d'abord ici pour les rapprocher ensuite.

***

On a souvent souligné la différence entre l'égalité démocratique qui régit la cité du *Contrat social* et la stricte inégalité, proche de l'ordre hiérarchique féodal, de la communauté rurale et patriarcale de Clarens. Mais c'est surtout la substance du lien social qui fait s'opposer les deux modèles, et qui permet de préciser le statut de Wolmar par rapport au Législateur. Ils se rapprochent par leur sagesse et leur caractère divin[5], mais le Législateur est appelé à donner une consistance concrète à un lien social contractuel où la légitimité repose sur un engagement volontaire, un « acte pur de l'entendement dans le silence des passions[6] [...] », alors que Wolmar gère un ordre non moins artificiel, mais où

---

3. « On n'a de prise sur les passions que par les passions, c'est par leur empire qu'il faut combattre leur tyrannie, et c'est toujours de la nature elle-même qu'il faut tirer les instruments propres à les régler », écrit Rousseau dans l'*Émile* (Pléiade IV, p. 654). Et Wolmar fait sienne l'analogie du bon marin, de Montaigne, qui sait utiliser les vents contraires au lieu de chercher à les affronter.

4. Julie en donne une justification générale en parlant du jardin de l'Élysée : ceux qui aiment la nature, dit-elle, sont parfois « réduits à lui faire violence, à la forcer à venir habiter avec eux, et tout cela ne peut se faire sans un peu d'illusion. » (480)

5. Voir *Du Contrat social* (*CS*), II, ch. 7, Pléiade III, p. 381; et *NH*, p. 467.

6. Selon la fameuse définition de la volonté générale, reprise de Diderot, dans *CS*, première version, Pléiade III, p. 286.

l'attache sociale est d'abord affective et consiste en un sentiment d'appartenance familiale : Clarens doit être « comme [une] maison paternelle où tout n'est qu'une même famille » (462). Certes Wolmar joue sur l'intérêt de chacun en le liant à celui de toute la maison, par exemple en ayant recours à des « moyens d'émulation » (446) quand l'attachement des nouveaux serviteurs n'est pas encore suffisant et jusqu'à ce qu'on leur ait donné leur nouvelle famille. Toutefois la communauté ne se constitue pas en équilibrant les vices ou en jouant sur les dissensions qu'ils provoquent, mais en suscitant des liens affectifs par l'amour pour les maîtres (477) et en s'assurant que cet attachement est toujours plus fort que toutes les attaches particulières (par la pratique de la saine délation, par exemple, 463-4). « Je n'ai jamais vu de police, dit Saint-Preux, où l'intérêt fut si sagement dirigé, et où pourtant il influât moins que dans celle-ci » (469-70). Tout en liant l'intérêt des serviteurs à celui des maîtres, on fait que tout calcul d'intérêt s'estompe et que seul le lien affectif motive les efforts.

Comme dans le *Contrat social*, l'individu est donc totalement aliéné à la personne morale de la communauté. Et tout comme les « sociétés partielles » ou les « brigues » dans cette œuvre représentent une menace permanente pour la constitution de l'autorité légitime du Souverain, les foyers d'appartenance concurrents que peuvent devenir les couples ou les familles à Clarens sont sévèrement contrôlés, et toutes les velléités de solitude sont découragées. Quand l'enjeu est la constitution de la volonté générale par le pacte, les réfractaires se mettent eux-mêmes hors-contrat et on les ramène éventuellement à leur liberté bien comprise par la force; quand l'enjeu est le sentiment d'appartenance, on prend soin d'éloigner les réfractaires des autres pour empêcher la corruption affective (455).

Cela dit, le *Contrat social* n'aborde qu'allusivement, comme une tâche nécessaire, la question de l'appartenance communautaire, à travers les références au Législateur et à la religion civile. De ce point de vue l'entreprise politique de Wolmar, où l'enjeu juridique disparaît au nom d'une autorité patriarcale que les premiers chapitres du *Contrat social* rejetaient, est à rapprocher davantage des textes de Rousseau, comme celui sur la Pologne et la *Lettre à d'Alembert*, où tout l'accent porte sur les formes concrètes de l'action d'un législateur, et où celui-ci ne saurait être un simple conseiller sans pouvoir politique, mais est une figure omniprésente et toute-puissante quoique toujours dissimulée.

L'œuvre de Wolmar, en effet, consiste d'abord à produire un sentiment, et cela à travers des artifices qui semblent respecter la nature

(comme dans l'Élysée). Non à faire appel à la volonté pour attester
d'un ordre juste, mais à insuffler le sentiment de cette justice à travers
des « usages plus puissants que l'autorité même » (449), et qui permettent à ce sentiment d'être toujours fécondé (en ménageant des marges
de défoulement, des possibilités de réajustement). Il faut agir sur la
volonté par les habitudes, les loisirs, les plaisirs pour que la spontanéité
ainsi fabriquée veuille ce qui est nécessaire[7]. Wolmar ne prétend pas
que l'inégalité ou le service domestique soient naturels ou qu'on puisse
éviter tout mécontentement (460), mais sa justice consiste à les rendre
doux et tolérables par l'illusion.

C'est par cet usage systématique de l'illusion que Wolmar se
rapproche, plus que du Législateur, de l'autre grand médiateur rousseauiste, le précepteur d'Émile. Non certes que le Législateur du
Contrat social n'ait pas à user de ruses et de mythes[8] afin de faire voir
au peuple les objets « tels qu'ils doivent lui paraître[9] ». Mais alors que
dans le *Contrat social* c'est l'occasion d'une référence historique
générale à Numa, à Moïse et à Machiavel sur l'utilité politique de « faire
parler les dieux », dans l'*Émile* c'est toute la démarche qui est structurée
par un simulacre de liberté; c'est en rendant « captive » la volonté de
l'enfant[10] qu'on produit soigneusement chez lui le sentiment que la
nature est respectée, car la liberté d'Émile doit d'abord être une illusion
pour qu'elle puisse devenir réelle : « Jusqu'ici tu n'étais libre qu'en
apparence, lui dit son gouverneur à la fin de son périple, maintenant
sois libre en effet[11] ». Quant à la différence avec les serviteurs de
Clarens, elle est au bout du chemin : contrairement à Émile, ils resteront
toujours des enfants, car les sentiments de liberté et d'égalité patiem-
ment substitués par Wolmar à l'égalité et à la liberté réelles n'engen-
dreront jamais cette liberté et cette égalité réelles.

Comme l'ont bien montré Starobinski, Philonenko et d'autres,
c'est l'idéal de la transparence qui préside paradoxalement à cette

---

7.   On pourrait multiplier les exemples de proximité et de familiarité des maîtres à
     Clarens, qui font que c'est toujours par eux que les plaisirs semblent venir aux
     serviteurs (455, 459).
8.   Un « gouvernement rationnel de l'irrationnel par l'irrationnel », comme le dit
     joliment Philonenko, *J.-J. Rousseau et la pensée du malheur*, Vrin, 1984, vol.
     II : *L'espoir et l'existence*, p. 26.
9.   *CS*, II, ch. 6, p. 380.
10. *Émile*, p. 362-3.
11. *Émile*, p. 818.

fabrication d'illusions[12]. L'idéal de la transparence répond à la hantise rousseauiste du paraître et à son exigence d'immédiateté; et la fabrication d'illusions répond à ce qu'exige la présence de l'Autre (son regard porté sur moi, mon regard porté sur moi-même[13]), et à ce qu'exige une sphère publique : d'utiliser le mensonge social pour le bien commun. Dès lors la hantise des médiations devient l'obsession des médiations dans la mesure où ne doivent transparaître que leurs effets[14]. La vie sociale étant une vie d'apparence et de conflit, elle n'est vivable qu'en redoublant ces apparences par un engrenage de moyens qui réussissent à faire accepter la norme sans qu'elle apparaisse comme un commandement, à faire reconnaître la règle à partir du bonheur des sujets, ces règles se résorbant ainsi en habitudes. Comme le prônait le *Contrat social* mais sans l'expliciter, Wolmar dissimule la nécessité des règles en agissant sur les mœurs, et par là-même il réduit cette nécessité[15]. À travers la théâtralisation de la morale, l'intériorisation du modèle de vie des maîtres (606-7), et grâce aussi au chantage sentimental de Julie (444), il ne reste alors aux yeux de chacun que les conséquences des règles cachées. Ainsi, à l'image de son maître d'œuvre, la mécanique de Clarens fonctionne bien.

***

La médiation morale de Wolmar met en œuvre cette même méthode indirecte, puisqu'il s'agit d'éduquer Saint-Preux et Julie à la vertu, de

---

12. Quand elle est mise en pratique, la transparence constamment prônée par Wolmar se transforme en « cauchemar de la surveillance », selon Philonenko (vol. II, ch. 6), tant elle est tissée de voiles successifs. Ou plutôt ces voiles ne nient pas la transparence en séparant les êtres, mais ils les enveloppent, dit Starobinski, comme une brume qui estomperait la lumière (*La Tranparence et l'obstacle*, Gallimard, 1971, coll. Tel, p. 143).

13. Voir le *Discours sur l'inégalité*, Pléiade III, p. 166.

14. Wolmar prétend souscrire à l'exemple de Montaigne (et de Plutarque) au sujet du Romain Julius Drusus souhaitant se faire construire une maison transparente (424). Mais s'il y a chez Montaigne, comme chez Rousseau, une lutte contre les masques de la vie sociale, il y a simultanément, autant chez l'un que chez l'autre, la reconnaissance que la transparence doit s'accompagner, au niveau politique, de ruse, et, au niveau personnel, d'une « arrière-boutique » permettant à chacun de rester en soi-même.

15. Voir *CS*, II, ch. 12, p. 394, sur la quatrième sorte de loi qui est « la plus importante de toutes » : les mœurs, les coutumes et l'opinion.

les « guérir » en les exposant aux expériences décisives (essentiellement l'un à l'autre), non en cherchant par la raison ou la morale à leur faire renier leur passé.

Quand Saint-Preux est instruit du fonctionnement de Clarens, les petites réprimandes qu'on lui adresse (610) font partie d'une initiation éclairée au maniement de l'autorité, car certains arguments de raison sont possibles avec un être d'exception comme lui. Mais ce n'est pas le cas pour son éducation à la vertu où, invité à Clarens à vivre auprès de Julie, il est soumis au même type de traitement indirect que les domestiques. Plutôt que sur ses « lumières », dit Wolmar à Claire (510), il faut compter sur son « erreur » pour agir sur lui; plutôt que de le désabuser, il faut jouer sur la confusion du présent et du passé (Julie de Wolmar et Julie d'Étange) qui agite son imagination, afin de substituer lentement un « tableau » à un autre. Le tableau du présent ne détruira celui du souvenir qu'à travers un nouveau stratagème de la transparence : « Soyez ce que vous êtes », lui dit Wolmar (496), c'est-à-dire de fait : « Ne soyez plus l'amant que vous étiez »; et surtout de cette manière : « En soyant ce que vous êtes, vous le serez devant moi » (424), dans l'ordre neuf, débarrassé du secret et des incertitudes du passé, qui est nécessaire pour assurer le bonheur de tous.

Dans ce contexte aussi, les règles positives ne sauraient être efficaces directement, car elles tendent à susciter la transgression en secret. Cela dit, l'établissement des usages qui conviennent dépendant de la vertu de chacun, la règle de la transparence, qui est absolue pour la vie affective et sexuelle des domestiques, ne s'applique bien aux anciens amants qu'en leur laissant une marge de confiance considérable, quoique savamment dosée pour l'un et pour l'autre[16]. Pour Saint-Preux, c'est toute la stratégie des « épreuves » que Wolmar met en place pour sonder son cœur et juger de sa vertu[17]. Quant à Julie, qui a fait de la transparence sa propre règle dès son mariage (430), Wolmar l'engage au contraire à se préserver une zône d'intimité avec Claire afin de tempérer cette règle et de l'empêcher de devenir une gêne. La vertu de Julie est un garant suffisant : il s'agit donc de ne pas la laisser

---

16. On sait que Wolmar dissimule dès le départ aux anciens amants qu'il sait tout sur leur passé : *NH*, IV, 4, puis IV, 12, p. 493.

17. Par exemple : l'observation de la froideur non-dissimulée de Saint-Preux envers Wolmar à son retour à Clarens (428-9); la mise en place du tête-à-tête avec Julie (IV, 14); l'évolution du rapport avec le père de Julie (605 note); la mise à l'épreuve dans le cadre des amours d'Édouard (V, 12, et VI, 3-4).

se mettre trop à l'épreuve elle-même par les interdits que sa vertu lui impose, son seul défaut, selon Wolmar, étant sa trop grande modestie.

Or si Saint-Preux sent petit à petit « qu'il faut avoir été ce que je fus pour devenir ce que je veux être » (557), et s'il semble guérir grâce à l'œil éclairé qui lit au fond de son cœur (609), Julie semble toujours échapper à cette lecture; l'œil vivant ne réussit pas à pénétrer son cœur (509), et elle ne guérit pas (595). C'est que la méthode indirecte qui a fait le succès politique de Wolmar à Clarens ne marche plus, et cela surtout parce quelle reposait sur une collaboration avec Julie qui justement n'est plus possible. Ils se complétaient dans tous les domaines[18] : dans l'exercice de l'autorité politique à Clarens, par exemple pour le congédiement des domestiques (447-8) ou pour l'effet des réprimandes qu'on leur adresse (465); dans l'éducation des enfants, où Julie sait appliquer les principes pédagogiques de Wolmar (567); dans le rapport à Saint-Preux même, dont la guérison repose autant sur la sagesse de Wolmar que sur l'image de vertu que lui donne Julie; dans le mariage lui-même enfin, du moins en apparence, puisqu'il est vécu par Wolmar comme un consentement au sentiment amoureux, comme la seule émotion de sa vie (203, 492), et simultanément par Julie comme un renoncement à ce sentiment au nom de l'ordre naturel. Mais quand Wolmar veut atteindre Julie elle-même, il lui manque cet influx du sentiment qu'elle lui apporte justement pour son œuvre politique.

Julie et Wolmar vivent ainsi un profond hiatus qui ne sera dépassé que par la mort de l'une et la conversion de l'autre; un hiatus dont la croyance religieuse, lieu de jonction chez Rousseau de la raison et du sentiment, est la manifestation. On sait bien sûr, d'après la fameuse lettre de Rousseau à Vernes sur *La Nouvelle Héloïse*[19], qu'un des enjeux de l'ouvrage est de montrer qu'un athée peut être vertueux et une croyante ne pas être hypocrite. Et d'ailleurs les époux ne s'affrontent pas à ce sujet : Wolmar accepte de garder le secret sur son athéisme et il joue parfaitement le rôle social qui est requis;[20] et Julie, au nom de la tolérance chrétienne pour les sceptiques et les athées, ne se permet pas de juger les hommes mais seulement leurs actions (698-9). De plus,

---

18. « Il semble, écrit Julie, que nous soyons destinés à ne faire entre nous qu'une seule âme, dont il est l'entendement et moi la volonté [...] Il m'éclaire et je l'anime. » (374)
19. *Correspondance générale*, no. 1090, tome VI (1761), Colin, 1926, p. 157-8.
20. Wolmar va au temple « pour les domestiques et les enfants », et même Saint-Preux ne s'aperçoit pas, avant qu'on le lui dise, que Wolmar a en lui « l'affreuse paix des méchants » (588).

adepte elle-même de la méthode des sens, elle ne cherche pas à convaincre son mari, car les disputes de philosophes sont toujours inutiles à ce sujet (700). Plutôt, dit-elle, il faut « toucher » Wolmar par l'exemple, l'ébranler comme elle l'a déjà fait par l'amour; mais cette fois ce sera par sa sérénité devant la mort (712) : une issue qu'elle reconnaît d'ailleurs avoir entrevue en toute conscience bien avant sa mort (742).

L'issue de l'entreprise morale de Wolmar n'est donc pas l'équilibre affectif mais le drame, un basculement dans l'échec qui se déploie entre les deux seules lettres importantes écrites de sa main : celle du tacticien plein de confiance qui enjoint Claire de participer à la guérison de Saint-Preux (IV, 14), et celle où il rend compte dans le désarroi de la mort de Julie (VI, 11). C'est que de l'une à l'autre s'est exercée la véritable médiation morale du roman, celle de Julie sur Wolmar lui-même. Dès son mariage et sa décision de racheter ce qu'il appelle cette « faute » (493) en agissant dans le sens d'un nouveau bonheur pour les amants à Clarens, c'est par l'influence de Julie que Wolmar s'est engagé dans la politique pratique. Mais il est resté extérieur à son œuvre, solitaire et divisé avec lui-même à force de dissimulations[21]. Son action est encore subordonnée à son goût de l'observation et de la compréhension (492), et il n'atteint pas l'accord intérieur que sa participation à Clarens lui fait souhaiter. Dans ces conditions, il ne réussira à rejoindre Julie qu'en achevant cette première conversion à l'engagement dans le monde par une autre : une conversion radicale de toute sa personne dont la foi de Julie lui suggère la voie. À défaut de transformer Julie, Wolmar sera transformé lui-même.

On aperçoit peut-être ici ce qui « sauve » l'action du Législateur du *Contrat social* et du précepteur d'Émile (au même titre que l'aspect strictement politique de l'action de Wolmar), et ce qui assure leur succès. Je veux dire leur anonymat, leur fonction seulement conceptuelle, leur « non-existence » (dans le sens où Julie « existe » par sa perpétuelle insatisfaction, son goût de l'imaginaire). À l'instar du Législateur et du précepteur d'Émile, le Wolmar politique n'est pas affecté par son objet. Comme le peuple dans la cité du contrat, comme l'esprit de l'élève à former, les serviteurs de Clarens sont pour Wolmar,

---

21. Faut-il appliquer à Wolmar ses propres préceptes concernant la dissimulation? « Quiconque aime à se cacher a tôt ou tard raison de se cacher » (424); et « À force de se cacher comme si l'on était coupable, on est tenté de le devenir » (457).

selon l'image qu'il emploie lui-même, une pièce de théâtre (490-1). Le second Wolmar, en revanche, est engagé dans son œuvre malgré lui, arraché au théâtre; ou plutôt, par son échec, l'observateur est projeté lui-même sur la scène parmi les hommes. C'est ce qu'on ne voit jamais mieux peut-être que près du lit de mort de Julie, où Wolmar, ébranlé et doutant de lui-même, se décide enfin et pour une fois à dire la vérité (en révélant à la mourante son état), alors que c'est elle, cette fois, qui l'engage à tromper ses proches pour ne pas les faire souffrir (708-9).

***

J'ai distingué jusqu' ici une réussite et un échec, mais en fait ces deux entreprises de Wolmar n'en font qu'une, car l'échec de sa médiation morale a une pertinence politique à Clarens. L'ennui dont se plaint Julie (694) trouve son pendant dans la règle sociale de libérer chacun du « trouble des passions » à Clarens (470), car les élans de l'imagination, le bonheur d'espérer, le « pays des chimères » qu'exalte Julie (693), n'ont guère de place dans l'ordre social établi par Wolmar. À travers leur collaboration, il est vrai que Julie anime la communauté par son sentiment, mais Wolmar se rend compte que ce rapport de la raison et du sentiment est déséquilibré, car pour combler le vide spirituel de Clarens il faut que Julie soit heureuse. Or, selon Wolmar, ce bonheur passe par la réconcilation de Julie avec son passé et donc l'intégration réussie de Saint-Preux à Clarens. Le pari de Wolmar est qu'une Julie heureuse insufflera à Clarens la flamme que lui donne son ancien amant, et dans ce sens son entreprise vis-à-vis des deux amants a une signification politique : celle de maintenir vivante une dimension passionnelle et spirituelle dans la communauté, mais dans le cadre des institutions nécessaires. Le passage du « bosquet » à l'« Élysée », comme on l'a parfois appelé, est donc nécessaire pour la vie sociale à Clarens dans son ensemble.

Mais le projet est contradictoire, car pour que Clarens non seulement fonctionne mais vibre, il faut que les amants oublient leur passé *et* qu'ils le gardent vivant en même temps. La politique de Wolmar requiert que la passion continue de vivre dans le cœur de Julie, mais seulement par son souvenir. Or si Julie « s'ennuie », c'est que Wolmar, à première vue, a trop bien réussi son opération sur Saint-Preux, que celui-ci s'est assagi et semble respecter sans arrière-pensée l'épouse et la mère qu'est devenue Julie. Et cet apparent succès condamne Julie à une mort lente, et condamne du même coup Clarens à n'être qu'une mécanique efficace mais tournant à vide (comme on le voit bien après la mort de Julie, malgré la vitalité de Claire).

Ne retrouve-t-on pas ici une tension du même ordre que celle qui se profile dans le *Contrat social* entre l'intervention du Législateur et le recours à la religion civile? On peut supposer que cette dernière devrait couronner l'œuvre du Législateur par sa sacralisation du lien social. Mais en fait cette religion contredit la dimension superstitieuse et intolérante des religions nationales qui représentent justement le modèle de la nécessaire utilisation politique de la religion par le Législateur[22]. Les principes de la religion civile sont ceux du Vicaire savoyard, ceux de Julie aussi, et leur simplicité n'est d'aucun secours pour persuader en matière politique, à la manière d'un Numa, grand législateur par excellence aux yeux de Rousseau. Ces deux « béquilles » (comme les appelle Philonenko[23]) que sont le Législateur et la religion civile, dont la fonction dans le *Contrat social* est de concilier la légitimité du droit avec le sentiment d'appartenance communautaire, semblent difficilement compatibles. Comme le sont, de manière beaucoup plus immédiate et dramatique dans la *La Nouvelle Héloïse*, les deux entreprises de Wolmar.

En définitive, cet échec de Wolmar est d'autant plus considérable qu'on ne peut même pas dire, comme je le laissais entendre plus haut, qu'il réussisse avec Saint-Preux, puisque celui-ci finit par refuser à Wolmar, à travers Julie (679), le dernier pas, pourtant décisif, de sa guérison programmée, qui aurait consisté à épouser Claire et à renoncer ainsi pour de bon à Julie.

L'échec est donc irrémédiable. Malgré tout, faut-il considérer que cet échec de Wolmar vis-à-vis des autres débouche sur une victoire sur soi, au niveau de son âme individuelle? On sait que la tristesse de Julie a aussi pour cause l'athéisme de son mari, que le bonheur ne lui semble accessible qu'en partageant sa foi avec lui, car peut-être pense-t-elle retrouver ainsi en lui quelque chose de son passé. Mais cela impliquerait que Wolmar ne soit plus le sage politique, que Wolmar ne soit plus Wolmar. Et c'est en effet, à la fin du roman, la sanction personnelle de son échec public : un basculement hors de lui-même vers une conversion religieuse où l'on peut dire, littéralement, qu'il perd la raison. Le roman s'achevant sur cet abîme, on ne sait pas s'il

---

22. *CS*, IV, ch. 8, p. 465.
23. Philonenko, vol. III, p. 81.

reçoit une sensibilité en retour. Mais selon toute vraisemblance, la communauté de Clarens, elle, a tout perdu : en même temps que son inspiratrice, son divin législateur; à la fois son souffle de vie et son principe d'ordre.

Philip Knee
Université Laval

JEAN-JACQUES, SAINT-PREUX ET WOLMAR :

ASPECTS DE LA RELATION PÉDAGOGIQUE

Depuis l'époque où, jeune encore, il rêvait de « servir de Gouverneur a des jeunes gens de qualité[1] », le discours pédagogique de Rousseau s'est trouvé lié à une triple incompétence. En premier lieu, l'incompétence du précepteur : le *Mémoire à M. de Mably* s'explique en grande partie par l'impuissance de Jean-Jacques à contenir la turbulence des deux enfants qu'il est chargé d'instruire. En second lieu, l'incompétence de l'amant : on sait comment Rousseau a renoncé à séduire Mme d'Houdetot pour jouer, auprès d'elle, le rôle d'un professeur de sagesse; adressées à Sophie, les *Lettres morales* constituent la première version de la *Profession de foi du vicaire savoyard*. Enfin, l'incompétence du père de famille : nous ne pouvons exclure que Rousseau n'ait écrit *Émile* pour compenser la perte de ses enfants, comme le veut William H. Blanchard;[2] dans le traité d'éducation, celui qui dit « je » s'identifie à un « gouverneur » qui se comporte comme le vrai père de son élève.

Cette triple incompétence nourrit tout aussi bien la réflexion pédagogique dans *La Nouvelle Héloïse*, et influence la création des personnages.

Reprenons dans l'ordre les trois aspects évoqués. Chez M. de Mably, Jean-Jacques avait subi assez de déboires pour se convaincre que l'aptitude à éduquer lui faisait cruellement défaut[3]. Dans *La Nouvelle Héloïse*, Saint-Preux est témoin d'un fait prodigieux pour quiconque a pris la peine d'observer des enfants : Julie met fin à une dispute entre ses enfants en confisquant le jouet qui a causé le litige[4]. Cette espèce de miracle est relaté dans la lettre (V,3) où Julie expose

---

1.   « Lettre à Isaac Rousseau », fin de l'automne 1735, dans *Correspondance complète de Jean-Jacques Rousseau*, édit. R.A. Leigh, t. I, n° 11, p. 30.
2.   William H. Blanchard, *Rousseau and the spirit of revolt : a psychological study*, Ann Arbour, University of Michigan Press, 1967, p. 147.
3.   *Confessions*, VI, dans *Œuvres complètes*, publiées sous la direction de Bernard Gagnebin et Marcel Raymond, Paris, édit. la Pléiade, t. I, p. 267.
4.   *La Nouvelle Héloïse*, V, 3, dans *O.C.*, t. II, p. 560.

à Saint-Preux le système d'éducation qu'elle a mis au point avec l'aide de Wolmar. La scène est racontée à Milord Édouard par l'ex-amant de Julie, lequel, plus tard, mettra par écrit le programme de Wolmar, en y ajoutant des réflexions de son cru;[5] de même, le *Mémoire* de 1740 résultait de la confrontation des idées de Rousseau avec celles du grand-prévôt de Lyon et de son frère, l'abbé de Mably[6].

La notion d'autorité occupe la même place centrale dans la lettre (V,3) de *La Nouvelle Héloïse* que dans le *Mémoire à M. de Mably*. « Je crois Monsr », lisons-nous dans le *Mémoire*, « qu'il vous est tout manifeste qu'un homme qui n'a sur des Enfans des droits de nulle espèce soit pour rendre ses instructions aimables soit pour leur donner du poids ne prendra jamais d'ascendant sur des esprits qui dans le fond [...] réglent toujours à certain age leurs opérations sur les impressions des sens[7] ». En conséquence, Rousseau demandait à M. de Mably de lui accorder pleine autorité sur ses fils; il lui prescrivait au surplus certaines conduites et imaginait des mises en scène propres à décourager les velléités de rébellion. Saint-Preux, pour sa part, fait remarquer à Julie qu'elle ne saurait trop veiller à ce que ses enfants cèdent à ses volontés. « Si vous les livrez à eux-mêmes dès leur enfance, à quel âge attendrez-vous d'eux de la docilité? Quand vous n'auriez rien à leur apprendre, il faudroit leur apprendre à vous obeïr[8] ». Point de vue partagé par Mme de Wolmar, qui attribue au manque d'autorité l'habitude prise par certains parents de confier leur progéniture à des étrangers a priori incapables de les remplacer : comment « esperer d'un Precepteur plus de patience et de douceur que n'en peut avoir un pere[9] »?

Un des moyens employés par Julie pour prévenir les débordements est d'empêcher ses enfants d'accaparer l'attention des adultes. En leur témoignant trop d'intérêt, on les incite à sortir de leur place; s'ils se croient le centre du monde, adieu l'obéissance! Mme de Wolmar expose comment le comportement irréfléchi de certaines personnes l'a forcée à intervenir :

> Un jour qu'il nous étoit venu du monde, étant allé donner quelques ordres, je vis en rentrant quatre ou cinq grands nigauds occupés à jouer avec (mon fils),

---

5. *La Nouvelle Héloïse*, V, 8, dans *O.C.*, t. II, p. 612.
6. *Mémoire présenté à M. de M(ably) sur l'éducation de M. son fils,* dans *O.C.*, t. IV, p. 7.
7. *Idem*, p. 4.
8. *La Nouvelle Héloïse*, V, 3, dans *O.C.*, t. II, p. 561.
9. *Idem*, p. 562.

et s'apprêtant à me raconter d'un air d'emphase je ne sais combien de gentillesses qu'ils venoient d'entendre, et dont ils sembloient tout émerveillés. Messieurs, leur dis-je assés froidement, je ne doute pas que vous ne sachiez faire dire à des marionettes de fort jolies choses : mais j'espere qu'un jour mes enfans seront hommes, qu'ils agiront et parleront d'eux-mêmes, et alors j'apprendrai toujours dans la joye de mon cœur tout ce qu'ils auront dit et fait de bien[10].

Bien qu'il ne s'agisse pas d'une scène préméditée semblable à celles que Rousseau a imaginées dans le *Mémoire à M. de Mably* et dans *Émile*, l'incident permet à Julie de raffermir son autorité : c'est à elle, et non pas aux étrangers, à distribuer la louange et le blâme. Elle seule peut le faire à bon escient et de la manière qui convient, et c'est à son opinion à elle que ses enfants doivent attacher du prix.

Si le problème de l'autorité n'a cessé de hanter Jean-Jacques depuis ses premières expériences pédagogiques, la lettre (V,3) le présente sous un jour radicalement nouveau. Le *Mémoire à M. de Mably* mentionnait déjà l'existence d'« un plan d'éducation bien différente de celle qui est en usage », d'un plan que Jean-Jacques avait « formé » sans oser le « proposer » parce qu'il était trop ouvertement contraire « et aux idées receuës et aux coutumes établies[11] ». Le contexte montre qu'il pourrait s'agir de l'éducation négative, puisque le *Mémoire* s'en prenait à l'habitude de charger la mémoire des enfants de notions superféta- toires et de toute façon hors de leur portée, comme les idées relatives à la religion. Avant les pages d'*Émile* consacrées au même sujet, la lettre (V,3) de Saint-Preux à Milord Édouard développe le non-dit du Mémoire, — le débat porte sur un système d'éducation que Rousseau avait mis au point dans ses grandes lignes dès 1740.

Il convient de rappeler que l'éducation négative ne consiste pas seulement dans la suppression du savoir livresque; elle change la nature de l'autorité, et de ce fait transforme la relation pédagogique. Para- doxalement, Rousseau renforce l'ascendant du pédagogue tout en réduisant ses possibilités d'action. Jean-Jacques avait échoué auprès des enfants de M. de Mably dans la mesure où le but traditionnellement assigné à l'éducation, soit de réaliser un idéal humain conçu dans l'abstrait, est parfaitement utopique. On attend tout de l'éducation, c'est pourquoi ses résultats déçoivent. Elle réussit si l'on n'en attend rien : voilà l'essentiel du message.

---

10. *Idem*, p. 575.
11. *Mémoire à M. de Mably*, dans *O.C.*, t. IV, p. 9.

Au cours de la discussion avec Julie, Saint-Preux a d'abord soutenu le point de vue que Rousseau s'emploie à combattre : « [...] former un parfait modèle de l'homme raisonnable et de l'honnête homme; puis rapprocher chaque enfant de ce modèle par la force de l'éducation[12] [...] ». Wolmar se récrie : on ne saurait, à son avis, corriger la nature. Et de rappeler cette vérité élémentaire, mais universellement oubliée, que les caractères diffèrent d'un individu à l'autre. Deux chiens de la même portée, élevés ensemble, « nourris et traittés de même », ont des comportements opposés. « La seule différence des tempéramens a produit en eux celle des caracteres, comme la seule différence de l'organisation intérieure produit en nous celle des esprits[13] [...] ».

« Heureux les bien nés, mon aimable ami! », renchérit Julie en amorçant l'exposé de sa méthode[14]. On ne peut éduquer un enfant que s'il est éducable; autrement dit, on peut tirer parti de ses dispositions, mais non lui inculquer celles qu'il n'a pas. Cet aspect de l'éducation naturelle ou négative ne reçoit pas toujours de la part des critiques toute l'attention qu'il mérite. Pourtant, nombreux sont les textes qui font dépendre le succès de l'éducation du bon vouloir de l'élève autant que de l'habileté du maître[15]. Ce point de vue a pour Rousseau l'avantage de justifier l'échec de ses expériences pédagogiques, que ce soit avec les enfants de M. de Mably, ou avec le fils de Mme Dupin, lequel lui avait donné tant de fil à retordre, qu'il ne s'en serait « pas chargé huit autres jours de plus », suivant son propre aveu, « quand Made Dupin se seroit donnée à [lui] pour récompense[16] ». Chacun est bon à quelque chose, pourvu que la société demande autre chose à chacun : l'oubli de cette règle explique que bien des fils de famille, au XVIIIe siècle, ont trompé les espoirs de leurs proches.

C'est donc Julie qui est chargée de la première éducation de ses enfants, et elle les élève en tenant compte de leurs tendances innées et de leur âge[17]. Je ne puis m'empêcher de noter que Mme de Wolmar s'occupe de deux garçons comme l'avait fait Jean-Jacques chez M. de Mably — de deux garçons qui ont à peu près le même âge que Condillac et Sainte-Marie (Henriette est présente dans la chambre de Julie, mais

12. *La Nouvelle Héloïse*, V, 3, dans *O.C.*, t. II, p. 226.
13. *Idem*, p. 565.
14. *Idem*, p. 568.
15. Voir, par exemple, *Émile*, I, dans *O.C.*, t. IV, p. 266-267.
16. *Confessions*, VII, dans *O.C.*, t. I, p. 293.
17. *La Nouvelle Héloïse*, V, 3, dans *O.C.*, t. II, p. 562.

il ne sera guère question d'elle dans la conversation). Ce qui renforce le caractère autobiographique de la lettre (V,3), c'est qu'un seul des deux enfants de Julie — Marcellin — est nommé, de même que, dans le *Mémoire*, Sainte-Marie, à l'exclusion de son frère. Julie dit « mon fils » à deux ou trois reprises dans un discours où il est cependant question de ses deux enfants;[18] pareillement, Rousseau employait l'expression « Mr vôtre fils[19] » pour désigner Sainte-Marie tout en négligeant le cadet. Analogies purement formelles, mais qui n'en sont pas moins significatives.

En revanche, les deux expériences, la réelle et l'imaginaire, s'opposent au niveau de leur succès. Julie règne d'une façon absolue sur ses enfants. Aux yeux de Saint-Preux, la conjoncture tient du miracle. N'a-t-il pas l'impression que Mme de Wolmar laisse les choses aller leur train[20]? Mais Saint-Preux se trompe : Julie fait beaucoup en n'intervenant pas. Politique difficile à mener, car elle va à l'encontre de l'amour maternel.

Julie évite de s'écouter comme le font la plupart des autres mères. Ce n'est pas elle qui accourt dès qu'un de ses fils l'appelle, comme si elle était à ses ordres. Quand elle décide de venir à son aide, elle lui montre qu'elle agit « par pitié » plutôt que « par devoir[21] ».

Oui, Saint-Preux a tort. Si miracle il y a, c'est l'éducation naturelle qui le permet — naturelle par rapport à l'enfant, sinon par rapport à la mère. En refusant d'obtempérer à ses caprices, les parents font sentir au jeune être le poids de son impuissance. Hormis les cas où sa vie ou sa santé sont en danger, l'enfant reste essentiellement livré à lui-même, il doit supporter les inconvénients de sa faiblesse. La méthode consiste à le maintenir dans un état proche de l'état de nature, où il ne peut compter que sur ses propres ressources, et sur la bonne volonté des adultes : même protégé par ses parents, il se sait à leur merci.

Julie veut que ses fils subissent « la dure loi de la nécessité » : transposée dans le monde humain, cette loi n'est rien d'autre que la loi du plus fort. En s'emparant du tambour avec lequel jouait le fils aîné de Julie pour punir celui-ci de l'avoir arraché au cadet, Fanchon, la

---

18. Ainsi : « Mais si j'admire les reparties de mon fils, au moins je les admire en secret [...] » (*op. cit.*, p. 575); « [...] mon fils ne sera pas toujours enfant [...] » (p. 577).
19. *Mémoire à M. de Mably*, dans *O.C.*, t. IV, p. 6, 7, 9, 18...
20. *La Nouvelle Héloïse*, V, 3, dans *O.C.*, t. II, p. 561.
21. *Idem*, p. 569.

gouvernante, ne craint pas de proclamer : « Ne suis-je pas la plus forte?[22] ». C'est ainsi que, sans avoir l'air d'y toucher, l'éducation négative règle le problème de la désobéissance. On appliquera à la relation parents-enfants l'observation de Kavanagh, par ailleurs véri-fiable dans les autres situations de la vie à Clarens : « What presents itself as an abolition of authority and a resulting fulfillment of unme-diated desire is in fact always dependant on the intervention of a hidden yet absolute principle of authority[23] ».

Insistons sur le fait que l'autorité absolue ne confère pas un pouvoir sans bornes. Elle rencontre précisément les limites que lui assigne la nature. Par exemple, il ne dépend pas des parents que leurs enfants se laissent convaincre par des arguments, qu'ils se soumettent à des préceptes. D'où les réticences de Saint-Preux objectant à Julie que ses fils ne lui désobéissent pas parce qu'elle ne leur commande rien[24]. Mais nul ne peut réussir ce que la nature interdit : Rousseau rappelle fort à propos que l'autorité ne saurait s'identifier qu'avec la force des choses.

Dans *La Nouvelle Héloïse*, la relation pédagogique est également inséparable de la relation amoureuse. Marie-Laure Swiderski a raison de souligner l'ambiguïté du discours que Saint-Preux tient à Julie dans les premiers temps de leur passion : le jeune précepteur, dit-elle, « lui [parle] beaucoup de son âme angélique tout en essayant d'éveiller sa sexualité[25] ». Le procédé pourrait caractériser n'importe quel séduc-teur, mais il faut ajouter, dans le cas de Saint-Preux, que la position qu'il occupe n'est probablement pas étrangère à l'amour qu'il a fait naître : selon Joan DeJean, la première partie du roman favorise la confusion entre enseignement et séduction[26].

L'amant de Julie n'est toutefois pas un séducteur ordinaire. Si son érudition lui donne de l'ascendant sur la jeune fille, c'est bien malgré

---

22. *Idem*, p. 579.
23. Thomas M. Kavanagh, *Writing the Truth : Authority and Desire in Rousseau*, Berkeley-Los Angeles-London, University of California Press, 1987, p. XI.
24. *La Nouvelle Héloïse*, V, 3, dans *O.C.*, t. II, p. 561.
25. Marie-Laure Swiderski, « La dialectique de la condition féminine dans *La Nouvelle Héloïse* », dans *Jean-Jacques Rousseau et la société du XVIIIe siècle, Actes du Colloque organisé à l'Université McGill les 25, 26 et 27 octobre 1978*, édités par Jean Terrasse, dans *Revue de l'Université d'Ottawa*, vol. 50, n° 1, janvier-mars 1981, p. 118.
26. Joan DeJean, *Literary Fortifications : Rousseau, Laclos, Sade*, Princeton Uni-versity Press, 1984, p. 122.

lui. Tel Rousseau vis-à-vis de Mme d'Houdetot, Saint-Preux adopte face à Julie le langage de la soumission; il suggère même, dans la première lettre qu'il lui adresse, que c'est elle qui l'a séduit par ses « familiarités cruëlles[27] ». Thème connu : l'homme doit se défendre contre l'« empire des femmes » — Rousseau ne lui accorde la force que pour montrer qu'elle est inopérante!

Entre Mme d'Houdetot et lui, Jean-Jacques a érigé toutes sortes d'obstacles, ainsi le fait de devoir la garder comme « le depot d'un ami[28] ». Semblablement, Julie est pour Saint-Preux « le plus sacré dépôt dont jamais mortel fut honoré », non parce qu'elle appartient à un autre, mais parce que le pacte pédagogique la met à l'abri des avances sexuelles du précepteur. L'élève est l'objet d'un tabou dans la mesure où le maître s'identifie au père. Saint-Preux le dit clairement : « Je frémirois de porter la main sur tes chastes attraits, plus que du plus vil inceste, et tu n'es pas dans une sûreté plus inviolable avec ton pere qu'avec ton amant[29] ». Loin d'utiliser son « plan d'études » pour achever de subjuguer Julie, il y voit une alternative propre à le distraire d'une passion condamnable : « Pour moi qui ne puis ni vous oublier un instant, ni penser à vous sans des transports qu'il faut vaincre, je vais m'occuper uniquement des soins que vous m'avez imposés[30] ».

Ce « plan d'études » est un programme de lectures dont le choix incitera la jeune fille à s'éprendre de l'idéal moral le plus élevé. Ces lectures présentent des « exemples du très bon et du très beau ». Bien qu'ils soient rares dans la vie courante, c'est à tort que l'homme vulgaire les regarde comme chimériques. Leur perfection nous arrache à la sphère commune : « L'âme s'élève, le cœur s'enflamme à la contemplation de ces divins modeles; à force de les considérer on cherche à leur devenir semblable, et l'on ne souffre plus rien de médiocre sans un dégoût mortel[31] ».

Au lieu de tirer profit de la situation, Saint-Preux écarte de sa liste de lectures la plupart des poètes et des livres d'amour. Julie lui saura gré de cette délicatesse : selon elle, « employer la voye de l'instruction pour corrompre une femme est de toutes les séductions la plus condamnable ». Il est vrai qu'elle s'avoue conquise précisément à cause de ces

---

27. *La Nouvelle Héloïse*, I, 1, dans *O.C.*, t. II, p. 33.
28. *Lettre à Mme d'Houdetot*, début juillet 1757, dans *C.C.*, t. IV, n$ 509, p. 226.
29. *La Nouvelle Héloïse*, I, 6, dans *O.C.*, t. II, p. 42.
30. *La Nouvelle Héloïse*, I, 12, dans *O.C.*, t. II, p. 56-57.
31. *Idem*, p. 58-59.

scrupules : « la plus dangereuse de vos séductions », confie-t-elle à Saint-Preux, « est de n'en point employer[32] ». Saint-Preux a cependant tout fait pour rendre Julie inaccessible — l'effet produit par sa discrétion semble bien involontaire.

La rigueur morale du jeune précepteur ne l'a pas, dira-t-on, empêché de devenir l'amant de Julie. Mais la jeune fille n'y est pas pour rien : c'est elle qui lui donne rendez-vous dans le bosquet de Clarens; après le séjour dans le Valais, Saint-Preux sera rappelé parce que Julie ne supporte pas son absence : c'est alors que l'irréparable se produit[33].

L'irréparable? Le terme paraît mal choisi, lorsqu'on sait que l'embrasement charnel dure le temps d'un feu de paille, qu'il ne sera, en fin de compte, qu'une parenthèse dans la vie des deux amants. L'incompétence dont Jean-Jacques a fait preuve dans ses relations amoureuses prend chez Saint-Preux un caractère objectif, puisque le baron d'Étange ne le juge pas un parti acceptable pour sa fille, qu'il le considère comme un homme sans statut social, « réduit à vivre d'aumônes[34] ». Même si Julie proteste contre les propos insultants dont le baron accable son amant[35], le verdict de la société s'exprimant par la voix de son père lui semble sans appel, la jeune fille refuse l'asile que Milord Édouard lui offre, ainsi qu'à Saint-Preux, dans sa terre du duché d'York[36]. Verdict que la nature elle-même va sanctionner (aidée, il est vrai, par la brutalité du baron d'Étange), lorsque Julie mettra au monde un enfant mort-né.

La malédiction qui pèse sur cet amour est ressentie par Saint-Preux lorsqu'il écrit dans la lettre sur le Valais : « Sans toi, Beauté fatale! je n'aurois jamais senti ce contraste insupportable de grandeur au fond de mon ame et de bassesse dans ma fortune[37] [...] ». Mais Saint-Preux n'est-il pas enclin, de toute façon, à dissocier l'amour et la possession charnelle? Est-ce pour cette raison qu'il rend visite aux prostituées? N'avait-il pas besoin de commettre une faute dont il dût demander l'absolution à Julie?

Dans le roman de Rousseau, la sublimation de l'amour aboutit à remplacer le rapport charnel par une relation pédagogique d'un style

32. *Idem*, I, 13, *op. cit.*, p. 62.
33. *Idem*, I, p. 27-30.
34. *Idem*, I, 62, *op. cit.*, p. 169.
35. *Idem*, I, 63, *op. cit.*, p. 174.
36. *Idem*, II, 6, *op. cit.*, p. 207-210
37. *Idem*, I, 26, *op. cit.*, p. 89.

particulier, car le maître et l'élève y échangent leurs rôle habituels. Saint-Preux le sait, il a presque tout à apprendre. Amoureux de Julie, il s'est mis à son école, et même à sa merci : « [...] je vous remets pour ma vie », lui dit-il, « l'empire de mes volontés : disposez de moi comme d'un homme qui n'est plus rien pour lui-même, et dont l'être n'a de rapport qu'à vous[38] ». Plus tard, Claire résumera par ces mots ce que Saint-Preux doit aux deux inséparables :

> Quoique nous soyons toutes deux plus jeunes que vous, et même vos disciples, je vous regarde un peu comme le notre. En nous apprenant à penser, vous avez appris de nous à être sensible, et [...] cette éducation vaut bien l'autre; si c'est la raison qui fait l'homme, c'est le sentiment qui le conduit[39].

Jean-Louis Lecercle a signalé que cette inversion des rôles montre la « contradiction entre les principes de Jean-Jacques et les besoins de sa sensibilité », caractéristique d'une sexualité « immature » à « composante masochiste[40] ». Le fait est que Saint-Preux devra indirectement à Julie sa connaissance des hommes. C'est à Paris, et durant son périple autour du monde, qu'il achève de former son être moral. Or Saint-Preux a entrepris ces voyages parce qu'il était contraint de renoncer à Julie et que le mariage de celle-ci commandait son éloignement. À son retour, Claire le trouve transformé :

> Je trouve [...] que l'usage du monde et l'expérience lui ont ôté ce ton dogmatique et tranchant qu'on prend dans le cabinet, qu'il est moins prompt à juger les hommes depuis qu'il en a beaucoup observé, moins pressé d'établir des propositions universelles depuis qu'il a tant vu d'exceptions, et qu'en général l'amour de la vérité l'a gueri de l'esprit de sistèmes; de sorte qu'il est devenu moins brillant et plus raisonnable, et qu'on s'instruit beaucoup mieux avec lui depuis qu'il n'est plus si savant[41].

Dans *La Nouvelle Héloïse*, la voix de Saint-Preux « errant, sans famille et presque sans patrie[42] » est évidemment celle de Jean-Jacques. Celle de Wolmar aussi, mais transformée par le pouvoir de l'écriture. Chez Jean-Jacques, le savoir-faire de l'écrivain a suppléé aux carences

---

38. *Idem*, I, 12, *op. cit.*, p. 56.
39. *Idem*, III, 7, *op. cit.*, p. 319.
40. Jean-Louis Lecercle, « La femme selon Jean-Jacques », dans *Jean-Jacques Rousseau. Quatre études de Jean Starobinski, Jean-Louis Lecercle, Henri Coulet, Marc Eigeldinger*, Neuchâtel, à la Baconnière, 1978, p. 56-57.
41. *La Nouvelle Héloïse*, IV, 7, dans *O.C.*, t. II, p. 427.
42. *Idem*, I, 21, *op. cit.*, p. 73.

de l'homme : incapable de s'imposer aux enfants de M. de Mably, il se tire d'affaire en rédigeant un « mémoire » sur l'éducation; vis-à-vis des femmes, il ressemble à cet homme dont Rousseau a dit quelque part qu'il quittait sa maîtresse pour lui écrire dans son cabinet. Si Jean-Jacques a projeté sur Saint-Preux sa sensibilité et ses faiblesses, Wolmar est l'époux, le père qu'il aurait voulu être, et le mari de Julie possède en conséquence la plupart des qualités qui manquent à Saint-Preux. Par contraste avec ce dernier, Wolmar possède un pouvoir énorme. Ce pouvoir est celui que Rousseau attribue au mari sur la femme, au père sur ses enfants, alors qu'une sorte d'impuissance frappe l'amant et le précepteur. En bref, Wolmar est la figure de l'autorité; il est aussi le pédagogue suprême, parce que l'image du maître, de l'éducateur est inséparable de celle du père. Bien que Julie se charge d'exposer à Saint-Preux les principes de l'éducation naturelle, c'est de Wolmar qu'elle tient ses idées, elle n'est que « la servante du Jardinier[43] ». L'art d'utiliser au mieux les ressources et le zèle de la domesticité, de faire régner parmi les ouvriers concorde et harmonie, repose manifestement sur des principes différents. Pourtant, cet art a un élément commun avec l'éducation des enfants, c'est d'accorder une importance majeure à l'autorité. Rousseau croit, en effet, qu'économie domestique et économie politique ne sauraient avoir le même fondement :

> Dans la *République* on retient les citoyens par des mœurs, des principes, de la vertu : mais comment contenir des domestiques, des mercenaires, autrement que par la contrainte et la gêne? Tout l'art du maître est de cacher cette gêne sous le voile du plaisir ou de l'intérêt, en sorte qu'ils pensent vouloir tout ce qu'on les oblige de faire[44].

La distinction entre le domaine public et le domaine privé pourrait donc se résumer par la formule : pas de société sans égalité, pas de famille sans hiérarchie. La vie à Clarens est organisée en fonction de cette différence : « La grande maxime de Madame de Wolmar est [...] de ne point favoriser les changements de condition, mais de contribuer à rendre heureux chacun dans la sienne[45] [...] ». L'objectif n'est certes pas facile à réaliser, d'aucuns même soutiendront qu'on ne saurait convaincre les domestiques de se sentir à l'aise dans la servitude. Qu'à

---

43. *Idem*, V, 3, *op. cit.*, p. 585.
44. *Idem*, IV, 10, *op. cit.*, p. 453.
45. *Idem*, V, 2, *op. cit.*, p. 536.

cela ne tienne : « pour les avoir il ne faut pas les chercher, il faut les faire »; tâche qui incombe tout naturellement à Wolmar, car « il n'y a qu'un homme de bien qui sache l'art d'en former d'autres[46] ».

Le métier de Saint-Preux ne l'a-t-il pas prédestiné à partager la condition des domestiques? Si l'ancien précepteur de Julie se voit confier la charge d'éduquer ses enfants (alors qu'on l'a jugé indigne d'être son mari), c'est en partie à cause de ses vertus natives, en partie parce qu'il a été « formé » par les deux cousines, enfin parce qu'il a renoncé à posséder celle qu'il aimait : la sublimation de l'amour s'accompagne d'une élévation morale qui annule les inconvénients de l'infériorité sociale tout en évitant de l'anéantir dans son principe. Le métier de précepteur cesse alors d'être une profession vile et devient réservée à l'homme que sa vertu et ses talents désignent pour les tâches les plus hautes, voire à l'homme de génie. C'est Wolmar qui l'affirme :

> Il n'y a qu'un homme de génie en qui l'on puisse espérer de trouver les lumieres d'un maitre; il n'y a qu'un ami très tendre à qui son cœur puisse inspirer le zele d'un pere; et le génie n'est guere à vendre, encore moins l'attachement[47].

Frappé d'exclusion par le baron d'Étange lorsqu'il prétendait devenir son gendre, Saint-Preux entre dans la famille des Wolmar de la seule manière permise à un homme de sa condition, par le biais de la soumission filiale. « Ô mon Bienfaiteur! ô mon Pere! » s'exclame-t-il à l'adresse de Wolmar. « En me donnant à vous tout entier, je ne puis vous offrir, comme à Dieu même, que les dons que je tiens de vous[48] ».

Devenu l'élève, ou plutôt la créature de Wolmar, Saint-Preux ne songe plus à revendiquer l'égalité; la dépendance filiale supprime la compétition, la lutte pour la conquête de droits dont la possession ne confère pas nécessairement le bonheur. Consacré homme de génie, le précepteur est investi d'une mission qui transcende les différences sociales, tel l'écrivain qui contourne l'obstacle des rangs, renonce à la voie commune de l'ambition et des honneurs pour trouver sa place dans la famille des hommes, et faire entendre sa voix plus loin.

Jean Terrasse
Université McGill

---

46. *Idem*, IV, 10, *op. cit.*, p. 468.
47. *Idem*, IV, 14, *op. cit.*, p. 507.
48. *Idem*, V, 8, *op. cit.*, p. 611.

L'ÉTHIQUE DE *LA NOUVELLE HÉLOÏSE*

ET DU VICAIRE SAVOYARD

La question éthique ou morale n'a cessé d'intéresser Rousseau depuis ses tous premiers écrits. Elle est manifestement présente dans l'inspiration qui guide les deux premiers *Discours*; mais elle apparaît de façon encore plus nette et plus articulée dans les écrits issus du séjour à Montmorency. Bien que cette préoccupation permette d'expliquer certaines articulations fondamentales du *Contrat social*, elle trouve sa formulation la plus explicite dans les *Lettres morales* ou *Lettres à Sophie* dont les éléments seront repris et développés dans *La Nouvelle Héloïse* et dans l'*Émile*. Ces trois derniers écrits, en particulier, permettent de saisir la cohérence et l'articulation profonde des idées morales de Rousseau en même temps qu'ils révèlent l'unité et la continuité de ces mêmes idées.

Afin de bien percevoir l'importance de ces idées morales pour Rousseau, il faut revoir le moment décisif de sa rupture avec Descartes. Déjà, dans *Le Verger de Madame de Warens*, n'avait-il pas semblé prendre définitivement congé de Descartes, avec ses « égarements » et ses « frivoles Romans[1] ». Ces expressions témoignent d'une aversion ou d'une antipathie à l'endroit de la démarche cartésienne mais ne nous livrent pas de véritables justifications.

Celles-ci viendront avec les premières *Lettres morales*, surtout avec la deuxième et la troisième lettre. C'est alors que Rousseau, dans ses confidences à Madame d'Houdetot, prend, une fois pour toutes, le parti de la sagesse, de la vertu, de l'action morale, de la vie et des sentiments au lieu de suivre la voie de la raison, de la métaphysique et de la philosophie. Car le parti de la sagesse conduit de façon plus assurée sur la voie de la vérité, vérité intérieure, et du bonheur. Ne dit-il pas d'emblée à Sophie que « l'objet de la vie humaine est la félicité de l'homme[2] » et non la science. Mais toute la difficulté réside dans la façon d'y parvenir. Et c'est là que la raison et la philosophie, quand elles sont laissées à elles-mêmes, apparaissent de peu d'utilité à

---

1.   *O.C.*, Tome II, p. 1128.
2.   Lettre II, *O.C.*, Tome IV, p. 1087.

Jean-Jacques; pas plus d'ailleurs que les passions. Ni la raison ni les passions ne peuvent donc nous servir de guide dans la quête de la sagesse et du bonheur. « Nous n'avons de règle invariable, écrit Jean-Jacques, ni dans la raison qui manque de soutien, de prise et consistance, ni dans les passions qui se succèdent et s'entredétruisent incessamment. Victimes de l'aveugle inconstance de nos cœurs, la jouissance des biens désirés ne fait que nous préparer des privations et des peines, tout ce que nous possédons ne sert qu'à nous montrer ce qui nous manque et faute de savoir comment il faut vivre nous mourons tous sans avoir vécu[3] ».

L'interrogation posée par Rousseau est claire : il faut savoir « comment il faut vivre » si on ne veut pas mourir sans avoir vécu. La réponse à cette question est aussitôt esquissée par une invitation à la recherche en intériorité et à la conquête globale de notre être, ce qui ne peut se faire sans entretenir le doute à l'endroit des penchants naturels de la raison et des passions qui représentent des « bornes naturelles » ou des obstacles à la poursuite de la sagesse et du bonheur. Il faut donc, confie Jean-Jacques à Sophie, « se défier de tous ses penchants, de s'étudier soi-même, de porter au fond de son âme le flambeau de la vérité, d'examiner une fois tout ce qu'on pense, tout ce qu'on croît, tout ce qu'on sent et tout ce qu'on doit penser, sentir et croire pour être heureux autant que le permet la condition humaine[4] ». La condition du bonheur repose donc dans cette totalité ou cette conquête globale de soi et de la vie.

Le doute à l'endroit de la raison et de la philosophie, comme moyens pour atteindre la sagesse et le bonheur, est poursuivi à travers la démonstration de leur éclat, de leur raffinement, de leur extériorité qui certes font bien paraître et briller plutôt qu'ils ne procurent le bonheur. Du reste, l'objet même de la raison et de la philosophie qui est la recherche avouée du savoir, conduit à un non-savoir quand il s'éloigne de la vie dans sa totalité. « Dans ce dédale immense des raisonnements humains, affirme Jean-Jacques à Sophie, vous apprendrez à parler du bonheur sans le connaître, vous apprendrez à discourir et point à vivre, vous vous perdrez dans les subtilités métaphysiques, les perplexités de la philosophie vous assiégeront de toutes parts, vous verrez par tout des objections et des doutes, et à force de vous instruire vous finirez par ne rien savoir. Cette méthode exerce à parler de tout, à briller dans un cercle; elle fait des savants, des beaux esprits, des

---

3.   *Ibidem.*
4.   *Ibidem.*

parleurs, des disputeurs, des heureux au jugement de ceux qui écoutent, des infortunés si tôt qu'ils sont seuls[5] ». La sagesse et le bonheur, pour Jean-Jacques, ne peuvent se trouver en surface de notre être, dans l'extériorité et le paraître au regard des autres : « on devient sage en dedans et heureux pour soi », dira-t-il[6].

Le doute de Jean-Jacques à l'endroit de la raison ne vise pas tant la raison en elle-même que « l'art de raisonner » et « l'esprit de système » qui morcellent la réalité, nous empêchent de ce fait de connaître ces « vérités primitives » tout en corrompant le jugement. L'art de raisonner dénature la raison et mène au non-savoir : « plus on s'instruit, conclut Rousseau, moins on sait et l'on est tout étonné qu'au lieu d'apprendre ce qu'on ignorait on perd même la science qu'on croyait avoir[7] ». La critique de Jean-Jacques à l'endroit de tout savoir fondé sur l'art de raisonner est radicale et aboutit au scepticisme le plus total. Car le savoir, pour Jean-Jacques, est le résultat de l'entendement qui doit toute son information à l'activité des sens. Or, les sens ne sont pas faits pour connaître la vérité; « jamais, dira Jean-Jacques en bon cartésien, nous ne pouvons être sûrs de trouver la vérité par eux[8] ». Le prétendu savoir issu de la sensation est discrédité à tout jamais parce que les sens sont inaptes à fournir les données nécessaires à la connaissance certaine et à la vérité. Les sens ne sont, pour Jean-Jacques, que « cinq fenêtres par lesquelles notre âme voudrait se donner du jour; mais les fenêtres sont petites, le vitrage est terne, le mûr épais, et la maison fort mal éclairée. Nos sens nous sont donnés pour nous conserver non pour nous instruire ». Voilà pourquoi le message à Sophie est sans ambiguité : « nous ne savons rien, [...] nous ne voyons rien; nous sommes une troupe d'aveugles, jetés à l'aventure dans ce vaste univers ». Non seulement sommes-nous aveugles, mais « aveugles-nés[9] ». Le savoir véritable, s'il est possible, doit donc provenir d'une autre source.

C'est ici que la référence à Descartes devient particulièrement éclairante et significative. Car elle sert à montrer, aux yeux de Sophie, le meilleur exemple du savoir qui ne conduit pas à la vérité en même temps que l'exemple par excellence et indubitable du point de départ qui peut conduire à la sagesse pourvu que le sentier soit bien choisi.

5.   *Ibid.*, p. 1087-1088.
6.   *Ibid.*, p. 1088.
7.   *Ibid.*, p. 1091.
8.   Lettre III, *O.C.*, Tome IV, p. 1093.
9.   *Ibid.*, p. 1092.

D'une part, Descartes est présenté comme « le plus méthodique des Philosophes, celui qui a le mieux établi ses principes et le plus conséquemment raisonné », mais qui pour en être demeuré au niveau de l'entendement n'a pu faire autrement que de « s'égarer dès les premiers pas et s'enfoncer d'erreurs en erreurs dans des systèmes absurdes[10] ». Il avait pourtant bien commencé en « voulant couper tout d'un coup la racine de tous les préjugés commença par tout révoquer en doute, tout soumettre à l'examen de la raison; partant de ce principe unique et incontestable : *je pense, donc j'existe*, [...] il crût aller à la vérité et ne trouva que des mensonges[11] ». L'erreur de Descartes aura donc été de vouloir tout soumettre au seul tribunal de la raison pour ne découvrir que deux idées, et non deux réalités, soit l'idée de la substance étendue et l'idée de la substance pensante. Ce sont là des « définitions » qui, comme toutes celles qui sont le fruit de l'entendement « fûrent détruites en moins d'une génération[12] ». D'autre part, si Descartes a fait un faux pas du côté de l'entendement et de la raison, son intuition première conserve toute sa valeur de vérité. Il faut donc laisser à « ces enfants qu'on appelle des philosophes » le résultat de ses recherches et de ses raisonnements qu'il y a lieu de classer dans le « vain savoir », et revenir a ce qui avait été pourtant un si bon départ : « Il faut finir par où Descartes avait commencé. *Je pense, donc j'existe*. Voilà tout ce que nous savons[13] ».

La façon dont Rousseau utilise et modifie la formule de Descartes pour en faire un jugement d'existence au sens plein du terme, et non une idée relative à la substance pensante, est lourde de conséquences dans la poursuite de l'idéal de la sagesse, car le jugement d'existence vise la totalité et suppose l'enracinement profond dans l'âme et l'intériorité. C'est d'ailleurs dans cette direction que la quatrième *Lettre à Sophie* invite à rechercher la « saine philosophie » et la vraie science à travers le « sentiment intérieur » qui révèle la grandeur de l'âme et permet d'accéder aux réalités les plus sublimes. Dans un passage tout imprégné de Platonisme, Jean-Jacques demande à Sophie : « N'avez-vous jamais éprouvé ces transports involontaires qui saisissent quelquefois une âme sensible à la contemplation du beau moral et de l'ordre intellectuel des choses, cette ardeur dévorante qui vient tout à coup embraser le cœur de l'amour des célestes vertus, ces sublimes égare-

---

10. *Ibid.*, p. 1095.
11. *Ibidem.*
12. *Ibid.*, p. 1096.
13. *Ibid.*, p. 1099.

ments qui nous élèvent au dessus de notre être, et nous portent dans l'empirée à côté de Dieu même[14] ».

À côté de l'intériorité et des sentiments, la raison paraîtra comme celle qui « écrase » et « avilit » l'homme, qui le rend petit par ses lumières; alors que « l'âme est élevée » et rend l'homme grand par ses sentiments[15]. L'existence ainsi retrouvée ouvre la voie à la sagesse et au bonheur qui ne dépendent plus des accidents extérieurs, mais des soins qu'on met à les « cultiver en soi-même » selon la règle stoïcienne de la suffisance à soi-même ou de l'autonomie. « Apprenez à tirer de vous-mêmes vos premiers biens, conclut Jean-Jacques; ce sont les seuls qui ne dépendent point de la fortune [et] peuvent suppléer aux autres. Voilà toute ma philosophie et je crois tout l'art d'être heureux qui soit pratiquable à l'homme[16] ».

Ces *Lettres morales*, dont Rousseau avait commencé la rédaction en novembre 1757, marqueront la trame éthique de *La Nouvelle Héloïse*. Ainsi, Julie, devenue madame de Wolmar, à la suite d'une illumination soudaine qui la fait pénétrer jusqu'aux racines les plus profondes de son être, accédera à la révélation du vrai sens de l'existence et fera sienne l'éthique du bonheur, de la sagesse et du devoir qu'elle va dissocier de l'amour. N'invoque-t-elle pas, du reste, dans sa lettre d'adieu à St-Preux, « une puissance inconnue [qui] sembla corriger tout à coup le désordre de [ses] affections et les rétablir selon la loi du devoir et de la nature[17] ». Prenant pour exemple M. et Madame D'Orbe, qu'elle aperçut près d'elle la regardant, Julie en tire aussitôt les principes de sa nouvelle éthique de la sagesse et du devoir : « Aimable et vertueux couple, écrit-elle, pour moins connaître l'amour en êtes-vous moins unis? Le devoir et l'honnêteté vous lient; tendres amis, époux fidèles, sans brûler de ce feu dévorant qui consume l'âme, vous vous aimez d'un sentiment pur et doux qui la nourrit, que la sagesse autorise et que la raison dirige; vous n'en êtes que plus solidement heureux. Ah! puissai-je dans un lien pareil recouvrer la même innocence et jouir du même bonheur[18] ». Au terme de sa lettre, Julie parle du « sacrifice héroïque » de l'amour qui était « digne de n'être immolé qu'à la vertu[19] ». Désormais, pour elle, il ne peut plus

---

14. Lettre IV, *O.C.*, Tome IV, p. 1101.
15. *Ibidem*.
16. *Ibid.*, p. 1105.
17. *La Nouvelle Héloïse*, Troisième partie, lettre XVIII, *O.C.*, Tome II, p. 354.
18. *Ibidem*.
19. *Ibid.*, p. 363.

y avoir de bonheur sans vertu, c'est-à-dire, sans ce qu'elle considère être le « retour au bien[20] », fruit d'une conversion intérieure de l'âme ou, comme elle le dira dans une lettre suivante, de « l'heureuse révolution qui s'est faite en moi[21] ». Avant de quitter son cher St-Preux, Julie lui recommande de rentrer au fond de sa conscience, souhaitant qu'il y retrouve «quelque principe oublié» qui pourrait mieux ordonner ses actions et qui le fasse surtout courir à la félicité qui est la « fortune du sage » laquelle ne peut s'obtenir sans la vertu[22].

En conformité avec les principes développés dans les *Lettres morales*, *La Nouvelle Héloïse* va privilégier l'idéal éthique de la sagesse à l'idéal cartésien de la science; car l'action droite et juste, guidée par la conscience et la pureté de l'intention, est préférable au savoir. Dans son avant-dernière lettre à St-Preux, Julie liquide une fois pour toutes cette question en affirmant que « l'erreur n'est point un crime »; mais ce qui importe avant tout c'est la rectitude de l'action guidée par la conscience : « la conscience ne nous dit point la vérité des choses, conclut-elle, mais la règle de nos devoirs; elle ne nous dicte point ce qu'il faut penser, mais ce qu'il faut faire; elle ne nous apprend point à bien raisonner, mais à bien agir[23] ». Aussi, en accord avec ces mêmes principes, Julie formulera-t-elle le vœu qu'on ne fasse point de ses deux fils des savants, mais bien plutôt « des hommes bienfaisants et justes[24] ». C'est là, selon elle, le chemin le plus assuré qui mène au bonheur et au contentement de soi-même.

Si *La Nouvelle Héloïse* véhiculait manifestement les idées de cette morale de la sagesse et du devoir, c'est bien sûr à l'*Émile* et au Vicaire Savoyard qu'il faut s'en remettre pour obtenir le développement et l'approfondissement de ces mêmes idées. On retrouve, dès le début de la Profession de foi du Vicaire, la référence à Descartes, tout comme on la trouvait dans les *Lettres morales*. « J'étais, dit le Vicaire, dans ces dispositions d'incertitude et de doute que Descartes exige pour la recherche de la vérité[25] ». Mais très vite, le doute du Vicaire ne peut être confondu avec le doute de Descartes. Ce dernier entretenait un doute métaphysique au sujet de sa propre existence alors que pour le Vicaire l'existence est une évidence première et intuitive reliée à la

---

20. *Ibid.*, p. 365.
21. *Ibid.*, lettre XX, p. 374.
22. Voir *ibid.*, lettre XXI, p. 376.
23. *Ibid.*, Sixième partie, lettre VIII, p. 698.
24. *Ibid.*, Sixième partie, lettre XIII, p. 743.
25. *Émile*, L. IV, *O.C.*, Tome IV, p. 567.

sensation : « J'existe et j'ai des sens par lesquels je suis affecté, dira-t-il. Voilà la première vérité qui me frappe, et à laquelle je suis forcé d'acquiescer[26] ». Or, cette première vérité n'est pas le résultat d'un doute qui porte sur l'existence, mais d'une interrogation qui porte sur la nature du « je ». C'est la question que pose d'abord le Vicaire : « qui suis-je? ». Question aussitôt suivie par une autre : « Quel droit ai-je de juger les choses, et qu'est-ce qui détermine mes jugements?[27] ». L'interrogation du Vicaire porte donc sur la nature du « je » et sur la valeur de ses jugements dont il va continuer de douter. Mais très vite, il va délaisser ce type de spéculation qu'il laisse aux disputes des philosophes, pour se préoccuper davantage des choses pratiques et utiles pour la bonne conduite de la vie. Le Vicaire veut vraiment savoir ce qui le détermine à agir, car il se perçoit comme « un pilote inexpérimenté qui méconnaît sa route et qui ne sait ni d'où il vient, ni où il va[28] ». Il cherche « la règle de ses devoirs[29] ». Il entend limiter ses recherches à ce qui lui importe de savoir pour l'action immédiate, à ce qui lui est « utile pour la pratique[30] ». La pratique, pour le Vicaire, c'est l'action morale, bonne et juste, mais qui a besoin d'un guide. Ce guide sera la « lumière intérieure » ou la « voix de l'âme », c'est-à-dire la conscience morale, juge du bien et du mal.

C'est précisément sur ce thème particulier de la conscience que l'éthique du Vicaire, tout en reprenant l'essentiel des *Lettres* V et VI à Sophie, poursuit et approfondit cette morale de la sagesse, du devoir et de la responsabilité dont *La Nouvelle Héloïse* avait déjà indiqué l'orientation. L'éthique du Vicaire nous permet donc de vérifier à nouveau la cohérence de la pensée de Rousseau, au sujet de la morale de la sagesse et de la responsabilité, à travers la signification qu'il a donné à cette conscience.

Rappelons d'abord ce passage bien connu par lequel Rousseau nous la décrit : « Conscience, conscience! instinct divin, immortelle et céleste voix, guide assuré d'un être ignorant et borné, mais intelligent et libre; juge infaillible du bien et du mal, qui rends l'homme semblable à Dieu; c'est toi qui fais l'excellence de sa nature et la moralité de ses actions; sans toi je ne sens rien en moi qui m'élève au-dessus des bêtes,

---

26. *Ibid.*, p. 570.
27. *Ibid.*, p. 570.
28. *Ibid.*, p. 567.
29. *Ibidem.*
30. *Ibid.*, p. 570.

que le triste privilège de m'égarer d'erreurs en erreurs à l'aide d'un
entendement sans règle et d'une raison sans principe[31] ». Quelle est
donc la nature de cette conscience qui fait l'excellence de l'homme et
qui donne la moralité à ses actions? C'est ici que le dualisme invoqué
par le Vicaire, dans sa réponse à la question « qui suis-je? », prend tout
son sens et servira à fonder le troisième article de foi du Vicaire :
« L'homme est donc libre dans ses actions[32] ». C'est que pour Rousseau, la conscience n'a de signification qu'à l'intérieur d'une vision
partagée de l'homme qui donnera également sens à sa liberté et à sa
responsabilité. Elle manifeste en celà l'être profond de l'homme, être
fait de « contradictions », selon Rousseau, c'est-à-dire un être fondamentalement dualiste. Or, c'est à travers et par ces contradictions que
la conscience surgit et fait entendre sa voix, une voix qui est celle de
la nature, de la justice et du bien. C'est également « la voix de l'âme[33] »
et de l'innocence première qui a de la difficulté à se faire entendre une
fois l'amour propre et l'éducation positive développés. C'est pourquoi
elle aura besoin des conditions propices pour se manifester, c'est-à-dire,
comme le précise la sixième *Lettre à Sophie*, de la solitude, du
recueillement, de l'effort pour rentrer en soi-même et de l'identification
à la nature.

Malgré les obstacles qu'elle rencontre, la conscience ne saurait
être étouffée puisqu'elle est la voix, le commandement et le jugement
de la nature. Mais en quoi consiste ce jugement puisque Rousseau a
déjà dit que « les actes de la conscience ne sont pas de jugements, mais
des sentiments[34] »? Le jugement, au sens premier du terme, selon
Rousseau, est un acte de l'entendement qui effectue des comparaisons
et suppose par conséquent le développement des facultés. Or, la
conscience morale est antérieure au jugement de l'entendement et relève
davantage des sentiments que de la raison. Elle est le guide intérieur et
premier de l'entendement et de la raison auxquels elle fournit la règle
et le principe : « sans toi, dit le Vicaire, je ne sens rien en moi qui
m'élève au-dessus des bêtes, que le triste privilège de m'égarer
d'erreurs en erreurs à l'aide d'un entendement sans règle, et d'une
raison sans principe[35] ».

---

31. *Émile, O.C.,*, Tome IV, pp. 600-601.
32. *Ibid.*, pp. 586-587.
33. *Ibid.*, p. 594.
34. *Ibid.*, p. 599.
35. *Ibid.*, p. 601.

Le jugement de la conscience est une saisie immédiate du bien et du mal, du juste et de l'injuste. Dans la cinquième *Lettre à Sophie*, Rousseau désigne cet acte comme « la règle involontaire[36] ». Et le Vicaire le compare à une sorte d'instinct de l'âme. C'est en ce sens qu'il dira qu'elle « ne trompe jamais, (qu')elle est à l'âme ce que l'instinct est au corps[37] ». Mais l'éthique du Vicaire, bien qu'elle repose essentiellement sur la bonne foi et l'obéissance à la voix intérieure de la conscience, franchit la sphère de la volonté, de l'entendement et de la liberté. Elle devient alors véritablement une morale de l'intention, du vouloir et par conséquent de la responsabilité qui suppose non seulement l'amour du bien, comme l'y incline la conscience, mais aussi la connaissance du bien par la raison. C'est à ce degré que la conscience morale produit le bien moral avec sa conséquence attendue qui est le bonheur et le contentement de soi.

Voilà pourquoi, dira le Vicaire, « le mal moral est incontestablement notre ouvrage[38] ». Il faut ajouter, du reste, que pour lui le mal n'a qu'une dimension morale et n'a qu'un auteur qui est l'homme, parce que le mal général n'existe pas. À la manière de Leibniz, le Vicaire ne voit que bien et ordre dans le système du monde. Aussi le mal n'a-t-il qu'une dimension restreinte, relative à l'action libre de l'homme et à l'abus de ses facultés. Si la liberté et l'entendement peuvent produire le mal, ils peuvent aussi produire le bien en combattant les passions, l'intérêt égoïste de la raison et en choisissant librement le bien et la justice. C'est à ce prix que l'homme pourra se rendre digne du bonheur. Par cette orientation, la moralité du Vicaire s'inscrit résolument dans l'éthique de la responsabilité et de la pratique de la vertu qui seules peuvent procurer le bonheur le plus sublime. « Si l'esprit de l'homme fut resté libre et pur, quel mérite aurait-il d'aimer et suivre l'ordre qu'il verrait établi et qu'il n'aurait nul intérêt à troubler? Il serait heureux, il est vrai; mais il manquerait à son bonheur le degré le plus sublime, la gloire de la vertu et le bon témoignage de soi [...] C'est alors que le bon usage de sa liberté devient à la fois le mérite et la récompense, et qu'elle prépare un bonheur inaltérable en combattant ses passions terrestres et se maintenant dans sa première volonté[39] ».

L'eudémonie, dont parle le Vicaire, n'est évidemment pas parfaite, puisqu'elle est liée à la condition dualiste de l'homme et sujette à ses contradictions, ce qui n'empêche pourtant pas le bon Vicaire de

---

36. *Ibid.*, p. 1108.
37. *Ibid.*, p. 595.
38. *Ibid.*, p. 587.
39. *Ibid.*, p. 603.

rêver au moment où les contradictions de son être seront levées et qu'il pourra jouir d'une félicité parfaite. Dans un élan qui rappelle certains passage du *Phédon*, il dira : « J'aspire au moment où, délivré des entraves du corps je serai *moi* sans contradiction, sans partage, et n'aurai besoin que de moi pour être heureux[40] ».

C'est ici que la réflexion morale du Vicaire débouche sur son interrogation religieuse et que l'imperfection de la vie morale qu'il constate l'invite à la méditation sur la cause de l'ordre universel. Or, cette méditation ne diminue en rien l'importance de la responsabilité morale. Bien au contraire, elle a pour effet de rendre à la moralité sa dimension la plus complète qui la fait relever à la fois de la conscience, de la raison et de la liberté. « Ne m'a-t-il pas donné (l'Auteur de la Nature), conclut le Vicaire de sa longue réflexion, la conscience pour aimer le bien, la raison pour le connaître, la liberté pour le choisir[41] ». Phrase qui avait été utilisée telle quelle par St-Preux dans la dernière partie de *La Nouvelle Héloïse*[42].

Guy Lafrance
Université d'Ottawa

---

40. *Ibid.*, pp. 604-605.
41. *Ibid.*, p. 605.
42. *Op. cit.*, p. 683.

IV

FICTIONS ÉPISTOLAIRES
EPISTOLARY PASSAGES

Levels of Eloquence in *La Nouvelle Héloïse*

L'intérieur et l'extérieur : étude des
lettres parisiennes dans *La Nouvelle Héloïse*

La circulation des lettres dans le roman,
ou le partage des pouvoirs

Diderot's *Éloge de Richardson* and
Rousseau's *Julie ou La Nouvelle Héloïse*

Claiming the Patent on Autobiographical Fiction

LEVELS OF ELOQUENCE IN

LA NOUVELLE HÉLOÏSE

In *Rousseau et l'art du roman*, Jean-Louis Lecercle states that the style of *La Nouvelle Héloïse* is constantly oratorical, and attributes Rousseau's eloquence to the characters' persistent attempts to impose their will on each other. "Ce roman est constamment éloquent parce que ce sont des lettres, et qui n'ont pas pour fonction d'entretenir des relations mondaines, mais de convaincre autrui et d'agir sur sa conduite."[1] The critic also proposes that, although an oratorical tone predominates, it is not always at the same intensity. He indicates that political themes lead to the creation of an "éloquence républicaine," while such emotional questions as declarations of love, torments of conscience, and lyrical invocations of friendship forge an "éloquence sentimentale."[2] In actuality, however, three distinct levels of eloquence occur in Rousseau's epistolary romance — simple, middle, and sublime. These integral features of his technique as a novelist become readily apparent when compared to the rhetorical principles exposed in Rollin's *Traité des études*. Rousseau had so mastered this rhetorician's ideas that he included them as important features in his educational treatise *Mémoire à M. De Mably,* where he states his acceptance of Rollin's advice that young students be excused from the torturous experience of writing Latin themes. In addition, he desires to substitute "le Quintilien abrégé de M. Rollin" for a formal course in rhetoric and expects his charge to learn the *abrégé's* principles by heart, as well as the lessons contained in the *Traité des études.*[3]

According to Rollin, the simple style suits a statement of fact and any intellectual attempt to convince. Its main characteristics are clarity,

---

1. Jean-Louis Lecercle, *Rousseau et l'art du roman*, (Paris: Librairie Armand Colin, 1969), p. 231.
2. Lecercle, pp. 245-6.
3. *Œuvres complètes de Jean-Jacques Rousseau*, Bibliothèque de la Pléiade (Paris: Éditions Gallimard, 1969), IV, pp. 28-29. Charles Rollin (1661-1741) held the chair of eloquence at the Collège de France and was also rector of the University of Paris. He was author of the famous treatise *Traité des études* (1726).

simplicity, and precision. "On n'y voit point de ces figures étudiées qui montrent l'art à découvert, et qui semblent annoncer que l'orateur cherche à plaire."[4] Letters written in the simple style of eloquence occur in chronological, orderly, and plain statements throughout Rousseau's novel and reflect the characteristics outlined in Rollin's commentary. When St. Preux informs Julie of Milord Édouard's visit, he summarizes their conversation in plain expository prose. "Bientôt je vis avec plaisir que les tableaux et les monuments ne lui avaient point fait négliger l'étude des mœurs et des hommes. Il me parla cependant des beaux arts avec beaucoup de discernement, mais modérément et sans prétention."[5] The same narrative procedure occurs when Claire announces that a quarrel has erupted between M. d'Étange and Milord Édouard, who had dared to propose the idea of marriage between Julie and St. Preux. "Ton père avait rejeté avec mépris cette proposition, et c'était là-dessus que les propos commençaient à s'échauffer" (168). These comments inform in direct and unembellished language; they go straight to the point and avoid any type of flowery communication.

In addition to statements of fact, simple eloquence appropriately expresses persuasion, debates, and refutations. When Julie wants Claire to live with her on a permanent basis at Clarens, she develops a well organized plan. She bases her first point on a comparison dealing with their earlier intentions. As younger people, they always regretted parting from each other. "Combien de fois, forcées de nous séparer pour peu de jours et même pour peu d'heures, nous disions en nous embrassant tristement: Ah! si jamais nous disposons de nous, on ne nous verra plus séparées?" The reality of their present situation contradicts their original intention. "Nous en disposons maintenant, et nous passons la moitié de l'année éloignées l'une de l'autre" (398). Julie continues to develop her argument by accentuating how old age gradually stifles happy feelings toward close attachments without ever replacing these inner emotions and consequently injects death into life before one has actually died. She and her cousin, however, must resist this aspect of the human condition. "Quand le froid commence aux

---

4. Rollin, *Traité des études*, vol. 1 (Paris: Librairie de Firmin Didot Frères, 1845 [1732-1733]), p. 398. All further references to this volume will be indicated by page numbers in parentheses immediately following the quotation.

5. *Œuvres complètes de Jean-Jacques Rousseau*, Bibliothèque de la Pléiade (Paris: Éditions Gallimard, 1959) II, p. 125. All further references from this volume will be indicated by page numbers in parentheses immediately following the quotation.

extrémités, il (un cœur sensible) rassemble autour de lui toute sa chaleur naturelle; plus il perd, plus il s'attache à ce qui lui reste; et il tient, pour ainsi dire, au dernier objet par les liens de tous les autres" (399). Julie's arguments represent a simple attempt to persuade Claire. Even in her final thought concerning a sensitive heart, she is more analytic than emotional. This tendency to influence the will of another in a shrewdly considered manner also assumes moralistic overtones as characters, particularly Julie, sermonize on important decisions in life. After St. Preux's seduction in a brothel, Julie indicates that his bad company led him astray and then further explains her comments. "Les grossières amorces du vice ne pouvaient d'abord vous séduire, mais la mauvaise compagnie a commencé par abuser votre raison pour corrompre votre vertu, et fait déjà sur vos mœurs le premier essai de ses maximes" (298).

The main distinguishing feature of simple eloquence is the ease with which it can be understood. The greatest degree of clarity occurs when direct requests or orders are given. In I, 27, Claire calls for St. Preux to return from his exile at Meillerie after Julie falls dangerously ill. "Venez donc, sans différer. J'ai pris ce bateau exprès pour vous porter cette lettre; il est à vos ordres, servez-vous-en pour votre retour, et surtout ne perdez pas un moment" (94). In addition to directness, clarity takes the form of analysis. Emotions are dissected in the same manner as physical matter in order to arrive at perspicacity. Wolmar marries Julie and explains the beginning stage of his attachment for her. "Voyant dans une vie plus d'à moitié écoulée qu'un seul goût s'était fait sentir à moi, je jugeai qu'il serait durable et je me plus à lui conserver le reste de mes jours" (494). The striving for precision, clarity and directness, as well as minimal use of rhetorical figures and ornamental language, also produces an informative form of expression that is appropriate for didactic intentions. In the letter on music, St. Preux not only explains why Milord Édouard's musician has a prejudice against harmony but also outlines why simple melody is preferable. "C'est de la seule mélodie que sort cette puissance invincible des accents passionnés; c'est d'elle que dérive tout le pouvoir de la musique sur l'âme; formez les plus savantes successions d'accords sans mélange de mélodie, vous serez ennuyés au bout d'un quart d'heure" (132). The letters on Parisian manners and customs (II, 7), the theater and opera in the French capital (II, 23), the art of portraiture (II, 25), the long letter on domestic economy (IV, 10), the style of life at Clarens (V, 2), education (V, 3), wine harvesting in the countryside (V, 7), and the

Genevan personality (VI, 5) all represent examples of didactic missives in which the author communicates personal views and propensities, as well as dislikes and prejudice.

In his treatise, Rollin also underscores the nature of sublime eloquence. "Il y a un autre genre d'écrire, tout différent du premier; noble, riche, abondant, magnifique: c'est ce qu'on appelle le grand, le sublime" (398). This form of writing utilizes noble thoughts, rich expressions, and animated movement. "Le sublime, le merveilleux, est ce qui fait la grande et véritable éloquence" (407). This level of communication arouses more than just pleasure or adherence to the orator's will. "Le genre sublime produit en nous une certaine admiration mêlée d'étonnement et de surprise, qui est toute autre chose que de plaire seulement ou de persuader" (409). The sublime gives to the discourse "une vigueur noble, une force invincible, qui enlève l'âme" (409). A tone of majesty and grandeur, lively and animated expressions, and forceful vehemence overwhelm and conquer the listener.

In *La Nouvelle Héloïse*, love represents the principle leitmotif that produces the powerful effects referred to by Rollin. Love becomes a driving force that fuses two beings into a collective existence. During St. Preux's first separation from Julie, he refers to his departure as though he were leaving his own being. "Chaque pas qui m'éloignait de vous séparait mon corps de mon âme et me donnait un sentiment anticipé de la mort" (68). His steady flow of powerful emotions acts as a magnet that directs all of his mental and emotional energy toward his state of soul and permits him to lose consciousness of the limitations of distance. "À peine avais-je assez de présence d'esprit pour suivre et demander mon chemin, et je suis arrivé à Sion sans être parti de Vevai" (69). Nevertheless, St. Preux finds a way to bypass the hardships he endures. Instead of envisioning Julie as the woman he is surrendering, he imaginatively views her as the woman he wills to embrace. This mental orientation allows him to create a pleasurable condition in which he gives full vent to his desires, overcomes the obstacles of distance, and takes possession of Julie. "Tout ce qu'il y a de vivant en moi demeure auprès de vous sans cesse" (69). His soul, his inner spirit, impregnates her very being. "Il erre impunément sur vos yeux, sur vos lèvres, sur votre sein, sur tous vos charmes; il pénètre partout comme une vapeur subtile" (69). St. Preux essentially achieves the intimate union he desires in a substitute universe and offers full assent to this new world of fulfillment. "Je suis plus heureux en dépit de vous, que je ne fus jamais de votre gré" (7).

The power of St. Preux's love and the depth of his commitment arouse feelings of admiration. However, many letters communicating an intense emotional impact do not necessarily cause this feeling. In these instances, Rousseau often uses pathos as though it were a form of the sublime, while still remaining consistent with classical theory. In Boileau's treatise, Longinus' examples of the elderly Horace's statement — "Qu'il mourût" — or of the inspired words of Genesis — "Dieu dit: que la lumière se fasse, et la lumière se fit" — reflects the traditional view of the sublime as "une certaine élévation d'esprit, qui nous fait penser heureusement les choses." However, Longinus also states that pathos is a second acceptable source of the sublime. "La seconde consiste dans le *pathétique*. J'entends par *pathétique* cet enthousiasme et cette véhémence naturelle qui touche et qui émeut."[6] The rhetorician Crevier, interestingly, speaks of a "style grand et élevé," which includes "le pathétique" and "le sublime." He views both pathos and sublimity as a heated, vehement, and emotional style that expresses passion and excites it. "Le pathétique, que l'on peut appeler style chaud, véhément, passionné, exprime la passion, et l'excite. Le propre du sublime est d'exciter l'admiration."[7]

St. Preux's missive to Julie in II, 1 represents a classical example of sublime pathos. The desired union with the woman he loves in a valid marriage becomes an impossible goal; his lower social status remains the primary impediment to the fulfillment of his aspirations; he pours out his frustration and disillusionment as he travels away from her into exile. His voyage becomes the journey of a disconsolate lover who laments the despair in his life and the loss of individual happiness. The intensely personal discourse has no other objective but the expression of his anguish. The lyrical theme of lost happiness introduces St. Preux's lament. "Ah malheureux! que suis-je devenu? Il n'est donc plus ce temps où mille sentiments délicieux coulaient de ma plume." Love becomes a source of alienation that not only affects the young hero's ability to express himself freely to the woman he adores but also changes the very nature of their inner being. "Nous ne sommes plus l'un à

---

6. Boileau, "Traité du sublime ou du merveilleux dans le discours traduit du grec de Longin," *Œuvres complètes de N. Boileau* (Paris: Librairie Garnier Frères, n.d.), pp. 257, 262.
7. Jean Baptiste Louis Crevier, *Rhétorique française* (Paris: Saillant et Desaint, 1765) II, p. 305. Found in *British and Continental Rhetoric and Elocution* (Anne Arbor: University Microfilms, 1976), Reel 11.

l'autre, nous ne sommes plus les mêmes, et je ne sais plus à qui j'écris."
His present doubt, indecision, and estrangement eclipse the earlier state
of well-being. "Quelle différence, ô Ciel, de ces jours si charmants et
si doux à mon effroyable misère!" (189). Thoughts of death alone
provide him with consolation as he recalls his former days of bliss. "Ô
rochers de Meillerie que mon œil égaré mesura tant de fois, que ne
servites-vous mon désespoir! J'aurais moins regretté la vie, quand je
n'en avais pas senti le prix" (191). In the final analysis, never having
loved Julie would be preferable to having possessed her and then lost
her. "Il valait mieux ne jamais goûter la félicité, que la goûter et la
perdre" (190).[8]

The conflict between aspirations for a spiritual form of happiness
and the real conditions of a perishable human being not only account
for the many passages that contain chants of desire and the satisfaction
of passion but also explain the melancholy, anguish, preoccupation,
restlessness, fear of being forgotten, the anguish of failure, and the
thirst for death that occur particularly in Books One and Two. Rollin
summarizes the potency of sublimity and, in so doing, seems to describe
the effect of Rousseau's elevated style. "Celui-ci remue, agite, élève
l'âme au-dessus d'elle-même, et fait d'abord sur les lecteurs ou sur les
auditeurs une impression à laquelle il est difficile ... de résister, et dont
le souvenir dure et ne s'efface qu'avec peine" (410). Rollin compares
it to a simple form of elegance. "En un mot, l'un plaît et flatte, l'autre
ravit et transporte" (410). The sublime reflects a mind in possession of
generous feelings, unflinching ideals in the face of suffering, and noble
pride; it results from the loftiness, grandeur, or heroism of the speaker's
thoughts; it arouses such powerful emotions as admiration, awe, or
pity. "Cette élévation d'esprit et de style doit être l'image et l'effet de
la grandeur d'âme" (411).

According to Rollin, the third type of style, which occupies a
middle ground between simple and sublime eloquence, "n'a ni la
simplicité du premier, ni la force du second ... il a plus de force et
d'abondance que le premier, mais moins d'élévation que le second"
(399). Rollin calls it "le genre orné et fleuri, parce que c'est celui où

---

8. Other examples of anguish and despair in the novel are II, 28, where Julie's
    mother discovers the young couple's letters to each other; III, 5, where Julie
    announces her mother's death to St. Preux; III, 15, where Julie agrees to become
    St. Preux's lover and live as an adulteress; and III, 6, where, referring to Julie,
    St. Preux states: "L'amour vainqueur fit le malheur de sa vie; l'amour vaincu ne
    la rendra que plus à plaindre" (318).

l'éloquence étale ce qu'elle a de plus beau et de plus brillant" (415). The orator seeks not only to express clearly personal ideas but also to persuade and emotionally to move an audience. Since he appeals to both the intellect and human sensitivity, he must take logic and imagination into consideration. Pleasure essentially aids persuasion, inclining listeners to accept what is attractive as true. "Il ne suffit donc pas que le discours soit clair et intelligible, ni qu'il soit plein de raisons et de pensées solides. L'éloquence ajoute à cette clarté et à cette solidité certain agrément, certain éclat; et c'est ce qu'on appelle ornement" (416). Thus, the middle style simultaneously exposes solid truths and proofs while allowing the presence of beauty, delicacy, embellishment, and creativity; it represents a mixture of the simple and the sublime, occurring essentially when emotional outbursts combine with instructive and didactic intentions to produce a type of discourse that Rollin labels a "genre tempéré" (415).

In I, 12, St. Preux outlines his plan of studies for Julie and exposes his pedagogical ideas; before doing so, however, he renews his complete subjection to her will and pledges unfailing fidelity. "Pour moi qui ne puis ni vous oublier un instant, ni penser à vous sans des transports qu'il faut vaincre, je vais m'occuper uniquement des soins que vous m'avez imposés" (56-7). In I, 23, when St. Preux describes the attractive physical features of the Valais in Switzerland, the beneficent effects of mountainous terrain on human sensitivity, and the pleasing manners and customs of the inhabitants, his descriptive discourse remains for the most part illustrative of the simple eloquence that suits instructive or didactic intentions. However, the letter becomes intensely lyrical toward the end, when he reveals how he imagined Julie at his side throughout the voyage. "Je ne faisais pas un pas que nous ne le fissions ensemble. Je n'admirais pas une vue sans me hâter de vous la montrer." He finally declares how idyllic their life would be together in this charming region. "Que ne puis-je couler mes jours avec toi dans ces lieux ignorés, heureux de notre bonheur et non du regard des hommes!" (83).

In I, 37, Julie narrates that her parents have left the household and thereby make it possible for her rendez-vous with St. Preux at the chalet. She complements this factual information with her regrets of lost innocence. "Hélas! qu'est devenu ce temps heureux où je menais incessamment sous leurs yeux une vie innocente et sage, où je n'étais bien que contre leur sein, et ne pouvais les quitter d'un seul pas sans déplaisir? Maintenant coupable et craintive, je tremble en pensant à eux" (114). In I, 60, St. Preux recounts how Milord Édouard's apologies end their dispute and make their duel unnecessary. He becomes lyrical upon seeing the letter that Julie had written to the English Lord on his behalf. "Quels mouvements j'ai senti à sa lecture! Je voyais une amante incomparable vouloir se perdre pour me sauver" (164). In I, 65, Claire narrates the scene of St. Preux's constrained departure for Paris. The account, however, is interspersed with high moments of emotion. "Un voile sombre de tristesse et de consternation a couvert son visage: son œil morne et sa contenance effacée annonçaient l'abattement de son cœur" (184).

When St. Preux and Julie undertake the journey to Meillerie in V, 17, he oratorically points out all the impressive features of the panorama as they cross Lake Geneva. However, the actual visit to the spot emotionally awakens bygone memories of his former exile at the same location and rekindles his former passion. "Fille trop constamment aimée, ô toi pour qui j'étais né! Faut-il me retrouver avec toi dans les mêmes lieux, et regretter le temps que j'y passais à gémir de ton absence?" (519). During the return to Clarens, the movement over the water and the happy sounds of nature's creatures provide a foil to St. Preux's melancholic state of soul. "Le bruit égal et mesuré des rames m'excitait à rêver. Le chant assez gai des bécassines, me retraçant les plaisirs d'un autre âge, au lieu de m'égayer m'attristait. Peu à peu je sentis augmenter la mélancholie dont j'étais accablé." The charming aspects of the physical setting fail to transform his frame of mind. "Un ciel serein, les doux rayons de la lune, le frémissement argenté dont l'eau brillait autour de nous, le concours des plus agréables sensations, la présense même de cet objet chéri, rien ne pût détourner de mon cœur mille réflexions douloureuses" (520).

The middle style, which lies somewhere between the simple and sublime, utilizes the features of both and thereby represents a third level of eloquence. It may be viewed as the passage from the simple to the sublime or vice versa in the same letter. Intellectual examination, didactic instruction, statements of fact, persuasive intent, and refutations deintensify the personal nature of a missive or else receive the elevating influence of an emotional and lyrical content. Rollin uses metaphors to differentiate between the three types of elegance. He describes the simple style in terms of a meal. "Il en est de ce genre d'écrire comme de ces tables servies proprement et simplement, dont tous les mets sont d'un goût excellent, mais d'où l'on bannit tout raffinement, toute délicatesse étudiée, tout ragoût recherché" (398).

The high style is compared to an impetuous and roaring river. "C'est elle qui tonne, qui foudroie, et qui, semblable à un fleuve rapide et impétueux, entraîne et renverse tout ce qui lui résiste" (399). The middle style also resembles a river but one that flows less savagely. "Il coule doucement néanmoins, semblable à une belle rivière dont l'eau est claire et pure, et que de vertes forêts ombragent des deux côtés" (399).

In *La Nouvelle Héloïse*, Rousseau's ability to move from one level of style to another becomes evident as the subject matter of each letter changes from logical reasoning to more emotional communication. This subtle fluidity remains a constant principle of his artistic technique. Lecercle claims that the principle of Rousseau's eloquence is his use of contrast.[9] Although this procedure stands as an important influence on his writing, the real, underlying explanation of his eloquence is the ability to utilize all the resources necessary to create three different levels of style and then to facilitate a delicate and refined shifting between them as circumstances warrant.

Santo L. Arico
University of Mississippi

---

9. "Le principe de cette éloquence est le contraste." Lecercle, p. 232.

L'INTÉRIEUR ET L'EXTÉRIEUR :

ÉTUDE DES LETTRES PARISIENNES

DANS *LA NOUVELLE HÉLOÏSE*

La recherche d'une retraite, d'un lieu clos, protégé et indépendant du monde, fournit un des motifs dominants de *La Nouvelle Héloïse*. Dans les deux premières parties du roman, les « asiles » amoureux comme le bosquet ne sont qu'éphémères et les retraites du Valais et du domaine d'York se révèlent utopiques. Cette difficulté à trouver un lieu propre à préserver l'intimité de Saint-Preux et Julie prend une acuité particulière dans la seconde partie, lorsque Saint-Preux est envoyé à Paris se faire une place dans la société. Les valeurs sociales du monde parisien, associées aux apparences, à l'inauthenticité, à l'aliénation, s'opposent directement aux besoins nés de la relation amoureuse : le primat du cœur, le rassemblement intérieur, l'élévation vers le bien moral. Dans les lettres échangées entre Julie et Saint-Preux lors du séjour à Paris de ce dernier (lettres 10 à 27), on examinera les manifestations de la puissance corruptrice de la grande ville, les stratégies de défense et les remèdes adoptés par les amants, et leur ultime défaite.

Remarquons d'abord que l'entrée de Saint-Preux dans le monde naît de son expulsion du domaine d'Étange, qu'il s'agit donc d'une entrée réticente, forcée. D'autre part, le séjour est approuvé par Julie elle-même, qui désire voir Saint-Preux se faire une place sociale suffisante pour surmonter le mépris du baron d'Étange. Une tension en résulte : le texte paraît s'engager dans la voie du roman d'ascension sociale, mais cette direction est immédiatement inversée, puisque pour son héros, le séjour implique une chute dans le monde loin de Julie, dans un monde dégradé par la seule absence de l'amante.

Le terme même de « monde » se définit confusément à la suite de cette double prémisse : c'est le lieu de la perte virtuelle, le *mundus immundus* où l'âme amoureuse est exilée; mais ce peut être aussi un terrain de prouesses, où Saint-Preux se fera chevalier et apôtre de la vertu incarnée par Julie : « cette immortelle image que je porte en moi me servira d'égide [...] c'est maintenant pour sa gloire que je dois vivre. Ah, que ne puis-je étonner le monde de mes vertus[1] [...] » (220). C'est encore le domaine de la division : Saint-Preux y entre à la fois amputé — Édouard dit de lui à Julie : « je ne vois pas ce qu'il seroit sans vous », (198) — et lesté par le poids de son amour qui l'ancre dès le départ en retrait — en deçà, au delà — du monde.

La lettre en « viatique » que Julie lui écrit à son départ (II, 11) renforce cette division par son ambiguïté. D'abord, elle y met elle-même en place la dichotomie qui structurera les lettres parisiennes : la division étanche entre la vertu née de l'amour et les valeurs du monde. La morale est étroitement liée à la passion : « n'abandonne jamais la vertu et n'oublie jamais ta Julie » (223); tant que le souvenir des premières amours demeurera, écrit Julie, « il n'est pas possible [...] que le charme du beau moral s'efface dans ton ame » (225). Une nette opposition est marquée entre le « divin modele » intérieur que Saint-Preux trouvera en « rentr(ant) au fond de [s]on ame » (223), et l'extériorité du « monde et de [s]es affaires ». En élaborant une stratégie de protection, Julie trace dans le même geste le cercle d'une exclusion. Elle fournit à Saint-Preux le cadre d'un monde comme dehors impératif.

Mais quel est le but de la présence de Saint-Preux à Paris? Il s'agit, sous la protection d'Édouard, de « tenter de venger le mérite oublié des rigueurs de l'infortune » (221), le seul expédient, « la seule ressource » qui restent pour compenser la basse naissance de Saint-Preux aux yeux du père de Julie, le baron d'Étange. La conduite en société ne sera pas l'exploitation de possibilités jusqu'ici réprimées, mais la répétition de l'exercice des qualités que la passion a déjà révélées dans toute leur excellence possible. Seul le père aveuglé par les préjugés exige la sanction sociale des talents « naturels » de Saint-Preux, et c'est pour satisfaire à cette demande viciée que le jeune homme s'engage dans les voies du monde. Le séjour naît donc d'un besoin factice, inauthentique car extérieur aux besoins propres de la passion.

C'est pourquoi Julie, qui souscrit à ce projet[2], en rejette néanmoins les conséquences morales, en demandant « Que serviroit-il [...]

---

1.   Les indication de pages pour toutes les citations tirées de *La Nouvelle Héloïse* renvoient au tome II des *Œuvres complètes* de J.-J. Rousseau (Paris : Gallimard, Bibliothèque de la Pléiade, 1964).

2.   « C'est sous les auspices de cet homme respectable [Edouard] que tu vas entrer dans le monde; c'est à l'appui de son crédit, c'est guidé par son expérience, que tu vas tenter de venger le mérite oublié des rigueurs de l'infortune » (221) et

de gagner au dehors pour perdre encore plus au dedans?» (225) tout en souhaitant la réussite sociale de son amant. Elle place ainsi Saint-Preux face à un dilemme, qu'elle pense résoudre par une distinction entre fin et moyen : « il te ne manquoit pour obtenir les honneurs du monde que d'y daigner prétendre, et j'espere qu'un objet plus cher à ton cœur te donnera pour eux le zele dont ils ne sont pas dignes » (222). Saint-Preux ne devrait s'engager dans l'action qu'en surface, tout en se dégageant en profondeur, ce qu'il refuse : « [...] il faudroit employer (pour réussir socialement) des moyens [...] que tu m'as interdits toi-même » (263). Il rejette radicalement la compromission suggérée par Julie et transforme son statut de « parvenu » virtuel en « philosophe » : « mon objet est de connoitre l'homme, et ma méthode de l'étudier dans ses diverses rélations [...] » (242).

Ce changement de direction ne supprime néanmoins pas le problème de l'engagement. Pendant son séjour, Saint-Preux doit faire face à une série de questions suscitées par le statut d'« observateur » qu'il a adopté. La question théorique de sociologue : comment comprendre le monde (au sens mondain) sans s'y enliser? est doublée de la question morale qui lui correspond : comment vivre au milieu de la corruption sans y tomber soi-même? Une question psychologique en découle : comment vivre l'amour à distance, et dans la grande ville? La question de l'enjeu de l'intrigue la suit : comment gagner Julie sans la perdre? On voit combien l'extériorité de Saint-Preux à l'égard du monde parisien est à la fois nécessaire et menacée, combien aussi il est peu utile de parler de la « critique sociale » dans ces lettres parisiennes sans prendre en compte les énormes distorsions créés par le point de vue de Saint-Preux. Il importe d'en suivre les mouvances, l'évolution cahotique, dont la source est à trouver dans les structures de la grande ville : le monde du désordre et des inversions ne peut qu'engendrer des perceptions troublées[3].

« Vois quelle riante perspective s'offre encore à toi; vois quels succès tu dois espérer dans une carriere où tout concourt à favoriser ton zele » (221-22).

3. Du reste, le personnage et l'éditeur lui-même prennent soin de souligner le manque d'objectivité des pages sur Paris. Dès le début, l'éditeur se félicite dans une note d'avoir conservé intacte cette série, malgré la tentation de les faire « fort différentes » : « je me dis qu'un jeune homme de vingt-quatre ans entrant dans le monde ne doit pas le voir comme le voit un homme de cinquante, à qui l'expérience n'a que trop appris à le connoître » (231). Bronislaw Baczko l'a indiqué : « [...] le propre de toutes ces descriptions (du 'monde des apparences') est leur suggestivité [...] Les situations d'aliénation donnent lieu à des descriptions riches [...] en significations psychologiques où toute la problématique de l'alié-

Saint-Preux évoque son extériorité pour justifier à la fois son manque d'action, les restrictions de son champ d'observation et le contenu de ses lettres à Julie. Après avoir mentionné que la protection d'Édouard ne lui ouvre que les milieux aristocratiques (235-36), il souligne l'opposition entre le philosophe (trop éloigné du monde) et l'homme du monde (trop engagé dans le monde)[4] pour aboutir à une troisième possibilité, elle-même une aporie : « un homme qui voudroit diviser son tems par intervalles entre le monde et la solitude, toujours agité dans sa retraite et toujours étranger dans le monde ne seroit bien nulle part » (246). Telle est la situation de Saint-Preux, mais que l'hypothèse ci-dessus ne décrit qu'obliquement : car c'est comme amant et comme roturier qu'il vit un déplacement permanent dans la zone inconfortable aux confins de « nulle part ».

Puisque la place idéale demande une impossible simultanéité, il se dispense à la fois de la tâche d'observateur exact et d'une entrée réelle dans le monde. La solution adoptée le voue à la superficialité : « Je suis réduit à m'abbaisser pour m'instruire, et ne pouvant jamais être un homme utile, à tâcher de me rendre un homme amusant[5] » (246). Il revêt le masque de l'homme du monde, sans le devenir, sans doute, mais s'enfermant dans le système des apparences (de l'extériorité) qu'il condamne lui-même. La dualité de perspective entre philosophe et homme du monde s'est elle-même effacée; sous le masque ne peut demeurer qu'une exclusion « de l'intérieur » paralysante, aveuglante.

Pour parer à cette menace, Saint-Preux fait un recueil des lettres de Julie. Ce « précieux recueil » sera un « manuel dans le monde », mais loin d'offrir des directives sur la façon d'avancer dans la société, il doit offrir les moyens d'y résister, comme « contre-poison des

nation semble être uniquement d'une déformation [...] », aboutissant à « une description phénoménologique du vécu de l'aliénation ». *Rousseau : solitude et communauté* (Paris, La Haye : Mouton, 1974) 28.

4.   « Chaque objet qui frape le philosophe, il le considere à part, et n'en pouvant discerner ni les liaisons ni les rapports avec d'autres objets qui sont hors de sa portée, il ne le voit jamais à sa place et n'en sent ni la raison ni les vrais effets. L'homme du monde voit tout et n'a le tems de penser à rien. La mobilité des objets ne lui permet que de les appercevoir et non de les observer [...] » (245-46).

5.   Se rendre utile à des hommes corrompus, est-ce se corrompre soi-même? C'est la position que semble adopter Saint-Preux. Dans *Émile*, pourtant, Rousseau ne craint pas d'obliger son élève à contribuer par le travail à une société qu'il condamne par ailleurs, car « dans la société où [l'homme] vit nécessairement aux dépens des autres, il leur doit en travail le prix de son entretien [...] Riche ou pauvre, puissant ou foible, tout citoyen oisif est un fripon », *Œuvres complètes IV* (Paris : Gallimard, Bibliothèque de la Pléiade, 1969) 470.

maximes qu'on y respire » (229). Chaque lettre de Julie intercalée parmi celles de Saint-Preux vise de fait à rectifier une direction jugée fautive prise par ce dernier, à contrecarrer ce qui est perçu comme une contamination. La correspondance fonctionne de ce point de vue en circuit fermé. L'apport de l'extérieur ne semble présent que pour la nourrir. Ainsi, au sein même du « torrent » du monde, Saint-Preux est tout entier tendu vers sa correspondante. Si bien que nous ne le voyons dans le monde qu'indirectement, qu'en position d'épistolier, c'est-à-dire dans la séparation, le recueillement qu'exige l'écriture, dans la distanciation qu'elle implique face à l'expérience.

Parallèlement, Saint-Preux espère purifier l'objet de sa correspondance — le monde de Paris — dans l'acte même de sa transcription, puisque cet acte est motivé de l'intérieur, par l'amour de Julie. De l'objet trompeur, le sujet tire une vérité elle-même garantie par la destinatrice; l'étrangeté est résorbée en devenant matière de la correspondance; l'observation extérieure de l'homme se fond dans l'intimité de la lettre d'amour : « pour avoir la force de supporter le fracas du monde où je suis contraint de vivre, il faut bien au moins que je me console à te le décrire » et « laisse-moi donc [...] m'animer au pur zele de la vérité par le tableau de la flaterie et du mensonge » (243). La correspondance sépare du monde, en distancie le sortilège : « Je passe ma journée entière dans le monde, [...] et n'appercevant rien qui te ressemble, je me recueille au milieu du bruit et converse en secret avec toi » (245). Du recueil de lettres au recueillement intérieur, le lien amoureux est continu et tisse un écran sur le monde.

Mais le mal mondain s'insinue dans l'écriture même : si les sujets sont purifiés par la destinatrice, le style porte la marque involontaire d'une corruption. Telle est du moins l'appréciation de Julie qui mesure les progrès stylistiques de la contagion du monde sur son correspondant : « il y a de la recherche et du jeu dans plusieurs de tes lettres » (238); puis : « [...] l'on prendroit ces lettres pour les sarcasmes d'un petit-maitre [...] » (298), et enfin « vous m'envoyez de Paris des colifichets de lettres où le sens et la raison sont par tout sacrifiés à un certain tour plaisant fort éloigné de votre caractère [...] » (302). Le goût de la forme, du déguisement, du style , l'emporte sur le « ton [...] simple » du sentiment (238) et la voix du « sens et de la raison ». C'est que sa position d'épistolier définit très exactement Saint-Preux comme intermédiaire entre Julie et les Parisiens, c'est-à-dire qu'il vit à une égale distance de l'objet et de la destinataire de sa correspondance, que l'étrangeté s'insinue sur les deux fronts, par leur mutuelle et nécessaire exclusion. La retraite épistolaire que Saint-Preux cherche à se ménager est prise entre deux feux : de l'extérieur, par la contagion du mal du monde qui envahit les mots; de l'intérieur, par les attaques de sa correspondante qui lui renvoie l'image de cette contagion.

La hantise de la contamination dans et par le monde va croissant. Paris est le lieu où la maladie de l'homme social se présente dans toute sa virulence; or Saint-Preux s'y enfonce au plus profond : « Enfin me voila tout-à-fait dans le torrent» s'exclame-t-il au début de la lettre 17; et il ajoute : « Je suis maintenant initié à des misteres plus secrets. J'assiste à des soupés privés où la porte est fermée à tout survenant [...] » (247). Il faut qu'à cet espace instable et obscur répondent la lumière et le libre espace du recueillement intérieur avec Julie : « [...] avec quel charme je rentre en moi-même! [...] Combien je m'applaudis d'y revoir briller dans tout son éclat l'image de la vertu, d'y contempler la tienne, ô Julie, assise sur un trône de gloire et dissipant d'un souffle tous ces prestiges! » (256). L'aura mystique de ce passage, la contemplation solitaire et dévote d'une Julie ensorceleuse, le terme d'« image » enfin montrent assez combien la vertu n'est pas pour Saint-Preux un « état de guerre », mais une retraite, un refuge, une fuite. Or cette retraite elle-même est compromise face à la pression du monde :

> Forcé de changer ainsi l'ordre de mes affections morales; forcé de donner un prix à des chimeres, et d'imposer silence à la nature et à la raison, je vois ainsi défigurer ce divin modele que je porte au dedans de moi, et qui servoit à la fois d'objet à mes desirs et de regle à mes actions, je flote de caprice en caprice [...] Confus, humilié, consterné de sentir dégrader en moi la nature de l'homme, et de me voir ravalé si bas de cette grandeur intérieure où nos cœurs enflammés s'élevoient réciproquement, je reviens le soir pénétré d'une secrette tristesse, accablé d'un dégoût mortel, et le cœur vuide et gonflé comme un balon rempli d'air » (255).

« Changer », « silence de la nature », « défigurer », « dégrader »; c'est la terminologie du *Discours sur l'origine de l'inégalité* et en particulier du passage de la préface où Rousseau évoque l'image de la statue de Glaucus[6]. Saint-Preux subit individuellement les altérations imposées à l'espèce humaine par l'avancée de la socialisation.

---

6. *Œuvres Complètes III* (Paris : Gallimard, Bibliothèque de la Pléiade, 1964) 122. Jean Starobinski commente en détail ce passage, observant : « Rester ce qu'on était; se laisser altérer par le changement : nous touchons ici à des catégories qui sont pour Rousseau l'équivalent des catégories théologiques de la perdition et du salut ». *Jean-Jacques Rousseau : la Transparence et l'obstacle* (Paris : Gallimard, 1971) 28.

Qu'on lui oppose Émile, qui représente « l'homme naturel vivant dans l'état de société » (*Émile,* 483), et pourrait être un modèle pour Saint-Preux. Tous deux font une entrée dans le monde en étrangers, à l'écart, en position d'observateurs. Mais la différence est fondamentale qui sépare le héros romanesque et le sujet du traité d'éducation : cette différence, c'est la prise de la passion sur la détermination morale de Saint-Preux. Émile arrive à Paris sous le prétexte d'y chercher une compagne, et se trouve donc libre de toute passion. D'autre part, il présente au monde une surface fortifiée dans le couple autonome qu'il forme avec son gouverneur, son législateur personnel. La moralité, l'ordre intérieur et la stabilité de Saint-Preux par contre ne dépendent pas directement d'un impératif interne, mais de l'image de l'aimée qui le médiatise : son « divin modele » sert « à la fois d'objet à [s]es desirs et de regle à [s]es actions ». La vertu est déterminée par le désir.

Que la moralité, l'ordre, la stabilité dépendent d'une image les voue à la fatalité de la distraction. Julie l'avait prévu : « hélas! Le monde et les affaires seront pour toi des distractions continuelles » (222). Si l'éparpillement l'emporte sur le rassemblement, le désordre et l'arbitraire de l'opinion sur la hiérarchie des sentiments (« l'ordre de mes affections »), c'est que la force unificatrice manquait d'élan autonome. L'efficace de l'image de Julie est équivoque : source de moralité et occasion de l'affaiblissement de cette moralité.

On observe en effet en Saint-Preux une périlleuse tension entre la dénaturation causée par les forces du monde, et la dénaturation beaucoup plus nuancée que produit l'amour comme passion exclusive, obsessive. Les forces du monde jouent en même temps, et indissociablement, contre la « nature de l'homme » et contre l'individu amoureux puisque l'homme moral qu'est Saint-Preux l'est par l'amour. Comparons à nouveau Saint-Preux « au cœur vuide et gonflé comme un balon rempli d'air » à Émile : « ce n'est pas l'affaire d'un moment de corrompre des affections saines qui n'ont receu nulle altération précédente et d'effacer des principes dérivés immédiatement des prémiéres lumiéres de la raison » (*Émile,* 661-662). Le mal du monde n'envahit l'« intérieur » de Saint-Preux que parce qu'il est déjà offert à l'envahissement; la place est déjà ouverte au prestige des apparences parce qu'elle est « altérée », comme la lettre de la conversion de Julie le démontrera[7]. La plénitude intérieure que l'amour offre dans la solitude

7. « Enfin que le caractere et l'amour du beau soit empreint par la nature au fond de mon ame, j'aurai ma regle aussi longtems qu'il ne sera point défiguré; mais

cède, s'effondre certes dans le monde parce qu'elle appartient à un ordre différent : celui de la contemplation, de l'immobilité, du retour à soi, quand l'ordre du monde est d'action, de projection, de changement. Mais c'est aussi parce que cette plénitude est elle-même née de « prestiges » : c'est une Julie « assise sur un trône de gloire » qui dissipe « d'un souffle » les prestiges du monde...

Tournons-nous maintenant vers un autre symptôme de l'affaiblissement de la force intérieure de Saint-Preux. Julie lui envoie un portrait d'elle-même, « talisman » pour combattre « le mauvais air du pays galant » (264). S'il existe en apparence une nette séparation entre la matière parisienne et les échanges à propos du portrait, la problématique de la féminité et particulièrement de la parure et de la pudeur les lie étroitement. Saint-Preux en effet reprend ces notions appliquées aux Parisiennes, dans la critique du portrait. L'amant découvre avec indignation que la corruption de la ville atteint l'image de Julie par de troublantes similitudes. Par exemple le « désordre (du) sein » (293) de Julie rappelle le « corps » « largement échancré » des Parisiennes (267); et sur les joues de Julie, « on diroit que c'est du rouge artificiel plaqué comme le carmin des femmes de ce pays » (291). Ainsi, le portrait qui devait dissiper « le mauvais air du pays galant » s'en révèle tout imprégné : l'anti-poison est empoisonné. L'épisode illustre, littéralement, la défiguration de l'image de Julie. La menace de l'invasion de l'intérieur par l'extérieur est ici mise en abyme, avec une clarté accrue parce que le portrait vient à Saint-Preux de l'extérieur pour lui renvoyer une image déjà altérée de l'intérieur : « je vois ainsi défigurer ce divin modele que je porte au dedans de moi ».

De surcroît, Saint-Preux, après avoir critiqué sévèrement les Parisiennes, annonce à leur propos : « pour peu qu'on les fréquente assidûment, pour peu qu'on les détache de cette éternelle représentation qui leur plait si fort, on les voit bientôt comme elles sont [...] » (273). Il découvre à une partie de campagne que « les grâces familières et naturelles effac(ent) insensiblement les airs apprêtés de la ville », qu'elles offrent « une société agréable et douce », que leurs rires ne sont pas « de raillerie mais de gaité, comme ceux de ta Cousine », (274);

---

comment m'assurer de conserver toujours dans sa pureté cette effigie intérieure qui n'a point parmi les êtres sensibles de modele auquel on puisse la comparer? Ne sait-on pas que les affections désordonnées corrompent le jugement ainsi que la volonté, et que la conscience s'altere et se modifie insensiblement [...] dans chaque individu selon l'inconstance et la variété des préjugés? » (358).

enfin leur charité lui fait dire : « quand ce seroit Julie, elle ne feroit pas autrement » (275). Ainsi, les Parisiennes à la campagne se mettent à ressembler à Julie, et Julie dans son portrait ressemble aux Parisiennes. Le jeu de la ressemblance est périlleux, car il invite à un processus de réversibilité. Que l'extérieur puisse s'effacer au profit de l'intérieur signifie la possibilité du contraire, à savoir que l'image de Julie subisse altération, défiguration, voire oubli.

L'épisode des prostituées qui conclut la série des lettres parisiennes sous la plume de Saint-Preux (II, 26) ne fait que pousser cette direction à son comble. Il invoque certes encore l'« honorable et chere image » de Julie, mais pour constater sa présence « dans un lieu desormais si peu digne d'(elle) » (294). Le bastion de la retraite intérieure est sur le point de s'effondrer. Saint-Preux découvre que l'espace intérieur peut se vider jusqu'à l'« ivresse » pour laisser place aux mécanismes du monde, en ne préservant de l'image [...] qu'une image. Cette dernière peut demeurer, inerte et distante, alors que le « je » est projeté dans le « torrent » des apparences « [...] le souvenir des plus vrais plaisirs de l'amour n'a pu garantir mes sens d'un piege sans appats, et d'un crime sans charmes « (294). Loin de s'être éloigné du monde, c'est au contraire au plus profond de sa corruption qu'il a abouti. Le « cabinet reculé » de la prostituée[8], c'est l'inversion, la perversion de la retraite amoureuse par excellence, le « sanctuaire » de la chambre de Julie. La retraite est devenue repaire. Le domaine jusqu'ici sacré de la volonté et de la conscience entièrement subordonnées à la volonté de Julie a été envahi. Saint-Preux n'embrassera donc de la grande ville que la séduction extérieure, dans son expression la plus dégradée.

En choisissant la sexualité[9] pour clore son traitement de l'aliénation dans les grandes villes, Rousseau prolonge et rompt à la fois la continuité thématique de son roman. En effet, il y a rupture parce que le lien exclusif qui unissait Julie à Saint-Preux est brisé. La force intérieure conférée par l'amour ne tient pas contre le monde; l'autonomie amoureuse est un leurre. Mais cet épisode, poussant à son

---

8.   « L'ivresse ne tarda pas à m'ôter le peu de connoissance qui me restoit. Je fus surpris, en revenant à moi, de me trouver dans un cabinet reculé, entre les bras d'une de ces créatures [...] » (297).

9.   Puisque Saint-Preux ne cherche pas activement à pénétrer les classes supérieures à la sienne, il est protégé de la corruption par l'argent ou le pouvoir telle que la subit Gil Blas, ou de la corruption sexuelle motivée par l'ambition qui atteint Jacob dans *Le Paysan parvenu.*

paroxysme la dénonciation des apparences, n'est qu'un moment de la dialectique du roman : Saint-Preux se présente comme étranger à son aventure, déjà ailleurs. Le point le plus profond de sa chute dans l'aliénation est aussi le moment de son réveil.

La réponse de Julie au « récit affreux » de cet épisode (II, 27) entreprend de déconstruire, pour la recentrer, toute l'expérience mondaine de Saint-Preux. Julie reproche à ce dernier d'avoir joué le jeu du monde : « ce vernis extérieur et changeant qui devoit à peine fraper vos yeux, fait le fond de toutes vos remarques [...] » (298); la critique des apparences serait vouée par nature à l'extériorité, par contagion. L'erreur de Saint-Preux est de s'être confiné aux cercles aristocratiques, ceux-là même où la maladie du paraître est la plus extrême. Il s'est ainsi limité à la superficialité d'un milieu qui ne représente qu'une infime fraction du monde. La fréquentation d'autres classes (la bourgeoisie, le peuple), d'autres êtres (les philosophes authentiques, les femmes) lui eût permis de découvrir les « ressorts éternels du cœur humain, le jeu secret et durable des passions » (298). On obtient donc ici un croisement de perspectives : Saint-Preux, qui a vécu l'expérience parisienne de l'intérieur — relativement à Julie — n'y a vu qu'apparences et s'est laissé envahir par elles; Julie, d'une perspective extérieure à ce monde, en perce l'extériorité pour y deviner une « secrète » humanité.

Selon Julie, seule une classe restreinte subit réellement la corruption que Saint-Preux dénonçait comme généralisée. Car il existerait des types ou catégories échappant partiellement, en société, à la dénaturation : les femmes, les « sages », les « honnêtes bourgeois », le peuple. Julie réhabilite la société, réconcilie l'être et le paraître, et rejette la critique des apparences dans un domaine social étroitement circonscrit.

Saint-Preux se serait en quelque sorte déclassé parmi les amis d'Édouard, et aurait perdu accès à l'homme. Est-ce à dire qu'il avait tout à perdre en s'élevant, tout à gagner en s'abaissant ou demeurant dans sa classe? Il faut bien en revenir à la situation romanesque, et rappeler que Saint-Preux est en dernière instance à Paris pour acquérir un prestige social aux yeux du père de Julie. S'il ne peut être à Julie, c'est bien parce qu'il n'est qu'« un quidam sans azile » (169) « sans nom et sans état ». Le discours social de Julie élimine commodément la raison première de la présence de son amant, et inscrit les marques de l'humanité précisément là où elles n'étaient pas viables pour Saint-Preux : dans la bourgeoisie ou le peuple. Saint-Preux a cru échapper à la définition sociale de la valeur en soulignant la vanité d'une telle définition dans la classe la plus disposée à y croire. En dernière analyse, sa position est plus conséquente que celle de Julie. En limitant ses observations au cercle de l'aristocratie, en exhibant la vacuité de ses membres, il anéantit de fait tout le discours social d'une Julie faisant partie de cette classe. Car Julie, soumise à la volonté de son père, souscrit *nolens volens* aux valeurs du baron. Or les valeurs du père rejoignent celles des vains aristocrates de Paris. La position de Julie est de fait susceptible d'être retournée en pur verbiage, «babil», sophisme.

On a vu que d'une part, la motivation du séjour parisien de Saint-Preux est extérieure aux besoins internes de la relation des amants, et que d'autre part la vertu de Saint-Preux est trop dépendante de l'image de Julie pour préserver sa stabilité. La difficulté de la position du héros dans la société — le paradoxe de l'engagement désengagé — s'ajoute à la confusion progressive de l'image de Julie avec les objets contaminés du monde pour mener Saint-Preux chez une prostituée, c'est-à-dire au cœur de la corruption.

Puisqu'à Paris les objets les plus propres au recueillement inté-rieur — les lettres, l'image de Julie — sont eux-mêmes touchés par l'ambiguïté des apparences, puisqu'aussi l'intégration sociale, même dans la position d'observateur, ne peut être accomplie qu'en faisant le jeu des valeurs condamnées par la passion, une autre direction doit être prise : ce sera la retraite de Clarens, communauté entièrement organisée en opposition à Paris, dont la tâche sera de faire correspondre l'intérieur à l'extérieur, et où Saint-Preux pourra dire : « la paix est au fond de mon ame comme dans le séjour que j'habite » (527).

Laurence Mall
Swarthmore College

LA CIRCULATION DES LETTRES

DANS LE ROMAN

OU LE PARTAGE DES POUVOIRS

[...] reçois tout ce que tu donnes, *il n'y a* que ça, il n'y a qu'à recevoir (c'est pourquoi une théorie de la réception est aussi nécessaire qu'impossible).
Jacques Derrida

Dans *La Nouvelle Héloïse,* la circulation des lettres, c'est-à-dire la relation qui s'établit entre l'écriture et les lectures[1], détermine un partage des pouvoirs entre les personnages, de telle façon qu'il n'est pas possible de construire une hiérarchie, malgré la force d'attraction exercée par l'énigmatique Julie.

Écrire et lire sont deux activités complémentaires, mais elles ne se présentent jamais comme symétriques. Même quand on peut penser qu'une lettre ne s'adresse qu'à un seul personnage, nous vérifierons qu'elle se destine virtuellement à être lue dans une autre perspective et selon d'autres critères. La lecture déconstruit l'écriture et démontre qu'un texte dépend de l'intelligence et des sentiments de ses lecteurs.

La circulation des lettres dans ce roman connaît alors des détours inattendus, des interceptions topiques et des suppressions mystérieuses qui constituent un système flottant et dynamique, fondé sur une économie de l'échange où donner et recevoir se présentent comme une alternative à l'économie mercantile. Si nous analysons le roman de ce point de vue, nous verrons s'effacer le régime contractuel des trois dernières parties, tel que Paul de Man l'a analysé[2], pour voir apparaître un système qui se remet continuellement en cause.

---

1. Sur le problème de l'écriture et de la lecture, voir Jacques Derrida, *De la grammatologie,* Paris, 1967; Paul de Man, *Allégories de la lecture,* Paris, 1989; R. J. Howells, « Désir et distance dans *La Nouvelle Héloïse* », *Studies on Voltaire and the Eighteenth Century,* 230, 1985, et « Rousseau, *La Nouvelle Héloïse* and the Power of Writing », *Degré Second,* 1985; Christie V. McDonald, *The Dialogue of Writing,* Waterloo, 1984.
2. Paul de Man, *Allégories de la lecture,* p. 240-252.

La mise en scène du roman

Le problème de l'écriture et de la lecture s'inscrit dès le premier moment dans les préfaces et se prolonge, avec quelques distorsions, dans les notes. L'alternance, étudiée par Paul de Man, entre l'Auteur (celui qui a écrit un Tableau) et l'Éditeur (celui qui a lu pour donner à lire[3]) marque le régime de ce roman qui, dans les Préfaces, refuse de choisir l'une ou l'autre hypothèse. On comprend bien cette oscillation. Un auteur possède un pouvoir absolu sur son écriture, mais il ne peut pas trouver une distanciation suffisante pour la lire. Il est trop engagé. Par contre, l'éditeur détient une liberté absolue : il peut légitimer, critiquer, s'éloigner de l'écriture des autres. Dans les notes, Rousseau n'abandonne pas facilement son rôle d'Éditeur, ce qui lui permet d'installer quelques vérités absolues (les moments où il légitime les affirmations de ses personnages) dans un univers flottant. Le rôle de l'Éditeur est mené jusqu'aux dernières conséquences (même Julie est l'objet d'une note ironique), quoique nous ne puissions pas attendre une lecture « vraie » de la part de quelqu'un qui signe son nom en affirmant sa partialité (lettre IV, seconde partie, p. 231[4]).

Nous pouvons alors choisir l'une de ces trois hypothèses :

1. La correspondance est réelle — Rousseau a travaillé les lettres, il les a choisies, supprimées, fondues;

2. La correspondance est une fiction — l'auteur s'appelle J.-J. Rousseau;

3. Rousseau n'est pas l'auteur de ce roman (lettre XX, première partie, p. 70), qui est une fiction qui ne se préoccupe pas de la vraisemblance (lettre LXV, première partie, p.186).

Le paratexte nous empêche de savoir quel fut le point de départ. On peut trouver plusieurs explications. On pourra dire que l'effacement de l'origine de l'écriture renforce les pouvoirs de la lecture. Comme Howells l'a bien vu[5], le roman suppose un vide, une histoire qui n'est pas racontée. En contrariant la topique du roman épistolaire du XVIIIe siècle qui explique comment les lettres ont été découvertes et publiées, Rousseau établit un temps mort entre la fin de la correspondance et sa publication. Il laisse le lecteur supposer que ces lettres appartiennent à un passé lointain, à un espace perdu,

---

3. *Ibid.*, p. 254.
4. Toutes les références se rapportent à l'édition de la Pléiade, *Œuvres complètes*, II, Paris, 1964.
5. *Cf.* Howells, « Rousseau, *La Nouvelle Héloïse* and the Power of Writing », p. 27.

en ensevelissant ses personnages dans une sorte d'univers mythique. Nous ne pouvons qu'être d'accord avec Paul de Man[6] quand il écrit que ce roman se veut invraisemblable.

Analysons le rôle des notes. Son caractère excessif nous parle d'un Éditeur qui oscille entre une connaissance absolue et un savoir limité. Il sait qu'il y a des lettres perdues, mais il affirme qu'il les a choisies. Il lit, il ne cesse de lire les lettres en prenant une distance critique ou en se laissant séduire par le style, les sentiments ou les affirmations des personnages. Son attitude est toujours ambiguë et changeante, et détermine des moments d'incertitude dans l'œuvre. Si l'on reprend la première note sur les lettres de Paris (lettre XIX, seconde partie, p. 231), on peut constater que Rousseau (ou Jean-Jacques) laisse à Saint-Preux (le personnage le plus critiqué de l'œuvre) le droit de parler de la Ville. L'Éditeur prend ses distances au nom de la vérité absolue, puisqu'il ne peut plus parler avec l'innocence d'un homme de vingt-quatre ans. S'il ne veut pas souiller ses écrits avec ses passions, il donne à Saint-Preux (le plus innocent de tous les lecteurs) la légitimité, le droit de faire un portrait de ce lieu de perdition. Cependant, Saint-Preux n'est pas un témoin valable puisque l'Éditeur ne résiste pas à l'envie de corriger les erreurs les plus évidentes et de dénoncer les interprétations précipitées. De plus, Saint-Preux se laisse corrompre par le style et les mœurs de la capitale. Le lecteur est obligé de ne pas choisir. En effet, s'il ne peut pas croire aveuglément à cet éditeur/auteur trop compromis, il est obligé de sourire de la naïveté du « galant philosophe ». On pourrait multiplier les exemples.

Rousseau s'adresse donc à un lecteur impossible, qui doit être intelligent[7] pour pouvoir déconstruire toutes les contradictions, et sensible pour être capable d'adhérer immédiatement à la beauté et à la bonté du livre[8]. La lecture de l'intelligence est incompatible avec la lecture du cœur : la première exclut la seconde, puisque la raison empêche l'adhésion sentimentale, en exigeant un effort de déconstruction; la deuxième ne peut fonctionner qu'à travers un aveuglement de la raison. On verra que ces deux lectures se partagent entre les personnages — Julie et Claire sont les lectrices les

---

6. Paul de Man, *Allégories de la lecture*, p. 240.
7. « Quoi Julie! aussi des contradictions [...] » (lettre VIII, sixième partie, p. 694). Voir aussi la note à la lettre XIII de la cinquième partie, p. 625.
8. Voir surtout la dernière note du roman (p. 745).

plus « intelligentes » de l'œuvre[9], Saint-Preux représente la lecture naïve, aveuglée par la passion[10].

Écrire et lire

Si nous mettons en rapport la compétence épistolaire en ce qui concerne l'écriture et la lecture de chaque personnage avec la circulation des lettres dans le roman, nous arriverons à des conclusions inattendues.

On connaît bien le pouvoir de Saint-Preux. Ses lettres séduisent Julie en ayant un étrange pouvoir sur son corps. Julie pleure, s'évanouit et tombe malade quand elle lit les lettres les plus émouvantes de son amant. Paradoxalement, elle se révèle une lectrice intelligente : elle sait déconstruire les ruses linguistiques du philosophe, elle censure et son style et son comportement[11]. Par contre, Saint-Preux est complètement aveugle face aux lettres de Julie et de Claire. Il considère que l'écriture de Julie est sacrée et il se montre incapable d'analyser l'éloquence de sa maîtresse, même quand ses artifices sont visibles aux yeux du lecteur le plus innocent. Aveuglé par la passion presque jusqu'à la fin du roman, Saint-Preux reçoit les lettres de sa maîtresse avec une crédulité qui n'est pas en accord avec sa fonction de précepteur, sa culture, son savoir rhétorique, sa qualité d'écrivain. Il accepte même les mensonges involontaires de sa maîtresse. On comprend bien comment les lettres de Julie se transforment en un livre sacré, en effaçant leur caractère textuel[12]. Elles représentent la loi ou la possibilité de sa

---

9.   Julie lit ce qui n'est pas écrit. Elle devine le suicide de Saint-Preux et elle condamne les plaisirs solitaires de son amant, en se fondant probablement sur une phrase qui pouvait être interprétée d'une façon différente (lettre XV, seconde partie, p. 237).

10. Cf. « Désir et distance dans La Nouvelle Héloïse », p. 227.

11. Nous nous éloignons un peu de la lecture de Howells quand il écrit: « Julie as reader is fascinated by Saint-Preux's writing: Saint-Preux as reader is fascinated by hers » (Howells, « Rousseau, La Nouvelle Héloïse and the Power of Writing », p. 22). Nous croyons que la lecture des deux amants est substantiellement différente : Saint-Preux se laisse séduire par l'écriture de Julie, parce qu'il la confond avec la Loi, la vérité, le Logos; Julie se laisse corrompre par l'écriture de Saint-Preux, ce qui ne l'empêche pas de déconstruire ses « ruses ». Nous sommes d'accord avec Howells quand il affirme que Saint-Preux demande à être lu. Cependant, nous pensons que le pouvoir de Saint-Preux s'affirme à la fin du roman, quand il devient capable de « lire » la lettre VII de Julie.

12. La transformation des lettres de Julie en livre a été analysée par Howells dans l'article que nous venons de citer.

transgression : l'éthique se confond avec l'esthétique dans un recueil qui devient sacré.

L'intelligence de Claire, le seul personnage qui sait lire le cœur et l'écriture de Julie, s'affirme dès la première partie du roman : « Je t'entends et tu me fais trembler » (lettre VII, première partie, p. 44). Claire lit ce qui n'est pas écrit, ce que Julie ne peut pas écrire, ce qu'elle ne peut pas savoir. Son pouvoir repose sur cette compétence linguistique qui lui fait deviner la conduite future de Julie, ses contradictions, les formes qu'elle emploie pour échapper à la vérité.

La lecture masculine est plus littérale que la lecture féminine. Milord Édouard croit aux paroles de Saint-Preux et Wolmar sait seulement ce qu'il peut observer ou lire. Par contre, Wolmar est le personnage chargé de penser le problème de la destination épistolaire. Avant d'analyser cette compétence unique, nous voulons étudier la circulation des lettres dans le roman.

La circulation des lettres et des secrets

C'est la forme et non le contenu qui définit le roman épistolaire. Si l'on accepte la définition minimale du roman épistolaire (un roman qui est constitué par un ensemble de lettres), on arrivera rapidement à la conclusion que la circulation des lettres dans le roman est une forme de progression de l'intérêt romanesque parce que les secrets sont confondus avec le corps de l'écriture[13].

L'échange des lettres révèle et cache en même temps les secrets qui se confondent avec la correspondence entre les différents personnages. Au contraire des romans épistolaires des XVIIe et XVIIIe siècles, La Nouvelle Héloïse nous surprend parce que les secrets sont toujours prêts à être révélés, comme si l'univers imaginaire de l'œuvre, analysé par Starobinski[14], exigeait une circulation excessive de certaines lettres,

---

13. La relation entre la lettre et la confidence a été étudiée par Janet Altman dans son remarquable livre *Epistolarity, Approaches to a Form*, Columbus, 1982. Le topos du secret est l'objet de recherche de l'équipe portugaise de la SATOR (Société d'Analyse de la Topique dans les Œuvres Romanesques) qui a aussi intégré des chercheurs étrangers. Une partie des résultats a été publiée dans les *Actes du Troisième Colloque de la SATOR, Papers on French Seventeenth Century Literature*, 61, 1991.

14. Jean Starobinski, *La Transparence et l'obstacle*, Paris, 1971.

même quand elles renvoient au côté le plus intime et le plus caché d'un personnage[15].

On sait que les lettres écrites par Saint-Preux à Julie ont été découvertes par la mère de celle-ci, dans une situation typique et topique du roman épistolaire. Elles constituent le deuxième « recueil[16] », qui a peut-être été communiqué à Wolmar par le père de Julie. Ces lettres sont connues de tout le monde. Claire les lit, même les plus intimes, ce qui lui donne un pouvoir absolu sur Julie. Milord Édouard cite une lettre sur le Valais (lettre III, seconde partie, p. 199), ce qui peut signifier qu'il connaît aussi la correspondance amoureuse de Saint-Preux. Les éditeurs de la Pléiade réagissent contre cette lecture qui ne devait pas avoir lieu. Dans notre perspective, il ne s'agit pas d'une maladresse de Rousseau, mais de la création d'un univers épistolaire où il n'y a pas de lettres secrètes. La lettre d'amour doit circuler pour que les autres y puissent reconnaître la force de la passion et de la vertu.

Les exemples de la circulation des lettres dans le roman se multiplient. On dirait que les détours renforcent le pouvoir de l'écriture. La lettre que Julie a écrite à Milord Édouard pour le dissuader du duel est montrée à Saint-Preux, qui la restitue à Julie après l'avoir « écrite au fond de [son] cœur » (lettre LX, première partie, p.167).

La deuxième partie du roman débute avec une lettre où Saint-Preux se plaint de la cruauté de Julie. Cette lettre « efféminée » sera l'objet de la censure de Julie (lettre VII). Claire la suit (lettre VIII), en faisant les mêmes reproches, ce qui démontre qu'elle a lu la lettre adressée à sa cousine. Saint-Preux apprend vite les nouvelles lois de cet univers et s'excuse devant Claire (lettre X), qui évidemment va montrer la lettre à la vraie destinataire (lettre XI, p. 221). La lettre de Milord Édouard qui propose à Julie un mariage en Angleterre sera lue et relue par Claire (lettre IV, p. 201). En refusant de choisir au nom de Julie, Claire oblige Julie à choisir après la lecture qu'elle fait de cette « fatale Lettre » (lettre V). Il ne sera pas nécessaire de faire remarquer que la lettre VI de Julie à Milord Édouard sera lue par Saint-Preux (lettre X, p. 219).

---

15. Claire avoue à Saint-Preux qu'elle a lu une lettre intime qu'il a écrite à Julie : « Souvenez-vous de cette lettre si passionnée, écrite le lendemain d'un rendez-vous téméraire » (lettre VII, troisième partie, p. 321).

16. *Cf.* Howells, « Rousseau, *La Nouvelle Héloïse* and the Power of Writing », p. 27.

Saint-Preux commence alors à adresser ses lettres aux deux cousines en confondant l'amitié et l'amour. En même temps, Julie écrira sous la dictée de Claire, en préparant les trois dernières parties du roman où le mariage empêche la destination directe. La communication se fera presque toujours à travers les lettres des autres.

Les stratégies de Wolmar

Dans cet univers où tout peut circuler, les lettres et les passions, où tout se donne et se reçoit, Wolmar est le seul qui se refuse à lire les lettres échangées entre Julie et Claire.

En étant le seul personnage à penser les problèmes complexes de la destination, Wolmar ne veut pas que Julie lui donne à lire les lettres qu'elle adresse à sa cousine. Il sait bien que sa femme commencerait à écrire plus pour lui que pour Claire, ce qui installerait une situation trop ambiguë. Il veut retirer à Julie l'expédient qu'elle a imaginé pour exercer l'auto-censure.

En connaissant les lois de la circulation des lettres et des secrets dans le roman, Wolmar affirme qu'« il y a mille secrets que trois amis doivent savoir et qu'ils ne peuvent se dire que deux à deux » (lettre VII, quatrième partie, p. 431). En effet, dans la quatrième partie, Claire et Julie s'écrivent dans une apparente liberté et Saint-Preux s'adresse à Milord Édouard. Mais la lettre XIV prouve que cette stratégie de Wolmar frôle la perversion, puisqu'il avoue l'inavouable : il connaît les lettres échangées entre Claire et Julie. Je cite :

> Telle est l'énigme que forment les contradictions fréquentes que vous avez dû remarquer en eux, soit dans leurs discours soit dans leurs lettres. Ce que vous avez écrit au sujet du portrait (p. 508)

En même temps, Wolmar demande l'aide de Claire pour effacer les « idées chères » qui constituent le passé des deux amants. En affirmant qu'elle a aidé à les faire naître, Wolmar paraît comprendre l'une des lois de l'imaginaire épistolaire du roman : le partage du langage de l'amour renforce son pouvoir. Il cherche à établir une loi inverse : le partage du langage de la vertu effacera le pouvoir de la passion.

Wolmar représente l'œil du pouvoir fondé sur la raison et il veut défaire le réseau des relations qui ont supporté le « fol amour » de Julie et de Saint-Preux. Il s'aperçoit des dangers de la distance et il choisit une action à partir du dedans. La profanation du bosquet est une savante déconstruction. Cet asile dans lequel Julie n'osait pas entrer perd son caractère sacré et mythique en se transformant en un espace de promenade. Cependant, il faut remarquer que le savoir de Wolmar repose sur la lecture des lettres de Saint-Preux. Son effort thérapeutique ne se fonde pas sur un pouvoir surnaturel, mais sur une connaissance réelle. Wolmar a lu la vertu de sa femme et de l'amant de celle-ci dans une lettre ancienne où ils renonçaient à un rendez-vous amoureux pour faire le bien.

Wolmar arrive, en partie, à altérer le système de la circulation des lettres, mais il ne peut pas répéter avec Julie la correspondance que celle-ci a échangée avec Saint-Preux. En effet, dans la première partie du roman, Julie et Saint-Preux s'écrivent, même si Julie fait passer leur communication par l'intermédiaire de Claire.

Quand Wolmar part et laisse les deux amants seuls, Claire conseille à Julie de « faire pendant l'absence de [son] mari un journal fidèle pour lui être montré à son retour, et de songer au journal dans tous les entretiens qui doivent y entrer » (lettre XIII, quatrième partie, p. 505). Claire veut installer une correspondance directe entre sa cousine et Wolmar. En écrivant pour soi et pour son mari, Julie obéira à une double loi : elle dira la vérité (c'est son devoir) et pour la dire elle ne pourra pas céder au désir (c'est sa vertu). Dans cet expédient, il y a une inversion. On ne décrira pas ce qui s'est passé, puisque ce qui se passera dépendra de l'écriture qu'on se propose de faire. Étrange univers! Wolmar ne recevra pas de la bouche de Julie la confession de la scène du lac. Julie coupable ne peut pas écrire et encore une fois la faute sera transmise par Claire... et racontée par Saint-Preux à Milord Édouard.

La stratégie de Wolmar passe aussi par un échange symbolique. Il veut remplacer le pouvoir que Julie continue à exercer sur Saint-Preux par son propre pouvoir de père. En plus, Saint-Preux sera chargé d'une dure mission : séparer Milord Édouard de Laure et de la Marquise. Celui qui a toujours été l'objet de la volonté des autres, même quand il est revenu des « extrémités de la terre », peut une fois dans sa vie exercer un pouvoir, dicter une loi, confier un secret concernant une troisième personne. Saint-Preux conduira Milord Édouard à travers les durs chemins de l'amour vertueux et il choisira Wolmar commme confident. Il ne dira rien à Julie et à Claire. Les deux cousines perdant un pouvoir, Saint-Preux en acquiert plusieurs.

Cette preuve initiatique transforme le philosophe. Il représentait l'écrivain, c'est-à-dire celui qui se laisse lire. Il commence à exercer un pouvoir qui lui était inconnu : la lecture. En déconstruisant la lettre de Julie, Saint-Preux refusera aussi sa loi — il ne reviendra pas pour partir.

Conclusion

La circulation des lettres dans le roman peut être analysée comme une métaphore de l'univers symbolique de l'œuvre. Elle repose sur un imaginaire du don, où recevoir se transforme en un devoir qui doit être accepté. On pourrait relire le roman dans cette perspective.

Saint-Preux, c'est-à-dire celui qui ne possède presque rien, sera obligé de tout accepter. Il reçoit l'honneur de Julie, le plus sacré des dépôts qu'il rend, son argent, sa double loi (sa vertu et son amour), son mariage, l'hospitalité de Wolmar, l'amitié de Milord Édouard. Il se transforme même en un objet qui circule des mains de Julie aux mains de Claire. Il a le privilège d'être enlevé par Milord Édouard. Plus tard, il sera envoyé au sage Wolmar. Les lettres de Saint-Preux circulent tout comme lui. Il est lu par Julie, sa première destinataire, puis par Claire, qui partage les secrets de sa cousine, par la mère de Julie, par Milord Édouard et par Wolmar. Son pouvoir se fonde sur une écriture du cœur : il sait se faire aimer et pardonner.

Julie paraît imposer sa loi. Elle lit, mais elle ne se laisse pas lire par l'univers masculin. Même le sage Wolmar se montre incapable de pénétrer dans ce monde opaque. Elle écrit pour inscrire une loi, mais l'origine de son pouvoir reste énigmatique, même pour Claire qui la comprend trop bien.

On a déjà souligné que Claire est la lectrice la plus intelligente de l'œuvre. En ne demandant rien, elle paraît tout recevoir : l'amitié de Julie et de Saint-Preux, la confiance de Wolmar et la complicité de tous les personnages du roman. Son pouvoir s'établit parce qu'elle peut lire et le cœur et les lettres.

Wolmar n'écrit pas beaucoup. Il se définit comme un œil vivant, mais il ne possède pas le don de lire dans les cœurs, malgré les affirmations de Julie, de Saint-Preux et de Claire.

Milord Édouard n'écrit pas, il décrit des situations, des états d'âme, des aventures. Il semble être un lecteur assez naïf : il accomplit des devoirs au nom de l'amitié, il console Saint-Preux, il se fâche avec lui et il reçoit ses confidences. Son pouvoir est toujours délégué. Il est chargé par Claire d'éloigner Saint-Preux, il accomplit la mission que Wolmar lui a donnée pour éprouver la guérison de son ami. Il donne tout ce qu'il a : il offre à Julie une autre vie, il consacre une partie de la sienne à élever l'ignorant précepteur.

À la fin du roman, les dons s'échangent. Saint-Preux vertueux donne à Julie ce qu'il a reçu d'elle. Milord Édouard recevra des mains de Saint-Preux ce qu'il lui a appris : l'amour de la vertu, le refus d'un mariage d'amour.

Julie essayera de donner Saint-Preux à Claire et Claire à Saint-Preux. L'offre ne sera pas acceptée et l'univers symbolique de l'œuvre se défait.

Teresa Sousa de Almeida
Université Nouvelle de
Lisbonne

DIDEROT'S *ÉLOGE DE RICHARDSON*

AND ROUSSEAU'S

JULIE OU LA NOUVELLE HÉLOÏSE

The purpose of this paper is to re-examine the idea that one of the intentions of Diderot's wildly enthusiastic *Éloge de Richardson* (1762) was to undermine the success of Rousseau's *La Nouvelle Héloïse* (1761). Joseph Texte, for example, found it plausible to suppose that "l'*Éloge* était destiné à rappeler aux nombreux admirateurs de *La Nouvelle Héloïse*, publiée depuis quelques mois, que Rousseau — avec qui Diderot, comme on sait, était maintenant brouillé — avait eu un précurseur et un maître. . . ."[1] More recently, Arthur Wilson, in a similar vein, argued that "Diderot's praise of Richardson may have had an unconscious and certainly unacknowledged purpose. It could have been a means of suggesting to French readers that Rousseau's *La Nouvelle Héloïse*, currently being compared with Richardson's works, was not really so original nor so great as the Richardson novels that preceded it."[2] June Siegel put it somewhat differently, although the result is the same: "Rousseau's success, arriving at a time when Diderot's claim to Parnassus was not very substantial, spurred a rather natural reaction. Henceforth, Richardson is to be a standard for the denigration of Rousseau, implied or explicit, in both Grimm's (rabid) and Diderot's restrained criticism of their erstwhile friend."[3]

Not all critics, however, have subscribed to this view of the *Éloge* as an attack on Rousseau and his novel. According to Robert Loy, for example:

> It has often been suggested (and interpretation of the evidence is tempting) that Diderot really wrote his 'extravagant' praise of Richardson only to depreciate the vast literary success of Rousseau with his *Héloïse*, and this out of professional

---

1. *Jean-Jacques Rousseau et les origines du cosmopolitisme littéraire*, Paris, Hachette, 1895, p. 266.
2. *Diderot*, New York, Oxford University Press, 1972, p. 427.
3. "Diderot and Richardson: Manuscripts, Missives, and Mysteries," *Diderot Studies*, 18 (1975), 146.

jealousy. Aside from the problem of dating, there are cogent reasons why such conjecture is not valid and I, personally, believe none of it. . . . Whatever the natural envy that might have arisen from such great success of an erstwhile friend at a time when Diderot was himself . . . passing through a moment of creative depression, his appreciation of Rousseau's contribution to the novel and his praise of a great literary and psychological talent in Richardson are not false.[4]

Unfortunately, these three arguments of Loy's are hard to follow. First, it may well be that "professional jealousy" was not a significant motivating factor but there is no doubt that contempt and disillusion played a part in the relations between the two *philosophes* ever since Rousseau's repudiation of Diderot in the preface to the *Lettre à d'Alembert* (1758).[5] Second, Loy does not make clear his reference to the "problems of dating," but he must be implying that the publication dates of *Julie* and the *Éloge* were too close to allow Diderot to read Rousseau's somewhat lengthy novel and prepare his criticism of it. The chronological facts, however, in no way support this argument. Copies of *La Nouvelle Héloïse* first became available in England in December 1760 and in France in January 1761, although it did not appear there "officially" until February.[6] Diderot's *Éloge*, supposedly drafted in a day, was not started until at least six months later, after the death of Richardson in July 1761, and it was not published until January 1762.[7]

4. "Richardson and Diderot," *Enlightenment Studies in Honour of Lester G. Crocker*, ed. Alfred J. Bingham and Virgil W. Topazio, Oxford, The Voltaire Foundation, 1979, p. 150.

5. "J'avais un Aristarque sévère et judicieux, je ne l'ai plus, je n'en veux plus, mais je le regretterai sans cesse, et il manque bien plus à mon cœur qu'à mes écrits." Rousseau buttressed this observation in a note in which he quoted, in Latin, from *Ecclesiasticus*, XXII, 26-27, to the effect that between friends there is always the possibility of reconciliation "except for upbraiding, or pride, or disclosing secrets, or a treacherous wound: for these things every friend will depart." *Lettre à d'Alembert*, Paris, Garnier Flammarion, 1967, pp.49-50. It is not quite clear what specific "secrets" Rousseau has in mind but his "affair" with Sophie d'Houdetot and the disposal of his illegitimate children are no doubt involved. For further details of the relationship between Rousseau and Diderot, see my *Jean-Jacques Rousseau and Providence: An Interpretive Essay*, Sherbrooke, Naaman, 1987, pp. 109-113.

6. For full details of the publication of Rousseau's novel, see Jo-Ann E. McEachern, *Bibliography of the Writings of Jean-Jacques Rousseau to 1800, I, Julie ou la Nouvelle Héloïse*, Oxford, The Voltaire Foundation, 1991.

7. In the *Correspondance littéraire* for January 1762, referring to the *Éloge*, Grimm wrote to his subscribers: "Je comptais vous parler quelque jour de Richardson . . .mais un morceau que vous trouverez dans le mois de janvier du *Journal étranger* me dispense d'exécuter ce projet. Ce morceau, que vous lirez avec grand plaisir, a été ébauché en vingt-quatre heures par M. Diderot."

It may be that Loy was led astray, as some critics seem to have been, by the discrepancy in dates between the drafting of the *Éloge* and its eventual publication.[8] Finally, although Loy speaks of Diderot's "appreciation of Rousseau's contribution to the novel," he gives no indication of where this appreciation may be found, and I have come across no evidence to support this contention. On the contrary, in January 1757, when Rousseau sent the first two parts of his novel to Diderot for his opinion, he received no response. When Diderot did offer an appraisal, in March, it was unfavourable:

> Il y avait près de six mois que je lui avais envoyé les deux premières parties de Julie pour m'en dire son avis. Il ne les avait pas encore lues. Nous en lûmes un cahier ensemble. Il trouva cela *feuillu*, ce fut son terme, c'est à dire, chargé de paroles et redondant.[9]

In no way do I wish to suggest that Diderot's *primary* purpose in writing the *Éloge* was to denigrate Rousseau. His main intention was clearly to praise Richardson in whose work he found many of the realistic, sentimental and dramatic features he would introduce into his own novels and plays. Indeed, some critics have suggested that the *Éloge* is really Diderot's celebration of his own genius.[10] But I do want to suggest that the criticism of Rousseau and his novel is an implicit and important element of the *Éloge*. Indeed, Rousseau himself must have been aware of the criticism implied in Diderot's excessive adulation of the English author. As we have seen, he certainly knew, even before *Julie* was finished, that Diderot considered the opening to be heavy going and that he was generally unimpressed with Rousseau's new venture.

Although critics have asserted that the *Éloge* was a deliberate slight, no one, as far as I know, has examined it in detail for internal evidence of the supposedly veiled attack. It has simply been assumed

---

8. André Billy, in his edition of Diderot's *Œuvres*, Paris, Bibliothèque de la Pléiade, 1962 (copyright 1951), p. 1059, note 1, places the publication of the *Éloge* in 1761, with no other qualification. Rita Goldberg, *Sex and Enlightenment: Women in Richardson and Diderot*, Cambridge U.P., 1984, p. 136, seems to think that the *Éloge* came only "slightly after Rousseau's novel."

9. *Les Confessions*, vol I, pp. 460-461, of the four-volume *Œuvres complètes*, Paris, Bibliothèque de la Pléiade, 1959-69.

10. "Tout cela . . . venait fort à propos pour confirmer les propres théories de Diderot sur la vraisemblance dans l'art. Et de même cette apothéose de Richardson — au lendemain de la publication du *Fils naturel* (1757) et de la représentation du *Père de famille* (1761) — venait à point pour consacrer ses idées sur la moralité au

that Diderot's failure even to mention Rousseau's novel, added to the already well-established and overt hostility between the two men, is sufficient proof of Diderot's design. The object of this paper, then, is to examine the text of the *Éloge* and to show that Diderot's attack on Rousseau was premeditated. This is not to claim that the whole of the *Éloge* refers to Rousseau — my examples, admittedly speculative, will not be numerous but will, I hope, be persuasive. I am well aware, too, of the risks involved in trusting the reaction of Rousseau himself. After all, when one considers his outrage at the line in Diderot's *Le Fils naturel*, "Il n'y a que le méchant qui soit seul," it is not impossible that he could have taken the whole of the *Éloge* as a deliberately personal affront.[11] Finally, I recognize the obvious danger in this kind of enterprise — in order to substantiate a thesis, it is easy to read into a text interpretations that are not only hypothetical but perhaps unjustifiable. To minimize this danger, therefore, I shall try to provide, at the least, good circumstantial evidence for my interpretations.

The circumstances surrounding the publication of Diderot's *Éloge* are, in this regard, of great interest. The *Éloge* appeared in January 1762, in the *Journal étranger* (Art. 9, 184-195), the same journal that had the previous month published a translation of an article in the *Critical Review* of September 1761 (Art. 8, 203-211). This article, favourable to both Richardson and Rousseau, drew a parallel between the two men that was to become the standard for all future comparisons. The person who did the translation, one of the two editors of the *Journal*

---

théâtre et dans le roman." Joseph Texte, *op. cit.*, p. 268.

"Diderot y formule non pas tant les principes esthétiques de Richardson que les siens propres, qui l'ont guidé dans la composition du *Fils naturel*, du *Père de famille* et de *La Religieuse*." Diderot, *Œuvres complètes*, vol.5, Introductions de Roger Lewinter, Le Club français du livre, 1970, p. 120.

"Hardly concealed by the formal act of eulogizing, Diderot urgently staked his own claim for immortality if not on the basis of what he considered his uncertain merit as a literary artist then at least for his virtue, demonstrated publicly in his sensitive reading and appreciation of Richardson, and in the 'fiery imagination' of a kindred soul — kindred, that is, if not always to Richardson, at least to Pamela and Clarissa." Herbert Josephs, "Diderot's *Éloge de Richardson:* A Paradox on Praising," *Essays on the Age of Enlightenment in Honor of Ira O. Wade*, ed. Jean Macary, Genève, Droz, 1977, p. 171. Raymond Trousson, in an oral communication, has emphasized the significance of the timing of Diderot's *La Religieuse*, a thoroughly Richardsonian novel, written in 1760, that he could not publish. His praise of Richardson, therefore, is also a hommage to his own hidden accomplishment.

11.   See the *Confessions*, p. 455.

étranger, was Jean-Baptiste-Antoine Suard (1733-1817), a friend of Diderot and Grimm, and an habitué of the Baron d'Holbach's *cénacle de la libre pensée* which, by 1760, Rousseau regarded with considerable distaste. According to Mme Suard, "The Baron d'Holbach, more than anyone, cherished [Suard] like a brother" and, in his own correspondence, Suard constantly refers to his close association with the d'Holbach coterie to the point that, "it is doubtful that any man, between 1760 and 1780, attended more assemblies at the Baron's home."[12] There is good circumstantial evidence, therefore, that Rousseau, at the time of the publication of the *Éloge*, had no liking for Suard. This, of course, does not prove that Suard felt the same about Rousseau, but in offering to Diderot the facilities of his journal for an article in praise of Richardson that totally ignored the enormous impact of *La Nouvelle Héloïse*, Suard must have been aware that he was implicitly taking sides. Certainly by 1766, when Suard translated David Hume's account of his quarrel with Rousseau, he made no bones, in the introduction to his translation, about his hostility towards Rousseau.[13]

That Diderot was a sworn enemy of Rousseau needs little substantiation. According to Diderot's indictment, written in 1758 after Rousseau's rejection of his friendship, Rousseau had shown himself to be a monster of ingratitude towards Mme d'Epinay, had deceived and maligned his friend Grimm, tried to break up the relationship between Saint-Lambert and Sophie d'Houdetot whom he wanted for himself, attempted to poison the friendship between Saint-Lambert and Diderot, accused Diderot of treachery, ill-treated Thérèse Levasseur and her family, and betrayed his friends and the cause of the *philosophes*. Diderot ends his *réquisitoire* as follows:

> J'ai vécu quinze ans avec cet-homme là. De toutes les marques d'amitié qu'on peut donner à un homme, il n'y en a aucune qu'il n'ait reçue de moi, et il ne m'en a jamais donné aucune. . . . Il ne dit pas ce qu'il doit à mes soins, à mes conseils, à mes entretiens. . . . Il dit du mal du comique larmoyant, parce que

---

12. See Alan C. Kors, *D'Holbach's Coterie. An Enlightenment in Paris*, Princeton U.P., 1976, pp. 24-25.
13. In the unsigned "Avertissement des Éditeurs" that prefaces the *Exposé succinct de la contestation qui s'est élevée entre M. Hume et M. Rousseau, avec les pièces justificatives* (Londres, 1766), Suard praises Hume and absolves him of all responsibility in the affair. Rousseau, by contrast, is portrayed as the villain. In *L'Année littéraire*, VII, 1766, Fréron complained about this lack of editorial impartiality. I am grateful to Dr. William Hanley for drawing Fréron's review to my attention.

c'est mon genre. Il contrefait le dévot, parce que je ne le suis pas; il traîne la
comédie dans la boue parce que j'ai dit que j'aimais cette profession. . . . Cet
homme est faux, vain, comme Satan, ingrat, cruel, hypocrite et méchant. . . .
En vérité, cet homme est un monstre.[14]

There is no evidence to suggest that, by the end of 1761, he had
any reason to revise this opinion.

The first salvo in the attack on *La Nouvelle Héloïse* was delivered
in two parts, dated January 15 and February 1, 1761, in Grimm's
private newsletter, the *Correspondance littéraire*, to which Diderot was
a major contributor. If Rousseau's relations with Diderot were bad at
that time, they were even worse with Grimm, whom Rousseau regarded
as the architect of his misfortunes. Grimm's attitude towards Rousseau
was equally contemptuous and, after Rousseau's allegedly disgraceful
behaviour towards Mme d'Epinay in 1757, Grimm, in sentiments
similar to those of Diderot, severed all connection with him:

Je ne connaissais pas alors votre monstrueux système; il m'a fait frémir
d'indignation; j'y vois des principes si odieux, tant de noirceur et de duplicité.
. . . Je ne vous reverrai de ma vie, et je me croirai heureux si je puis bannir de
mon esprit le souvenir de vos procédés; je vous prie de m'oublier et de ne plus
troubler mon âme.[15]

Grimm's assessment of *La Nouvelle Héloïse* takes the form of a
vitriolic assault on the book and its author who, in Grimm's opinion,
is simply incapable of writing a novel since he has no notion of how to
organize a plot, to construct believable characters, vary his style and,
in short, create a fictional world in which the transported reader
willingly and sometimes helplessly suspends his disbelief. All that
Rousseau knows how to do, according to Grimm, is write dissertations
on duelling, suicide, and the like. Everything is artificially arranged so
as to provide a pretext for the introduction of these treatises, and nothing
happens out of that necessity that is the basis of any worthwhile work
of fiction. All is subordinated to the didactic aims of the novel. From
time to time, Rousseau tries unsuccessfully to liven up the proceedings
by dragging in extraneous events such as Julie's contraction of smallpox
or her falling in the water. All the characters adopt the same discourse

---

14. See Appendix 206 (Les Tablettes de Diderot) in Ralph Leigh's edition of the
      Correspondance complète de Jean-Jacques Rousseau, Oxford, The Voltaire
      Foundation, 1965-1993, 53 vols.
15. *Correspondance complète de Jean-Jacques Rousseau*, letter 555.

with the result that the style throughout is monotonous. Rousseau's only talent is that of an ancient sophist who loves paradoxes, and delights in drawing conclusions totally the opposite of what any reasonable man would expect. Grimm makes two brief references to Richardson in order to highlight the English author's superiority in characterization and his exquisite taste and tact in dealing with situations. He concludes his critique as follows: "Voilà la différence de l'homme de génie à l'homme ordinaire. Le premier sait employer souvent des circonstances communes d'une manière sublime et qui produit les plus grands effets. Le second gâte même les belles choses qu'il trouve, ou ne sait du moins en tirer parti."

Diderot fully endorsed these sentiments but probably saw little point in repeating them, especially since others had already done so.[16] So it made more sense to attack Rousseau's novel by deliberately ignoring it. Everything Grimm had found deficient in Rousseau, Diderot would find laudable in Richardson. Where Grimm criticized Rousseau for his inability to construct a credible plot, create believable settings and characters, and vary the style accordingly, Diderot praised Richardson's incomparable mastery and originality in the art of the novel in all its aspects. The two appraisals, when taken together, form yet another parallel, but it is up to the discerning reader to make the connection.

The *Éloge* is preceded by an introduction attributed to Suard but that Diderot could well have written himself.[17] The point of the introduction, which praises Diderot without naming him, is to make the distinction between a man of wit and a man of intelligence, "un homme d'esprit," and "un homme sensible," like Diderot. This is just the distinction Grimm made, at the end of his article, between Rousseau the ordinary man and Richardson the genius. Only the latter kind, says the introduction to the *Éloge*, is qualified to pass judgement on the English author and on the art of the novel. I take this characterization

---

16. See, for example, Voltaire's *Lettres sur La Nouvelle Héloïse*, signed by the Marquis de Ximenès, that appeared in February 1761. Throughout the year, Pierre Rousseau's *Journal encyclopédique*, in a show of impartiality, published a variety of critiques for and against the novel.

17. In the *Journal étranger*, the introduction is not signed, but in the Abbé Arnaud's *Variétés littéraires*, 1768-69, where the *Éloge* is reproduced, it is signed with the initial S, presumably Suard. My reason for sugggesting that Diderot might have written it is based on his delight in mystification, of which his novel *La Religieuse* is the best example.

of the true critic to be an attack on Rousseau who, it is implied, being merely "un homme d'esprit," is incapable of understanding the greatness of Richardson.

The *Éloge* proper begins with the following standard observation: "Par un roman, on a entendu jusqu'à ce jour un tissu d'événements chimériques et frivoles" (p.1059).[18] The words "jusqu'à ce jour" deliberately exclude Rousseau's novel from consideration. It is just as though it had never been published and received such an enthusiastic reception from the general public. The only valid reason for discounting *La Nouvelle Héloïse* must be that there is nothing in it that adds to what Richardson has already achieved. If we want to study the epitome of the novel we must go to its source and not to its inferior imitations. Now, as Jean Sgard points out:

> Définir le roman un 'tissu d'événements chimériques et frivoles,' . . . c'est reprendre l'argumentation des moralistes les plus étroits. Il y a même une part de tricherie à invoquer une conception du roman vieille d'un siècle et contre laquelle se sont déjà insurgés Lesage, Marivaux, Prévost, Crébillon et Rousseau . . . . L'*Éloge de Richardson* nous donne du roman une problématique désuète et parfois suspecte de mauvaise foi: Diderot admire chez Richardson ce qu'il aurait pu admirer tout aussi bien chez Prévost ou dans *La Nouvelle Héloïse*, et ses arguments sont ceux de Prévost ou de Rousseau.[19]

As far as is known, Diderot had no animosity towards Prévost. It is true that he criticized severely the abbé's translations of Richardson but Prévost was, nonetheless, someone who shared his admiration of the English author.[20]

The *Éloge* continues: "Tout ce que Montaigne, Charron, La Rochefoucauld et Nicole ont mis en maximes, Richardson l'a mis en action" (p. 1059). In the final note to his novel and in the second preface, Rousseau, in fairly open and derogatory references to Richardson, prides himself on the lack of action and the simplicity of his characters, on having followed the Racinien doctrine of making

---

18. Quotations from the *Éloge* are taken from the André Billy edition referred to in note 8.
19. *Œuvres complètes de Diderot*, Paris, Hermann, 1975-86, vol. 13, p. 187.
20. Cf. *Texte, op. cit.*, pp. 265-66: "On a voulu y voir une attaque indirecte contre Prévost. Mais comment expliquer alors que Prévost ait été le premier à reproduire le morceau en tête de sa propre traduction? Et d'ailleurs, . . . Prévost lui-même n'avait-il pas été le premier à condamner le romanesque trop facile de ses premières oeuvres? . . . Et pourquoi, si [Diderot] loue Richardson, veut-on qu'il attaque Prévost?"

something out of nothing.[21] If I read Diderot correctly, his reply to
Rousseau is that while Richardson's novels, through the behaviour of
their characters, teach us the value of virtue and morality, Rousseau's
static, didactic and boring portrayal of the good life is more akin to a
series of maxims. Richardson's portrait of society, he goes on to argue,
is so powerful and true, his virtuous characters so appealing, his villains
so real that we tremble in their presence. In the end, good wins over
evil, but not before our confidence in the beneficence of society has
been shaken.

This observation about villains is followed by two remarks that
sound as if they ought to refer pejoratively to Rousseau and yet, in the
context in which they occur, seem rather to approve of him. The first
remark is: "Qui est-ce qui ne s'est pas dit au fond de son cœur qu'il
faudrait fuir de la société et se réfugier au fond des forêts, s'il y avait
un certain nombre d'hommes d'une pareille dissimulation?" (p. 1060).
Surely we have all experienced such moments of doubt and despair but,
since virtue eventually and convincingly triumphs, one comes away
uplifted from Richardson's novels "qui élèvent l'esprit, qui touchent
l'âme, qui respirent partout l'amour du bien" (p. 1059). The implication
is, I think, that only someone as irrational and as unfeeling as Rousseau
would be unaffected by the cathartic ending of the novels, would persist
in his jaundiced view of society, and actually think it appropriate to flee
from society and futilely take refuge in the depths of the forest. The

---

21.   "En achevant de relire ce recueil, je crois pouvoir voir pourquoi l'intérêt, tout
      faible qu'il est, m'en est si agréable, et le sera, je pense, à tout lecteur d'un bon
      naturel. C'est qu'au moins ce faible intérêt est pur et sans mélange de peine; qu'il
      n'est point excité par des noirceurs, par des crimes, ni mêlé du tourment de haïr.
      Je ne saurais concevoir quel plaisir on peut prendre à imaginer et composer le
      personnage d'un scélérat, à se mettre à sa place tandis qu'on le représente, à lui
      prêter l'éclat le plus imposant (p. 745).
         "Quant à l'intérêt, il est pour tout le monde, il est nul. Pas une mauvaise
      action, pas un méchant homme qui fasse craindre pour les bons. Des événements
      si naturels, si simples qu'ils le sont trop; rien d'opiné; point de coup de théâtre"
      (p. 13).
         The quotations in this note, and those given henceforth in the text of the
      article, are from vol. II of the Pléiade edition of Rousseau's *Œuvres complètes*.
      The references are clearly to Richardson and especially to the character of
      Lovelace in *Clarissa*. It is true that, in a note to the *Lettre à d'Alembert*, p. 167,
      Rousseau expressed his great admiration for Richardson: "On n'a jamais fait
      encore, en quelque langue que ce soit, de roman égal à *Clarisse*, ni même
      approchant," but that was before he had finished his own novel and received such
      a glowing reception from the public, if not from the critics.

second problematic remark has to do with Diderot's assertion that Richardson's novels are addressed precisely to "l'homme tranquille et solitaire, qui a connu la vanité du bruit et des amusements du monde, . . . qui aime à habiter l'ombre d'une retraite, et à s'attendrir utilement dans le silence" (p. 1064). Again, this sounds as if Diderot is condoning Rousseau's retreat from the world. But I think the key words here are "utilement" and "silence," neither of which applies to the activities of the hypocrite Rousseau who, having railed against supposedly inept novels, now produces a perfectly inept one of his own.

Richardson's novels, says Diderot, are so absorbing and convincing that they take over completely the mind and soul of the reader who, at the end, after so many twists and turns, so many conflicting emotions, emerges from the ordeal a better person with a heightened sense of justice and morality: "Combien j'étais bon! combien j'étais juste! que j'étais satisfait de moi! j'étais au sortir de ta lecture, ce qu'est un homme à la fin d'une journée qu'il a employé à faire le bien" (p. 1060). As Jean Sgard points out,[22] Diderot here, using similar language to that of Rousseau, challenges the argument in the *Lettre à d'Alembert* that all the spectator derives from such emotional turmoil is a superficial and transient feeling of complacency and superiority that produces no effect of moral rehabilitation: "Au fond, quand un homme est allé admirer de belles actions dans ses fables, et pleurer des malheurs imaginaires, qu'a-t-on encore d'exiger de lui? N'est-il pas content de lui-même? ne s'applaudit-il pas de sa belle âme."[23]

The world that Richardson portrays is based on the one in which we live: "Ses personnages ont toute la réalité possible; ses caractères sont pris du milieu de la société" (pp. 1060-61). They are representative of all humanity, in sharp contrast, it is implied, to those atypical specimens in Rousseau's novel who are characterized in the second preface to *Julie* as: "simples mais sensibles. . . . Ils sont enfants, penseront-ils en hommes? Ils sont étrangers, écriront-ils correctement? Ils sont solitaires, connaîtront-ils le monde et la société? . . . Ils se détachent du reste de l'univers; et créant entre eux un petit monde différent du nôtre, ils y forment un spectacle véritablement nouveau" (pp. 16-17).

In his writings, his pronouncements, and his style of life, Rousseau had come to regard himself, and was regarded by some, as the

---

22. Hermann, *Œuvres, op. cit.*, p. 193, n. 2.
23. *Lettre à d'Alembert*, p. 79.

champion of the oppressed, in theory if not in practice.[24] In the *Discours sur l'inégalité* (1755) for example, on which Diderot had "collaborated,"[25] Rousseau identified pity or compassion as one of man's two fundamental instincts. This instinct was to become the cornerstone of his political edifice.[26] But Diderot, in the *Éloge*, denied him the title of defender of the downtrodden, awarding it instead to Richardson: "Si Richardson s'est proposé d'intéresser, c'est pour les malheureux. Dans son ouvrage, comme dans ce monde, les hommes sont partagés en deux classes: ceux qui jouissent et ceux qui souffrent. C'est toujours à ceux-ci qu'il m'associe; et sans que je m'en aperçoive, le sentiment de la commisération s'exerce et se fortifie. . . . Grâce à cet auteur, j'ai plus aimé mes semblables, plus aimé mes devoirs; . . . je n'ai eu pour les méchants que de la pitié; . . . j'ai conçu plus de commisération pour les malheureux, plus de vénération pour les bons, . . . et plus d'amour pour la vertu" (pp. 1062 and 1066).

In *La Nouvelle Héloïse*, in his guise as editor, Rousseau indicates, in several footnotes, the extent to which he has modified the text, especially with regard to eliminating a number of letters that, for a variety of reasons, he claims to find unsuitable for inclusion.[27] Diderot's unjustified criticism of this common editorial subterfuge is contained, I believe, in one of his comments on *Pamela* and *Clarissa*:

---

24. When Rousseau was asked to use his pen to intervene on behalf of the Protestants persecuted in France, he declined to get involved. See letters 1498, 1521, 1581 and 1615.

25. "De ces méditations résulta le *Discours sur l'inégalité*, ouvrage qui fut plus du goût de Diderot que tous mes autres écrits, et pour lequel ses conseils me furent le plus utiles" (*Confessions*, p. 389). In a footnote to this remark, Rousseau observes: "Dans le temps que j'écrivis ceci je n'avais encore aucun soupçon du grand complot de Diderot et de Grimm, sans quoi j'aurais aisément reconnu combien le premier abusait de ma confiance pour donner à mes écrits ce ton dur et cet air noir qu'ils n'eurent plus quand il cessa de me diriger."

26. Allan Bloom, "The Education of Democratic Man," *Daedalus*, Summer 1978, p. 149: "Rousseau's teaching on compassion fostered a revolution in democratic politics, one with which we live today. . . . Rousseau singlehandedly invented the category of the disadvantaged. . . . Rousseau takes advantage of the tendency to compassion resulting from inequality, and uses it, rather than self-interest, as the glue binding men together. For Hobbes, frightened men make an artificial man to protect them: for Rousseau, suffering men seek other men who feel for them."

27. See, for example, the editorial footnotes on pp. 47, 345, 429, 528, 557, 596 and 605.

Une idée qui m'est venue quelquefois en rêvant aux ouvrages de Richardson,
c'est que j'avais acheté un vieux château; qu'en visitant un jour ses appartements,
j'avais aperçu dans un angle une armoire qu'on n'avait pas ouverte depuis
longtemps, et que, l'ayant enfoncé, j'y avais trouvé pêle-mêle les lettres de
Clarisse et de Paméla. Après en avoir lu quelques-unes, avec quel empressement
ne les aurais-je pas arrangés par ordre de dates! Quel chagrin n'aurais-je pas
ressenti, s'il y avait eu quelque lacune entre elles! Croit-on que j'eusse souffert
qu'une main téméraire (j'ai presque dit sacrilège) en eût supprimé une ligne?
(p. 1065)

Another observation that could well have been intended for
Rousseau, and that he might have taken personally, concerns
Rousseau's inability to read English and, therefore, to appreciate fully
the superiority and genius of Richardson.[28] Rousseau, like many
others, depended for his knowledge of the English novels on the
translations by Prévost that Diderot found quite deficient not only
stylistically but, more important, in the amount of material Prévost
omitted altogether:

Vous qui n'avez lu les ouvrages de Richardson que dans votre élégante traduction
française, et qui croyez les connaître, vous vous trompez.
    Vous ne connaissez pas Lovelace; vous ne connaissez pas Clémentine;
vous ne connaissez pas l'infortunée Clarisse; vous ne connaissez pas Miss Howe,
sa chère et tendre miss Howe, puisque vous ne l'avez pas vue échevelée et
étendue sur le cercueil de son amie, se tordant les bras, levant ses yeux noyés
de larmes vers le ciel, remplissant la demeure des Harlove de ses cris aigus, et
chargeant d'imprécations toute cette famille cruelle. (p. 1065)

One of the outstanding features of Richardson's genius, according
to Diderot, was his ability to find an individual style for each of his
numerous characters with the result that, in reading the letters, one can
never confuse them:

---

28. In reply to Panckoucke's suggestion, in 1764, that he undertake an edition of
     Richardson's works, Rousseau stated: "Je me fais bien du scrupule de toucher
     aux ouvrages de Richardson, surtout pour les abréger; car je n'aimerais guère
     être abrégé moi-même, bien que je sente le besoin qu'en auraient plusieurs de
     mes écrits. Ceux de Richardson en ont besoin incontestablement. Ses entretiens
     de cercle sont surtout insupportables; car comme il n'avait pas vu le grand monde
     il en ignorait entièrement le ton. . . . D'ailleurs, n'entendant pas l'anglais, il me
     faudrait toutes les traductions qui ont éte faites pour les comparer et choisir"
     (Letter 3290).

> Il y en a jusqu'à quarante [personnages] dans *Grandison*; mais ce qui confond d'étonnement c'est que chacun a ses idées, ses expressions, son ton; et que ces idées, ces expressions, ce ton varient selon les circonstances, les intérêts, les passions, comme on voit sur un même visage les physionomies diverses des passions se succéder (p. 1067).

We are intended to infer from this, I believe, that Rousseau, by contrast, is incapable, even with the few characters portrayed in his novel, of distinguishing them by their style. All of them write in the same boringly hyperbolic fashion so that the reader is hard put to identify the author of a letter. This was one of the charges levelled by Grimm in his assessment of Rousseau's novel. Diderot, therefore, had no need to repeat it. All he had to do was emphasize Richardson's skill in this area. It made no difference to Diderot that Rousseau, in his second preface or "préface dialoguée," claimed to have deliberately avoided the differentiation of character by style since he believed it to be more true to life that young people in love, and isolated from society, would adopt a similar discourse:

> Dans la retraite on a d'autres manières de voir et de sentir que dans le commerce du monde; les passions autrement modifiées ont aussi d'autres expressions; l'imagination toujours frappée des mêmes objets, s'en affecte plus vivement . . . . Une lettre que l'amour a réellement dictée; une lettre d'un amant vraiment passionné, sera lâche, diffuse, toute en longueurs, en désordre, en répétitions . . . . Si vous les lisez comme l'ouvrage d'un auteur qui veut plaire, ou qui se pique d'écrire, elles sont détestables. Mais prenez-les pour ce qu'elles sont, et jugez-le dans leur espèce (pp. 14-16).

According to Susan K. Jackson, the "préface dialoguée" was designed specifically for Diderot whose reaction to the novel had so disappointed Rousseau. In the exchanges between R. and N., the latter "becomes the designated beneficiary of remarks clearly meant to be read by Diderot himself. By placing the preface in circulation, Rousseau thus renews the pair's long-standing practice of exchanging personal messages under cover of literary texts addressed to the general public. With the number and virulence of these messages increasing in direct proportion to the difficulty of face-to-face confrontation, the *Préface de Julie* joins the intertextual debate close on the heels of Diderot's *Le Fils naturel* and Rousseau's own *Lettre à d'Alembert*."[29]

---

29. Susan K. Jackson, "Text and Context of Rousseau's Relations with Diderot," *Eighteenth-Century Studies*, Winter 1986-87, p. 211. For a more recent discussion of the second preface, see Philip Robinson, "Literature Versus Theory: Rousseau's Second Preface to *Julie*," *French Studies*, October 1990, 403-415.

It may well be, then, that Diderot's *Éloge de Richardson* is directed as much against the ideas contained in the preface as against the novel and the author himself. Whatever the case, I hope I have shown that the *Éloge* embodies a concealed but, in my view, not overly subtle attack on the moral and artistic worth of Rousseau. If I have ascribed to Diderot intentions he may not have had, for Rousseau there was little doubt that Diderot's extravagant praise of Richardson was directed against him. His comment, in the *Confessions*, shows clearly the extent to which he took personally Diderot's infatuation with the English author:

> Diderot a fait de grands compliments à Richardson sur la prodigieuse variété de ses tableaux et sur la multitude de ses personnages. Richardson a en effet le mérite de les avoir tous bien caractérisés; mais quant à leur nombre il a cela de commun avec les plus insipides romanciers qui suppléent à la stérilité de leurs idées à force de personnages et d'aventures. Il est aisé de réveiller l'attention en présentant incessamment et des événements inouïs et de nouveaux visages qui passent comme les figures de la lanterne magique; mais de soutenir toujours cette attention sur les mêmes objets et sans aventures merveilleuses, cela certainement est plus difficile, et si, toute chose égale, la simplicité du sujet ajoute à la beauté de l'ouvrage, les romans de Richardson, supérieurs en tant d'autres choses, ne sauraient sur cet article, entrer en parallèle avec le mien (pp. 546-547).

For the modern critic of the epistolary novel, the question of superiority does not arise, partly because the technique of both Richardson and Rousseau is vastly inferior to that of Laclos. If Diderot's *Éloge*, considered excesssive in his own time, still seems so today, the desire to denigrate Rousseau and his novel may well be the principal cause.[30]

Aubrey Rosenberg
University of Toronto

---

30. I am grateful to my colleague David Smith for his most helpful suggestions in the writing of this paper. Its defects are attributable entirely to me.

CLAIMING THE PATENT

ON AUTOBIOGRAPHICAL FICTION

On more than one occasion, Rousseau expressed the wish that *Julie, ou la Nouvelle Héloïse* be read as "autre chose et mieux qu'un roman."[1] Better yet, *Julie* would not simply dismiss the novelistic genre out of hand, but revolutionalize it, irreversibly, from within. One way for scholars to indulge that wish has been to outfit *Julie* itself for resistance to confinement in Saint-Preux's category of "la petite littérature" (2:31).[2] Our avenues of approach are broad in part because the text we approach extends into Rousseau's two prefaces, his editorial footnotes, the corpus of contemporary and subsequent reader response, and the leisurely genetic narrative that unfolds in Book 9 of the *Confessions* as a kind of third and final preface. The novel's envelope has been stretched through introjection to the point where Rousseau's formerly optional glosses are now routinely glossed not so much in isolation as in medias res. And among these glosses, it is the most exorbitant and dubiously introjectable that has exercised the most widespread and productive fascination on recent critics.

Like all the other marginalia, the *Préface de la Nouvelle Héloïse ou Entretien sur les romans* might have been excluded from readings said to be *of* the novel on the grounds that reading the novel is precisely what the marginalia purport to do. Something is lost in the leveling that skips or fails to acknowledge a step of reading. But the question of incorporation becomes even more pointed when it is recalled that the same *Préface* that now figures with predictable unpredictability as a place *in* the novel did not figure at all in the apparently complete work that went on sale in January of 1761. Rather, the requirement to preface having been satisfied by a vastly scaled-down, monological reworking, the *Préface de la Nouvelle Héloïse* was initially withheld from publication, and first appeared two weeks later, alone and under separate

---

1. Michel Launay, ed., *Julie, ou la Nouvelle Héloïse* (Paris: Garnier-Flammarion, 1967), p. xiii.
2. This and all subsequent references in the body of my text are to the Pléiade edition of Rousseau's *Œuvres complètes*.

cover. The preface entered the public domain as an optional, albeit
Julie-related, extra. Its would-be readers were required to incur a
separate expense, and to invest more mental energy than, to Rousseau's
mind, would have warranted publishing the preface in conjunction with
the illustrations, whose appeal was more direct and to a more general
public.[3] The freestanding brochure's claims to autonomy were immediately belied by a title spelling out the affiliation of this *Préface* with
La Nouvelle Héloïse. But the affiliation was rendered newly tenuous
by a subtitle, *Entretien sur les romans entre l'éditeur et un homme de
lettres*, promising more discussants and a more general discussion than
prefaces could, *stricto sensu*, be expected to deliver. Not only was the
preface momentarily inaccessible to a first wave of readers who had no
reason even to suspect its existence. The preface remains ambiguously
sited with respect to the novel, whose overshooting of generic norms
the preface both promotes at the level of manifest content and mimics
as a further case in point or more-than-preface.

If these facts have not always been remembered, they have been
commemorated in readings of *Julie* that replicate Rousseau's strategy
of holding the preface in reserve as a trump card of theoretical rigor
and abstraction. In Paul de Man's reading, the preface clinches the
novel's claims to intellectual sophistication and makes *La Nouvelle
Héloïse* perenially worthy of scholarly attention. The preface becomes
the place and the means of de-sentimentalizing the heroine's plight of
partial blindness to the post-conversion residue of her passion. From
the case study of Julie's writing herself unwittingly back into the
metaphorics of love, de Man extrapolates a universally valid object
lesson about the undecidability of reference and literal meaning. De
Man cannot insist enough, however, on the indebtedness of this reading
to the preface. By demonstrating and dignifying editor R's inability to
say whether or not he is the author of *Julie*, the preface shows us how
to take the character of Julie seriously as that best of all readers whose
limitations as a reader of her own text can be shown to coincide with
those of reading per se.[4]

---

3. For a more complete account of Rousseau's decision to publish the preface
   separately, see Susan K. Jackson, "Text and Context of Rousseau's Relations
   with Diderot," *Eighteenth-Century Studies*, 20 (1986-87), pp. 195-219.
4. Paul de Man, *Allegories of Reading: Figural Language in Rousseau, Nietzsche,
   Rilke, and Proust* (New Haven: Yale, 1979), pp. 188-220.

It is thus an already degendered Julie as Everyman who qualifies to be subjected to the exemplary dehumanization of inability to control or arrest the play of language. De Man's assuming gender not to be an operative category is, to some extent, underwritten by the preface, which resurrects the locus amoenus of classical dialogue, and pits one man of letters against another in fraternal tête-a-tête. However, in his haste to subsume the question of why Julie can't read in the question of why no Man ever can, de Man overlooks the place *in* the preface that regenders Julie's reading as that of a nothing more or less than *fille*. Not skipping that step here will allow us to see how the fact of publishing his preface belatedly informs Rousseau's understanding of what it would take for his novel to be read as a more-than-novel and to inflect the overall history of reading practices.

Gender is more obviously central to the narrative account of having written *Julie* that Rousseau proposes in the *Confessions*. There, the self-contradiction of censuring novels and writing one is flaunted, as though recklessly, and coded as a threat of irreparable emasculation. Said to be at stake in his writing one of those "livres efféminés" notorious for exuding "l'amour et la mollesse" was Rousseau's reputation for hardheaded philosophizing and civic-mindedness (1:434). But the trap of effeminacy would hardly have been set if the autobiographer did not have a plan at the ready for propelling his novel out of love. *Julie* is elevated in due course to the status of *roman à thèse* through reduction of its message to a plea for pan-European religious tolerance or "paix publique" (1:435). That only partially convincing bottom line completes a conquest of androgyny where the interlude of willingness to risk alienating effeminacy is clearly meant to have won for Rousseau's novel the right to annex an operationally defined and eventually neutralized feminine. As for the erstwhile novelist, the explicitly autobiographical context of the *Confessions* suffices to enforce a metonymical displacement of transcendent humanity from the more than *Lettres de deux amants* onto their author. This retelling of the dream of male-centered androgyny nonetheless oversimplifies the issues of gender involved in Rousseau's wanting to lay claim to absolute originality for *La Nouvelle Héloïse*. Everything falls neatly into line when the *Confessions* isolate conventions of subject matter as making the essential generic and generic difference between mere love stories and Rousseau's more-than-love-story.

The plot thickens, however, when the *Préface de la Nouvelle Héloïse* sets Rousseau's sights less directly on personal androgyny than

on the version of transcending literature that Robert Darnton has rightly
associated with the modes of reading and writing we now call autobiography.[5] Odds are that, even had Rousseau not lifted a finger to preface,
his past history of highly publicized attempts to mix life and literature
would have subjected *La Nouvelle Héloïse* to a more autobiographical
brand of reading than eighteenth-century novels generally received. But
Rousseau's pride in having paid his own way to autobiographical fiction
is evident in the passage from the *Confessions* that gives the "préface
en dialogue que je fis imprimer à part" full credit for seducing the ladies
into taking *Julie* for the story of his life (1:547-48). However really
instrumental, Rousseau's prefatory strategies of accession to autobiography thus bear rehearsing, as evidence of an authorially espoused intent
to seduce.

Rousseau knew as well as Laclos that the innate unruliness of the
novelistic genre tended to preclude the text proper of any novel from
making an adequately convincing case on its own behalf for having
broken the rules. Controlling readers' judgments was difficult in direct
proportion to the difficulty of controlling the bases for those judgments.[6] Hence, the stroke of genius involved in rendering *Julie*
anomalous by association. The preface's own anomalies of excessive
length, dialogism, and seriousness stand in serviceably remarkable
contrast to a corpus of prefaces illustrating more perfunctory or playful
deployments of novel prefacing's shopworn conceits.

By making no secret of its own fictionality, Rousseau's "Entretien
supposé" (2:9) mocks the time-honored prefatory practice of under-
writing a novel's truth through recourse to further fictions. But the stage
is also being set for the tour de force of rescuing a new compatibility
between fiction and truth from the corners of literalness into which man
of letters N attempts to paint editor R. Under cross-examination by N,
whose promptings relentlessly reinscribe a horizon of limited expecta-
tions, R makes a noteworthy point of resistance to parroting or modestly
rephrasing the ready-made truth claims at his disposal.

Not that the criterion of truth is rendered inoperative. Rather,
what the preface resists is N's assumption that a novel's potential for
being true to life could be exhausted by the operational definitions that
N, as a man of letters, knows to invoke and R knows to trivialize, in

5. Robert Darnton, *The Great Cat Massacre and Other Episodes in French Cultural
History* (New York: Basic Books, 1984), pp. 227-34, 241-49.
6. Choderlos de Laclos, "Sur le roman de: *Cécilia,*" in *Œuvres complètes*, ed.
Maurice Allem (Paris: Gallimard, 1951), pp. 499-500.

the name of some higher truth, as so many red herrings. Given opportunity upon opportunity to vouch in no uncertain terms for the documentary authenticity and authentic polyphony of the correspondence qua correspondence or for the isomorphic referentiality of a standard *roman à clef* where only the names would have been changed, editor R demurs.

Neither possibility is absolutely foreclosed. But it is increasingly beside the point for N to demand to know whether *Julie* is true to extraliterary manuscript sources, or, in the best *moraliste* tradition of French letters, to the sources of observable waking life in some extraliterary social context. R's counteroffensives are aimed at making his evasiveness a matter of conscience. We observers are destined to catch him, a mere prefacer, in the supreme act of willing out loud to speak even prefatory cant from the depths of his being: "être toujours vrai: voilà ce que je veux tâcher d'être" (2:27). Already, Rousseau's having engineered this surprise of self in a context where the self is the last thing we might have expected to encounter makes the thought of thoroughgoing involvement by the novelist in his novel less of a stretch.

Indeed, the truth of the truth of *Julie* is not merely withheld but exchanged for that of "Jean-Jacques Rousseau, en toutes lettres" (2:27). The preface gestures unmistakably at the psychic life of the author as the truly primary source of a novelistic truth that further work of fictionalizing (including the "Entretien supposé" in progress) could not endanger but only extend. Readers wishing to escape the paralyzing literal-mindedness of N and to rise to the occasion of acknowledging the one true source had no choice, as Darnton puts it, but to "make a leap of faith — of faith in the author who somehow must have suffered through the passions of his characters and forged them into a truth that transcends literature."[7] The preface's originality — and, only in consequence, that of the novel — lies in refusal to take the chance of letting autobiographical readings occur spontaneously or remain superficial. Rousseau's is a self-conscious requirement that *Julie* be read to be holistically, profoundly, dynamically, even inexhaustibly autobiographical. One way of measuring that originality would be to consider how differently the critical dossiers of (Pierre) Marivaux, (Antoine-François) Prévost, and other fellow-novelists of virtually unknown *prénom* would have shaped up had any of them thought to

---

7. Darnton, pp. 233-34.

preempt Rousseau's move in the *Préface de la Nouvelle* Héloïse to authorize the intimacy of autobiographical readings.

It nonetheless bears asking whether Rousseau would concur with subsequent literary history in describing this dramatic rescue of truth from the confines of convention as unprecedented, unprompted, even "Promethean."[8] On the contrary, evidence from the novel suggests that Rousseau knew himself to have done a less thorough job of single-handedly reinventing reading practices from scratch than of claiming the patent on autobiographical fiction. Again, the preface follows up, making that evidence germane to the question of why N can't make the requisite leap to reading *Julie* autobiographically. N's limitations as a reader turn out to have less to do with any universally defective paradigm of reading than with his being gender-bound to read as a *man* of letters.

In this confinement, N replicates the posture assumed by Saint-Preux in Letter 12 and placed into a relationship of complementarity with the version of reading assigned by the same letter to Julie. By the time the letter gets around to recoupling the two lovers as readers, the thread of gender has become tenuous. In context, however, it remains graspable, Saint-Preux having lept at the outset of his letter to comply with Julie's request that she be given carte blanche in the conduct of their affair. "Dès cet instant je vous remets pour ma vie l'empire de mes volontés," he writes; "disposez de moi comme d'un homme qui n'est plus rien pour lui même" (2:56). Saint-Preux does not honor with any direct response the assumption on which Julie has based her claim to superior expertise, namely that the high stakes of virginity impelled "les femmes," all women in love, to develop a sixth sense or gender-specific coping mechanism. But Saint-Preux is moved less spontaneously than his letter admits to limit the sphere of influence of this sixth sense by reasserting and reinventing the domain of his own superior competence. Out of the nothingness of the man, a purer state pedagogue emerges than the one whose former lessons had been contaminated by a subtext of passion. Now that Julie has volunteered to take sole charge of passion, the time could not be more right for Saint-Preux to unveil a newly rigorous "plan d'études," and to make some predictions about the course of its implementation. With the substance of the plan having been relegated to the editor's cutting room floor, our attention is

---

8. *Ibid.*

directed toward the respective contributions that Saint-Preux envisions Julie and himself bringing to their *séances de lecture*.

"[J]e vous dirai ce que les autres auront pensé," he promises, and then continues, as though empowered to speak for her: "vous me direz sur le même sujet ce que vous pensez vous-même, et souvent après la leçon j'en sortirai plus instruit que vous" (2:58). The terms in which Saint-Preux brings his distribution of roles between teacher and pupil up to and beyond the point of mutual illumination survive in the more or less patronizing expressions of nostalgia for untutored reading that today's scholar-critics bring to their classrooms. Readers like Julie are still relied upon, even assigned to divert teachers like Saint-Preux from a too alienating preoccupation with what the critics will have said. And it is, of course, the pedagogical context that allows this privileging of reading over criticism to be seen as a clear case of countervalorization or going against the grain of such Enlightenment values as erudition, professionalism, unmediated access to all the organs of culture, and impersonal knowledge as purchase on the material world. But counter-valorization also serves to obscure the constraints of intransigence and inevitability that Saint-Preux's epistolary fantasy is placing, all the while, on the reading practices of his her.

The potential for his learning more than she is tellingly anchored in a play of verb tenses that foresees a certain innate imperviousness on Julie's part to his lessons and to the books on his reading list. "[J]e vous dirai ce que les autres auront pensé, vous me direz sur le même sujet ce que vous pensez vous-même." The future perfect rendering Saint-Preux as a perenially up-to-date man of letters is jarringly answered by a present: "vous pensez." Overtones of eternity beg the question of whether her readings will have left any decisive imprint on Julie's thinking or whether she does not already think what she will have thought after reading. Grounding his predictions in what he thinks to know from past observation, Saint-Preux proclaims it only typical of Julie to give more than she receives in her encounters with text. He apostrophizes his correspondent as "vous qui mettez dans vos lectures mieux que ce que vous y trouvez, et dont l'esprit actif fait sur le livre un autre livre, quelquefois meilleur que le premier" (2:58). To do so is to congratulate Julie on the palimpsests produced by the irrepressible surfeit of her self. But it is also to erect the hypothesis of that self as an insurmountable natural barrier to the alternative, however un-glamorous, of right reading. Julie cannot read with any degree of accuracy only what is really there, or what can be alleged by Saint-

Preux to be really there when a monopoly on subjectivity has been
projected onto Julie. What is really there, for better or worse, in the
case of Saint-Preux's Julie, is her self. It is this self or "vous-même"
beyond contingent subjectivity that her reading and, more important,
his presumed purchase on objectivity allow him to read as being really
there and as a pendant to his nothingness. He knows to find her in her
reading because, unlike her, he is privileged to know what to find in a
text where she is not. It is thus a not entirely self-effacing man of the
world who further confines the virtuous necessity of Julie's
autobiographical activity to rewriting in a predictably major key and in
the privacy of her own home.

Saint-Preux's letter is bound to efface gender as a basis for
generalization, since any and all generalization is incompatible with
monogamous worship of Julie. However, his dichotomy is less original
than indebted to received truths about women's inability to get outside
or beyond themselves. That same article of faith, to which Domna
Stanton has traced the "age-old, pervasive decoding of all female
writing as autobiographical,"[9] is alleged by Laclos, for example, in the
correspondence with Mme Riccoboni that he appended to his favorite
edition of *Les Liaisons dangereuses*. Riccoboni's novels are explicitly
complimented there on being womanly, that is, autobiographical.
Laclos outdoes Saint-Preux in lavishing praise on the "belle âme" or
self at the source he reads into Riccoboni's meliorative distortions of
material reality.[10]

Like Laclos, Rousseau used a *préface-annexe* to reinscribe
feminine variants of literary activity in the margins of the official
literary history whose collective wisdom the Saint-Preux of Letter 12
had positioned himself to rehearse. But, in addressing Riccoboni,
Laclos remained more faithful than Rousseau to Saint-Preux's chival-
rous fictions of separate and, by dint of countervalorization, equal
spheres. Laclos went so far as "to annexe the high ground of the 'victim'
position,"[11] courting sympathy not for Riccoboni's idiosyncratic
femininity but for his own biological "confinement" to the impersonal
realism of male — or, as might be objected, mainstream — letters.[12]

---

9. Domna Stanton, "Autogynography: Is the Subject Different?", in *The Female
    Autograph: Theory and Practice of Autobiography from the Tenth to the Twentieth
    Century*, ed. Domna C. Stanton (Chicago: University of Chicago, 1987), p. 4.
10. Laclos, *Œuvres complètes*, p. 695.
11. I borrow the phrase from Janet Todd's *Feminist Literary History* (New York:
    Routledge, 1988), p. 133.
12. Laclos, *Œuvres complètes*, p. 688.

Rousseau's ambitions extended by contrast to ushering the marginally feminine *into* the mainstream of ongoing discussion among men of letters. He was less interested in outsuffering women as victims than in annexing the self of womanly reading and writing. For that project of annexation to make a mark required that womanly reading retain something of the cachet of inaccessibility ascribed to it by Laclos. It had to look ambitious, original, unprecedented, lest autobiography be assumed to have come to Rousseau, as it had to the likes of Julie, naturally, effortlessly, and as the only accessible option. This drive to make a purposive spectacle (and no mere accident) of reinventing the truth is well served by Rousseau's using the second nature of prefatory conventions as an obdurate frame of reference. For the benefit of literary historians, the point of R's straining to avoid easy answers to N's queries and conceptualizing autobiographical fiction under the duress of man-to-man combat needed to be made.

But so too, apparently, did the point of Rousseau's reliance on fictions of female autobiography to plot the double distance of his autobiographical fiction from culturally coded versions of feminine nature and masculine culture. Rather than leave that reliance implicit, his preface reenacts the *anti*-Promethean gesture of stealing readers' faith in his ubiquitous agency not from the gods but from the girls. When challenged by N to deny that the novel risks setting a bad example for "les filles," R comes up with a two-pronged rebuttal. On the one hand, he puts "les filles" precisely where they would be put by the most enlightened social scientist: at the mercy of their parents' and society's bad example, and too far removed from these seats of power for their own reading to influence their lot one way or the other (2:24). But beyond that, from out of the blue and apparently triggered by the word "filles," comes R's recollection that "Julie s'étoit fait une regle pour juger des livres," and a recommendation to N: "si vous la trouvez bonne, servez-vous en pour juger celui-ci" (2:23).

"Julie s'étoit fait une regle . . ." — how appropriately that pluperfect disrupts the prevailing sequence of tenses and deposits a rule of reading somewhere beyond the pale of general relevance, pending formal endorsement and appropriation by a man of letters: "si vous la trouvez bonne, servez-vous en." Julie's solipsistic gesture of formulating a rule for her private use only is denied access to the simple past of historical events, and is conceived as the antecedent condition of someone else's duly authorized literary history.

In fact, at the time of its formulation, the rule to which one of Rousseau's editorial footnotes challenges us to return had gone unremarked by Saint-Preux. Nor was it even formulated as anything so pretentious as a rule; it was simply the way, as a rule, Julie read. Again we have Rousseau's paternal pride to thank for dignifying a characteristic "maniere de juger de mes Lectures" that, left to her own devices, Julie had evoked in passing and all but buried in the folds of feminine modesty (2:261).

At issue at the time were the relative merits of Pope's epistles and a refutation by Jean-Pierre de Crouzas. The latter had been published too recently to have generated any ground zero of professional challenges or correctives to Julie's reading. All the more reason for her to make an initial disclaimer: "Je ne sais pas, au vrai, lequel des deux auteurs a raison." Julie herself sees to foreclosing the possibility that her untimely judgment might be endowed with any objective truth value or set in independent opposition to that of both authors. One or the other must be right. Trusting herself to know that "le livre de M. de Crouzas ne fera jamais faire une bonne action et qu'il n'y a rien de bon qu'on ne soit tenté de faire en quitant celui de Pope," Julie nonetheless pulls back from the momentary presumption of her "on" into renewed insistence on the peculiarity of this way of reading to her. "Je n'ai point, pour moi d'autre manière de juger de mes lectures que de sonder les dispositions où elles laissent mon ame, et j'imagine à peine quelle sorte de bonté peut avoir un livre qui ne porte point ses lecteurs au bien." We know, from Rousseau's personal and public correspondence, that his judgments of Pope and Crouzas coincided exactly with Julie's.[13] Spokeswoman though she may be, however, Julie's claim to have but one way of reading takes a turn for the less assertive when that uniformity of approach is suspected to derive from failure to imagine how else or in search of what other goodness she might read. Her suspending critical judgment until it can be tied up with the self-judgment of sounding her soul risks being taken for yet another perennial alibi of the masculine feminine. So too does her insistent recourse to the framing apologetics of ethical self-betterment.[14] What the frame betrays when it overwhelms the picture of Julie's reading is

13. See especially Rousseau's refutation of Voltaire's poem on the disaster of Lisbon: "Rousseau à François-Marie Arouet de Voltaire," Letter 424 (18 Aug. 1756), *Correspondance complète de Jean-Jacques Rousseau*, ed. R. A. Leigh (Geneva: Institut et Musée Voltaire, 1967), IV, 41-42.
14. See Stanton, p. 14.

a lack of easy familiarity with literary activity. Even the neo-Ovidian self-image of her being "left" by books, as by a lover, to sound her soul participates in this thoroughgoing process of encasing the exemplum or essential kernel of holistically self-involved reading in a chaff of tentative femininity.

There is no need to work at guessing for ourselves how a man of letters would go about extracting the kernel from the chaff. Rousseau went on to do just that in the *Dialogues*, which urge an unattributed version of Julie's rule on Everyman. By then, the rule had been reduced to soberly aphoristic concision: "consultez la disposition de cœur où ces lectures vous mettent; c'est cette disposition qui vous éclairera sur leur véritable sens" (1:695). For the time being of the *Préface de la Nouvelle Héloïse*, what matters, however, is for editor R to make a truthfully ambiguous spectacle of giving and taking credit for the rule in the same breath. A girl like Julie can be made to know that she reads with the entirety of her being. But she is neither psychologically nor sociologically positioned to take the further step of being heard to proclaim the rightness of her reading. For her description to be marked as prescriptive, it needs to be picked out of a welter of words by a mentoring man of letters. Nor can she argue with whatever self-serving ends that mentor will attach to his presumed ability to read her being into her reading.

It is, in fact, her self that serves — whether the magnitude of that self is glimpsed through the effects of its power to transform texts, as was the case in Saint-Preux's letter, or through the effects of a power to *be* transformed or not by texts to which her own letter bears witness. What Julie delivers to Rousseau, and through him to his readers, is a reason for believing in the existence of the self and in the essential goodness of its existing. In this instance, female being becomes the enabling fiction of Rousseau's perennial crusade to leave no corner of literary creation in a state of impersonality or unsuffused by selfhood.

It remained only for Rousseau to read Julie's right reading as a specular double of his own writing. As we have seen, the preface goes on to derive a writing self — a full-blown, fully autonomous, fully engaged self at the source of writing — from her having called the books of Pope and Crouzas by the names of their authors and defended the integrity of each against the specter of intertextuality. Taking authorship beyond the mere metonyms of publishing conventions to the heart of the author is something Rousseau does matter-of-factly in the *Dialogues*. More suggestively, the *Préface de la Nouvelle Héloïse* makes his truth the only one for which he can or needs to vouch. The more fanfare, the better, however. The Julie whom the preface strains to hear is extensively precoded for the occasion as a daughter; that places Rousseau squarely in the camp of the "paternal authors," to whose credit everything in their textual progeny" — including, in this instance, a new model of literary paternity — is supposed by "the literary criticism of patriarchal culture" to redound.[15]

But does it? What, beyond a faintly incestuous assurance of filial docility or an emphatic resilencing, is accomplished by R's sudden impulse to cite his her? Any such move to cite fictional sources — even when the sources themselves provide the wherewithal to argue against their being taken for outside sources — is, after all, strangely reminiscent of the "Prosopopée de Fabricius." On account of that prosopopeia, we know Rousseau to have been haunted by the possibility that his whole life and corpus may well have turned on a rhetorical figure of authorial absence.[16] Given what he sometimes suspected about the tenuous bases of his humanistic model of authorship, it behooved Rousseau to put enough distance between himself and Julie to let any excesses of wishful essentialism redound to her discredit. For its part, in partial subversion of that essentialism, Rousseau's fictional "Entretien" would make a point not of ex nihilo authoring but of authorizing, or rewriting the already written from a vantage point of authority. Rousseau knew better than some of his champions about the power of gendered fictions and fictions of gender to rewrite the history of literature. What happened in his name to the eighteenth-century novel was a maximally inventive instance of expropriating the invention in order to claim the patent.

Susan K. Jackson
Boston University

---

15. Jonathan Culler, *On Deconstruction: Theory and Criticism after Structuralism* (Ithaca: Cornell, 1982), pp. 60-61.

16. As I have argued elsewhere, Rousseau betrays a perennial need to exorcize the specter of non-involvement by his self in the writing of the *First Discourse*. See *Rousseau's Occasional Autobiographies* (Columbus: Ohio State, 1992), pp. 54-55, 243-44.

V

MODERNITÉ DE
LA NOUVELLE HÉLOÏSE

LA NOUVELLE HÉLOÏSE TODAY

De *La Nouvelle Héloïse* aux *Confessions*,
une triade infernale

Rousseau for the Twentieth Century:
New Interpretations of the Family

Rousseau's Economic Theory:
Development and Modernity Reconsidered

DE *LA NOUVELLE HÉLOÏSE*

AUX *CONFESSIONS,*

UNE TRIADE INFERNALE

Lorsque Saint-Preux est admis pour la première fois dans le « prétendu verger » de Julie et de Wolmar, son exclamation « Julie, le bout du monde est à votre porte! » (IV, 11, p. 471) constitue un bon exemple de l'incessante tentative de « conjonction des contraires » que Rousseau entreprend dans *La Nouvelle Héloïse*. Ce goût du paradoxe apparaît dans de multiples aspects du roman. Ainsi, la frayeur qui saisit Saint-Preux de retour à Clarens face au train de vie de ses hôtes suscite leurs rires car le secret de leur opulence repose sur un paradoxe où la pauvreté fiduciaire est génératrice de richesse réelle : « Notre grand secret pour être riches, me dirent-ils, est d'avoir peu d'argent, et d'éviter autant qu'il se peut dans l'usage de nos biens les échanges intermédiaires entre le produit et l'emploi » (V, 2, p. 548). La réaction de Saint-Preux peut surprendre dans la mesure où le microcosme utopique auquel Julie et Wolmar se sont attelés à Clarens pendant le long périple de Saint-Preux rappelle étrangement, par certains aspects, la théorie « minimaliste » qu'il avait exposée dans sa lettre du Valais : « l'argent est fort rare dans le Haut-Valais; mais c'est pour cela que les habitants sont à leur aise : car les denrées y sont abondantes sans aucun débouché au dehors, sans consommations de luxe au dedans » (I, 23, p. 80). On peut tout aussi bien appliquer à Clarens ce que Saint-Preux avait écrit au sujet des Valaisans lorsqu'il avait prédit que « Si jamais ils ont plus d'argent, ils seront infailliblement plus pauvres » (*ibid.*). La nocivité de l'argent en tant que symbole de circulation est telle qu'elle s'oppose à la vraie richesse.

S'il est volontaire lorsqu'il s'exprime sur le plan économique, le paradoxe l'est beaucoup moins lorsqu'il touche aux relations entre Saint-Preux et Julie qui sont régies par une semblable dualité obsessionnelle du « dedans » et du « dehors ». Au niveau personnel, cette obsession ne peut connaître de solution que dans un retour à une unité restaurée. Transposée sur le plan psychologique, la consigne économique du « ne jamais sortir de chez soi » se reformule en « ne jamais sortir de soi ». L'apparente contradiction sur laquelle repose l'axiome inattendu qui gouverne l'économie du Valais ou de Clarens ne peut se résoudre qu'à se trouver placée sur le plan de l'unité. Elle repose sur le rejet instinctif de ces « intermédiaires » que Jean Starobinski a mis en lumière dans *L'Œil vivant* sous la forme d'un pôle indésirable qui vient gêner la libre course du désir vers l'objet.

Jean Starobinski a brillamment analysé le maléfice du regard, la conscience de Jean-Jacques sous la forme d'un œil qui l'observe constamment et que le héros des *Confessions* sent constamment posé sur lui lorsqu'il cherche à s'approprier quelque chose d'illicite. Jean Starobinski justifie la présence de ce témoin invisible mais omniprésent dans le processus de persécution des *Confessions* ainsi : « Il y a une économie de souffrance à se sentir en butte à une hostilité venue du dehors, plutôt que d'éprouver intérieurement le conflit de la déchirure » (p. 96). Le héros des *Confessions* tente de résoudre ce conflit en opérant une tripartition entre sujet désirant, objet du désir et témoin malveillant. Une construction mentale de même type est déjà présente dans *La Nouvelle Héloïse*. Cette triade imaginaire diffère cependant de celle des *Confessions* par la personnification de ses trois pôles sous les traits de Saint-Preux, Julie et Wolmar. Le rôle de cette triade sera de neutraliser la malveillance du témoin en faisant de Wolmar un médiateur bienveillant entre Saint-Preux et la Nature. On appellera ce témoin omniprésent qui n'est pas sans rappeler le précepteur de l'Emile, qui ne s'efface que pour mieux dominer, *homme caché*. Une autre différence significative entre les *Confessions* et *La Nouvelle Héloïse* se trouve dans l'unicité de l'objet du désir de Saint-Preux. C'est là que réside le « vice caché » qui conduira à l'échec de la triade imaginaire et à la mort de l'héroïne du roman. C'est cependant dans la personnification des pôles de la psychose permise par la fiction que réside l'originalité de la construction triangulaire dans la mesure où il en résulte une relative interchangeabilité des rôles. On s'intéressera ici tout particulièrement au jeu des multiples interférences de chaque pôle l'un sur l'autre.

Le rôle du témoin malveillant est capital tant dans les *Confessions* que dans *La Nouvelle Héloïse*. La présence menaçante de ce témoin dérange l'autonomie du désir. Le sujet désirant des *Confessions* se voit placé devant une alternative. Il s'agit pour lui de refouler soit l'objet du désir, soit le désir lui-même. La stratégie de négation du désir consiste à le transformer en amitié innocente. Lorsqu'au contraire le sujet désirant tente de rejeter l'objet du désir, Jean-Jacques se retourne sur lui-même et s'abandonne au narcissisme. Ainsi, Jean-Jacques ne cède à la tentation d'inaugurer une relation à l'objet qu'en l'absence de témoin, comme dans l'épisode du vol des pommes chez son maître à Genève. Placé devant une alternative similaire, Saint-Preux ne peut jamais complètement se résoudre à nier le désir qui le pousse vers Julie. Il préfère prendre la fuite. Son voyage dans le Valais suit de peu la prise de conscience de l'impossibilité de son amour pour Julie. Quand Saint-Preux tente de refouler son désir pour elle, il a le choix entre l'auto-négation et la sublimation vertueuse de l'objet. S'il choisit de le sublimer, c'est que l'absence du témoin gênant lui évite de se voir astreint à l'effacement absolu du sujet, c'est-à-dire le suicide auquel il pense un moment. Au lieu d'abolir purement et simplement le désir, comme le fait le héros des *Confessions*, Saint-Preux réussit à le surmonter en le transférant sur un objet imaginaire : la Nature. Il ne s'agit pourtant là que d'un succès éphémère. Cette sublimation est avantageuse en ce qu'elle permet à Saint-Preux de laisser librement exister le désir au lieu de le supprimer. Elle ne peut néanmoins éviter l'ornière dans laquelle tombe si fréquemment le sujet des *Confessions*, à savoir un narcissisme qui ne diffère fondamentalement de celui de Jean-Jacques qu'en ce qu'il nécessite la présence de la Nature.

À la contrainte du monde vient se substituer celle de la Nature bienveillante qui exonère Saint-Preux de toute culpabilisation. Le rejet de tout conflit potentiel hors du moi permet au sujet de s'assurer d'une unité renouvelée dont l'intériorisation prévient toute atteinte du dehors. Cette dénégation du conflit intérieur autorise une césure nette entre le « dehors » qui se voit chargé des forces malveillantes du temps et le « dedans » où le moi se voit délivré de toute contrainte temporelle. Comme l'écrit Starobinski : « Le dehors étant le domaine dangereux du témoin hostile, le seul « espace » que le désir puisse occuper est l'intimité du moi : il faut qu'il trouve à s'assouvir en demeurant pour ainsi dire intérieur à soi-même » (p. 108). Cette claire séparation entre « dehors » et « dedans » entraîne la continuelle rentrée dans le moi professée par Rousseau. Cette rentrée en soi qui tente de retrouver une unité mentale à l'image héritée de la Nature intervient comme une rétrogradation accélérée de l'état civil à l'état sauvage.

Au lieu d'abolir l'objet du désir, la fiction en fait sous les traits de la Nature une entité si désirable qu'elle finit par acquérir une autorité absolue. Loin de l'objet réel de son amour, Saint-Preux peut effectuer une première tentative afin d'écarter le désir, sans autre danger que celui du narcissisme. En effet, en l'absence d'obstacles, le retour déculpabilisé à la Nature de Saint-Preux s'effectue avec une aisance telle qu'elle finit par autoriser la pleine identification du sujet avec la Nature[1]. La sublimation de Saint-Preux repose sur une assimilation de la Nature extérieure à la nature intérieure qui confond « dehors » et « dedans ». Au lieu de s'ouvrir à la Nature, Saint-Preux ne fait que se renfermer au dedans de lui-même afin de tenter d'oublier son amour pour Julie. Seul l'éloignement de l'objet du désir a permis cette sublimation. Pour cette raison, le retour à Clarens signe le retour du malaise. Saint-Preux confessera à Milord Bomston la violente émotion qui s'est emparée de lui à l'approche de Clarens. Ce retour qui donne tout son sens à son long périple constitue la seconde étape de la sublimation de Saint-Preux. Il s'agit pour lui de retourner à Clarens mettre le désir à l'épreuve.

Le désir fonctionne chez Rousseau selon des modalités qui l'apparentent à la réflexion. Tous deux sont caractérisés par leur commune absence de l'état de nature tel qu'il est théorisé dans le *Discours sur l'inégalité* : « Nous ne cherchons à connoître, que parce que nous désirons de jouïr, et il n'est pas possible de concevoir pourquoi celui qui n'auroit ni desirs, ni craintes se donneroit la peine de raisonner » (p. 143). Son expédition dans le Valais, ce lieu privilégié de l'atemporalité où Saint-Preux a tenté d'abolir son individualité, lui a permis d'en faire l'expérience. Cette perception immédiate et totale est conceptualisée en une opposition entre verticalité et horizontalité : « la perspective des monts étant verticale, frape les yeux tout à la fois et bien plus puissamment que celle des plaines, qui ne se voit qu'obliquement, en fuyant, et dont chaque objet vous en cache un autre » (I, 23, p. 77)[2]. La géographie particulière de ce site ayant eu pour résultat de priver Saint-Preux de réflexion et donc de mots, il est obligé d'avoir recours à un appel à l'imagination pour en continuer la description : « *Supposez* les impressions réunies de ce que je viens de vous décrire, et vous aurez quelque idée de la situation délicieuse où je me trouvais. *Imaginez* la variété, la grandeur, la beauté de mille étonnans spectacles » (I, 23, p. 79, je souligne). Mais bientôt l'imagination elle-même

---

1.   Paul de Man a d'ailleurs noté l'interchangeabilité des termes « naturel » et « particulier » chez Rousseau (p. 248).

2.   L'image sera reprise par Saint-Preux à l'occasion de son retour à Clarens : « Quand j'apperçûs la cime des monts le cœur me battit fortement, en me disant : elle est là » (IV, 6, p. 419).

s'est avérée insuffisante : « ce que je n'ai pu vous peindre et qu'on ne peut guère imaginer » (*ibid.*). C'est que dès qu'elle a atteint son but, l'imagination doit nécessairement s'effacer pour laisser la place à la pure jouissance des sens. Le spectacle de la Nature l'emporte sur la rêverie et permet au désir, toute culpabilisation évacuée, de s'épanouir sans entraves : « Je voulais *toujours rêver* et j'en étais *toujours détourné* par quelque spectacle inattendu » (I, 23, p. 77, je souligne). De même que la « sublimation vertueuse » de Saint-Preux contourne la psychose en oblitérant le désir, la négation de la réflexion lui permettra de se croire momentanément en accord total avec la nature où il effectue son retour : « J'étois plus empressé de voir les objets que d'examiner leurs impressions, et j'aimois à me livrer à cette charmante contemplation sans prendre la peine de penser » (IV, 11, p. 475).

Le rôle de l'imagination n'en demeure pas moins ambigu. Cet intermédiaire entre la réflexion et la pure jouissance des sens devant laquelle elle doit s'effacer, dispose du dangereux pouvoir de ramener le désir. L'absence de réflexion étant corrélative de l'absence du désir, l'artifice du jardin de Clarens consiste à recréer un espace privilégié de la non-réflexion semblable au Valais. L'artifice de cette reconstitution repose néanmoins sur une ambiguïté qu'exprimera Saint-Preux dans son commentaire des spectacles inattendus de l'Élysée qui « porterent à mon imagination du moins autant qu'à mes sens » (IV, 11, p. 471). L'enjeu pour Julie consiste à détourner à son profit l'imagination de Saint-Preux. Elle le fait en la forçant à se mobiliser sur l'Élysée, ce « bout du monde » fictif : « Beaucoup de gens le trouvent [le bout du monde] ici comme vous, dit-elle avec un sourire; mais vingt pas de plus les ramenent bien vîte à Clarens : voyons si le charme tiendra plus longtems chez vous » (*ibid.*). Cette mise à l'épreuve représente l'aboutissement de la manipulation par Julie et Wolmar du mécanisme de sublimation de Saint-Preux. Le désir n'étant jamais si près de se réveiller que lorsqu'il côtoie son objet, l'imagination de Saint-Preux doit être neutralisée. En la focalisant sur la Nature de l'Elisée, Julie cherche à cristalliser l'amour sublimé de Saint-Preux en un narcissisme serein et inoffensif. Ceci lui permettrait de s'abolir en tant qu'objet du désir, ce qu'elle tente précisément de faire en assumant un rôle nouveau de témoin bienveillant. Ce transfert autoriserait la réorganisation de la triade imaginaire en ces termes : la Nature devient l'objet du désir et Julie le témoin bienveillant, ce qui permet d'éliminer par contre-coup Wolmar.

De retour à Clarens, Saint-Preux a en effet eu le choix entre deux stratégies. La première était de nier le désir en le transformant en amitié innocente, comme le fait Jean-Jacques dans les *Confessions*. La seconde consistait à le sublimer en le transférant sur un objet imaginaire sous le regard bienveillant de Julie. Si la seconde solution l'emporte, c'est sans nul doute parce que c'est celle qui présente le moins d'ambiguïté. Une relation triangulaire qui ferait de Saint-Preux le sujet désirant et de Julie l'objet du désir, fût-il nié, sous le regard de Wolmar serait catastrophique. À cause de l'unicité de l'objet du désir, la sublimation que s'est assignée Saint-Preux n'est jamais totalement assurée. Saint-Preux est en effet prisonnier de son amour pour Julie là où le héros des *Confessions* dispose de la capacité de varier presque à l'infini l'objet du désir. C'est là son point faible. Face à ce danger permanent, la solution qui consiste à projeter son désir pour Julie sur la Nature demeure la plus tolérable.

Starobinski observe que « Le mythe du paradis, chez Rousseau, s'est construit par le besoin d'inverser la situation vécue en présence du témoin sévère : dans l'existence édénique, le spectateur n'est pas encore devenu hostile, son regard annonce la bienveillance et non la réprobation » (p. 145). La fabrication de l'Élysée par un *homme caché* répond à un besoin similaire de la part de Saint-Preux. Le rôle de cet *homme caché* est de générer une compatibilité entre les trois pôles de la psychose. Dès qu'ils peuvent coexister grâce à lui, le mécanisme protecteur du refoulement n'a manifestement plus de raison d'y demeurer. C'est apparemment ce qui se passe dans le monde idyllique de Clarens où le témoin ne subsiste plus que sous une forme positivisée, pour ainsi dire à l'état de fossile. Face aux possibilités de conflit que recèle une Nature intériorisée, l'*homme caché* prévient avec bienveillance les possibilités de rupture en extériorisant le péril représenté par le témoin. Ce créateur devient alors l'homologue idéalisé de forces contraires qu'on tente de neutraliser en leur substituant un double supportable.

Il semble alors que le moment propice pour que l'*homme caché* puisse révéler son œuvre soit venu. C'est en effet sous l'œil bienveillant de Wolmar que Julie a contribué à refouler le désir de Saint-Preux en se créant un substitut « naturel ». Peggy Kamuf a bien vu le rôle de Wolmar lorsqu'elle écrit : « Although it is Julie herself who has chosen the name Élysée for her secret garden, it is finally Wolmar who gives it its meaning » (p. 117). Il est impératif pour lui de se faire oublier en tant qu'obstacle entre Julie et Saint-Preux. Il suffit pour cela de voir les conditions qu'il pose aux rapports entre Julie et Saint-Preux : « Mais vivez dans le tête-à-tête, comme si j'étois présent, ou devant moi comme si je n'y étois pas : voilà tout ce que je vous demande » (IV, 6, p. 424). Le caractère factice de cette transparence menace le transfert de Julie du rôle d'objet du désir à celui de témoin bienveillant. La psychose réagit à ce dédoublement du témoin en attribuant la bienveillance à Julie et la malveillance à Wolmar. La redistribution des rôles se voit donc affectée et le témoin malveillant réintroduit au sein de la relation affective.

Wolmar tente de parer à ce danger grâce à une stratégie qui consiste à jouer le jeu de la transparence, à se dévoiler tout entier, achève de lui faire perdre toute innocence aux yeux de Saint-Preux. Ainsi lorsque ce dernier s'obstine dans son illusion : « Je ne vois nulle part la moindre trace de culture [...] la main du jardinier ne se montre point; rien ne dément l'idée d'une Isle déserte qui m'est venue en entrant, et je n'apperçois aucun pas d'hommes » (IV, 11, p. 478-9), la réponse est on ne peut moins ambiguë : « Ah! dit M. de Wolmar, c'est qu'on a pris grand soin de les effacer » (IV, 11, p. 479). L'effacement de Wolmar le témoin visait à abroger la malédiction du regard en assumant un rôle nouveau de créateur et c'est en prétendant disparaître dans son ouvrage que ce créateur parachève son œuvre invisible, parce que soigneusement occultée, d'imitation de la Nature.

La violence qui préside à la création puis à la dissimulation du jardin de Clarens est symptomatique de l'absence latente de résolution du conflit. On assiste alors à une surenchère surprenante dans la coercition de la nature : « c'est au sommet des montagnes, au fond des forêts, dans des Isles désertes qu'elle étale ses charmes les plus touchans. Ceux qui l'aiment et ne peuvent l'aller chercher si loin sont reduits à lui *faire violence*, à la *forcer* en quelque sorte à venir habiter avec eux, et tout cela ne peut se faire sans *un peu d'illusion* » (IV, 11, p. 479-480, je souligne). La négation du désir engendre et résulte tout à la fois de la violence qui préside à l'interdiction protectrice de la dissimulation du verger et de l'illusion du visiteur : « Ce lieu, quoique tout proche de la maison est tellement caché par l'allée couverte qui l'en sépare qu'on ne l'apperçoit de nulle part. L'épais feuillage qui l'environne ne permet point à l'œil d'y pénétrer, et il est toujours soigneusement fermé à la clé » (IV, 11, p. 471). Ce n'est pas tant les intrus éventuels qu'il s'agit d'empêcher de pénétrer dans le jardin que « l'œil », cet « intermédiaire » tant redouté de toute relation. C'est que la neutralisation du désir dépend pour une bonne part de celle du regard.

La dialectique de la violence trouvera son aboutissement lorsque Julie révèle sa complicité : « Il est vrai, dit-elle, que la nature a tout fait, mais sous ma direction, et il n'y a rien là que je n'aye ordonné » (IV, 11, p. 472).

La personnification des trois pôles de la psychose était momentanément parvenue à les faire coexister dans une innocence fragile. Le succès du procédé n'aura cependant abouti qu'à habiliter la complicité de l'objet du désir au témoin en vue de la sublimation de Saint-Preux. Pour cette raison, l'un des trois pôles de la psychose reste de trop et l'« intermédiaire », même sous les traits de l'*homme caché*, gêne toujours et encore. À nouveau, le besoin d'une solution plus radicale se fait sentir, à savoir l'élimination de l'un des trois éléments en présence. En dépit de son échec, l'originalité de la construction imaginaire dans *La Nouvelle Héloïse* repose sur le fait que ce n'est pas le sujet qui cherche à se transformer en témoin, comme bien souvent dans les *Confessions*, mais l'objet du désir. La raison doit en être recherchée dans l'unicité de l'objet du désir. D'autre part, la tentative passagère de faire jouer à Saint-Preux un rôle de témoin à Clarens ne peut être qu'un simulacre dans la mesure où il n'a rien à observer si ce n'est à être le témoin ridicule de la relation entre Julie et Wolmar.

L'auto-sublimation en Nature qu'a tenté d'opérer Julie sous l'œil de Wolmar s'avère donc insuffisante et tourne à l'échec lorsqu'il devient évident que la maîtrise de la situation lui échappe complètement, échec dont l'objet du désir fera les frais. La fiction débouche sur la mort de Julie parce que, tout en reculant devant l'idée du suicide, la psychose se refuse à envisager l'élimination physique de Wolmar. Elle ne peut s'en prendre qu'au pôle constitué par l'objet du désir. L'entreprise de refoulement de Saint-Preux s'est condamnée à trouver son parachèvement nécessaire dans la mort de Julie. L'échec de cette triade imaginaire dans *La Nouvelle Héloïse* est la marque de l'impossibilité de la relation à l'autre que Rousseau tentera à nouveau de résoudre sous la forme des *Confessions*.

Loïc Thommeret
University of California,
Davis

Ouvrages cités :

Kamuf, Peggy. *Fictions of Feminine Desire.* Lincoln & London : University of Nebraska Press, 1982.

de Man, Paul. *Allegories of Reading.* New Haven & London : Yale University Press, 1979.

Rousseau, Jean-Jacques. *La Nouvelle Héloïse.* Paris : Gallimard, Bibliothèque de la Pléiade, 1961.

—. *Discours sur l'Origine et les Fondemens de l'inégalité parmi les hommes.* Paris : Gallimard, Bibliothèque de la Pléiade, 1964.

—. *Confessions.* Paris : Gallimard, Bibliothèque de la Pléiade, 1959.

Starobinski, Jean. *L'Œil vivant.* Paris : Gallimard, 1961.

ROUSSEAU FOR THE TWENTIETH CENTURY:

NEW INTERPRETATIONS OF THE FAMILY[1]

Introduction

The purpose of this paper is to analyze whether Rousseau's writings on the family yield a structure providing both personal and political authenticity for all of its members. In this paper, we will concentrate on Rousseau's literary output, particularly his novels. While Rousseau does speak of the family in his more overtly "political" works, his remarks there are rather cryptic and take on further resonance only when viewed against Rousseau's more overtly "literary" writings. In this connection, it is important to note that Rousseau's literary works do not merely reflect the themes presented in his political tracts, but further expand upon them. When viewed in this light, Rousseau's statements on the family take on a less rigid quality, yielding a positive and dynamic ambiguity that further illuminates the acknowledged tensions of Rousseau's political system in general and his conception of the family in particular.

In Rousseau's political works, two seemingly intractable contradictions appear in connection with the family. One is historical in nature: Rousseau defines the family as the product of a "revolution" but also insists that it is a "natural" structure.[2] The second tension exists

---

1. This article is part of larger study on Rousseau and the politics of ambiguity. I would like to thank Ourida Mostefai for her help in preparing this article for publication.

2. The tensions in these definitions derive from two sources. One is the different moral values ascribed to the categories of "nature" and "revolution." In Rousseau's lexicon, those structures rooted in the State of Nature are basically good in character and orientation, or at least bereft of evil. On the other hand, an institution arising from the first "great revolution" that results in the socialization of Savage Man heralds the advent of evil in human existence although, to be sure, there are some other benefits that accrue as well. The second source of the tension between "revolution" and "nature" is the operational consequences that ensue. On the one hand, the family is both the outcome of and the catalyst for major changes in the operation of daily life and social norms. On

as a result of this dual account of the family's origin, and consists in the different conceptions that Rousseau has of the operational goals of the family. Rousseau clearly states that the family is supposed to provide each individual member with a sense of personal authenticity.[3] At the same time, the family is also viewed as the source of political socialization, educating each member to identify primarily as a citizen of the authentic State.[4] While ideally these two goals should complement each other, Rousseau recognizes that the tensions that would evolve between them would likely jeopardize the attainment of one or both of these aims. In his novels, Rousseau demonstrates how his analysis of women and the family serves as a universal metaphor for the personal and political concerns that affect us all.

The Family in Society

In writing of the family in his novels, Rousseau situates them in the society of his day: the society of France during the Ancien Régime. Rousseau's aim in doing that is to illustrate the concrete application of his theoretical concepts in the "real world." If his theories are correct, it stands to reason that stable families, and hence happy individuals and productive citizens, would ensue. This would be an important justification of Rousseau's social and political theory. In addition, by situating his families in positions that are emphatically not ideal, Rousseau is illustrating the importance of families in maintaining and fostering authenticity even in an inauthentic world. This has important theoretical and practical implications. Rousseau views the family as a potential revolutionary vehicle — true to its revolutionary origins — in being the keeper of the flame of personal and political authenticity. Eventually,

---

the other hand, the family as a social unit works to counter change and solidify the status quo.

3. This is particularly evident in *Émile*, which opens with a personal appeal to the mother to look after her child, and whose basic goal is the development of an individual who would be authentic for all times and seasons.

4. Because Rousseau believes that pure rationality alone cannot provide a stable and permanent basis for the cohesiveness of an authentic State (in *Émile*, Rousseau links even the fundamental emotion of pity to a rationalistic egotistical calculation of self-interest), he must ground the development of the citizen of the authentic State in the emotional cradle of the individual family. Essentially, "le moi particulier répandu sur le tout est le plus fort lien de la société générale" (*Social Contract*, first version II, 4, p. 330), but it is Rousseau's hope that the family in the authentic State will nurture the authentic citizen.

Rousseau maintains, this grassroots movement will blossom into revolution on the political plane as well. Even in a society as corrupt and depraved as that of eighteenth-century France, it would still be possible to attain personal and political authenticity without resorting to the chaos of cataclysmic revolution.[5]

This second aspect of the family's importance to authentic revolutionary change is brought out particularly at the end of *Émile*, when Sophie and Émile are given careful instructions about married life. The importance of Émile and Sophie's happiness is not just personal in nature. In addition, their felicity is to serve as the catalyst to foster personal and eventually political authenticity all over the country. By living a happy family life in the countryside, close to the people, Émile and Sophie will afford their neighbors the opportunity to examine the advantages of an authentic life.[6] Soon, Rousseau surmises, their neighbors will follow their example. It is Rousseau's hope that this ever expanding circle of authentic existence will eventually redeem the corrupt social and political structures and transform them into institutions that will foster both personal and political authenticity.

In view of the long and carefully planned educational programs undergone by both Émile and Sophie — Sophie is educated solely to be Émile's helpmeet and to facilitate the achievement of his life's goals — it is puzzling that their family life totally disintegrates within a few years of their marriage. In the sequel to *Émile*, entitled *Émile et Sophie ou les Solitaires*, Émile describes his short marriage in letters written to his Tutor. According to Émile's narrative, things started to go sour when they moved to Paris — which in Rousseau's lexicon is the symbol of inauthenticity and depravity — to help Sophie get over the death of their daughter. There Sophie falls in with a bad crowd and is unfaithful to Émile. Upon his discovery of that fact, Émile declares that their marriage is over and leaves Sophie. Eventually, Émile winds up as a slave, thereby giving up any hope of true political authenticity while declaring himself to be free in his chains.[7]

---

5. "Comme quelques maladies bouleversent la tête des hommes; les révolutions font sur le peuple ce que certaines maladies font sur les individus" (*Social Contract*, II, 8, p. 385).

6. "De leur simple retraite Émile et Sophie peuvent répandre de bienfaits autour d'eux . . . [l'âge d'or] semble déjà renaître autour de l'habitation de Sophie" (*Émile*, Book V, p. 859).

7. *Émile et Sophie ou les Solitaires*, letters 1 and 2.

On a facile level, of course, it is easy to point to Sophie as the author and therefore the culprit of this chain of events: after all, it was her infidelity that prompted the dissolution of her marriage to Émile. However, that point of view overlooks the fact that Sophie's action was not totally of her own doing. Even Émile admits to some complicity in her actions by acknowledging that he had been ignoring Sophie for quite some time and had not been a good husband to her. Furthermore, by leaving Sophie so precipitously, Émile reveals his lack of empathy and lack of love for his wife. The self-centeredness of Émile's love for Sophie becomes especially apparent in view of the fact that Émile had been taught by his Tutor that true love is more concerned with the Other than with one's own selfish feelings.[8] Finally, the education that Sophie receives actually works against her being able to withstand the vicissitudes and temptations of Paris. This is because Sophie's education, in emphasizing her subservience to Émile, deprives her of any ability to think or make judgements on her own. Consequently, her moral lapse in Paris is, in its own way, inevitable.[9]

The injustice that exists even within the confines of a "natural" structure founded on love, and the implications of this injustice for the inevitable failure of the family to achieve its revolutionary goal of personal authenticity for its members and, ultimately, political authenticity for society at large is not openly acknowledged in the text of *Émile*. Still, this approach provides the only useful method for making sense of a narrative whose protagonists inexplicably fail to achieve the goals for which they are singlemindedly trained. A similar paradox marks Rousseau's romantic novel *La Nouvelle Héloïse*. There too the heroine Julie is clearly unhappy and unfulfilled even in the midst of a

---

8. "Émile amoureux et jaloux ne sera point colére . . . il sera plus allarmé qu'irrité . . . il redoublera de soins pour se rendre aimable" (*Émile*, Book V, pp. 788-789; Bloom, pp. 430-431).

9. In detailing Sophie's education, Rousseau emphasizes the extent to which Sophie is merely "prepared ground" for Émile, created as a contingent being only to help fulfill Émile's goals. However, Sophie's inability to think — which prevents her from coming up with her own agenda that might negate her subservient role vis-à-vis Émile — effectively renders her incapable of meeting the challenges of the world around her. When she is forced to make a choice, Sophie has no inner voice to fall back on as a guide: that has been most effectively squelched in the interests of making her totally passive and eagerly accepting of everything Émile has to tell her. Pierre Burgelin expresses it best in his notes to the Pléiade edition of *Émile* when he writes: "Les femmes risquent d'être singulièrement déchirées entres deux morales" (*O.C.*, IV, p. 1647).

family that adores her and is seemingly devoted to actualizing her quest for authenticity in every area of life. In attempting to understand why the story of Julie and her idyllic estate at Clarens doesn't "work out" the way it should, the reader is brought face to face with the dissonances within Rousseau's conception of the family, especially as they are embodied in Rousseau's depiction of women.

Unlike *Émile*, *La Nouvelle Héloïse* presents us with a far more complex and variegated view of the different types of family structures. First, Rousseau introduces the patriarchal d'Étange family. This family unit is run autocratically by the Baron d'Étange, who makes decisions according to his notion of what is due to his class and social status. Personal feelings are of no importance to him. This approach becomes a source of tension when his only daughter Julie attempts to defy him in her choice of a marriage partner. Rousseau's presentation of the narrative gives the impression that Rousseau himself favors the young lovers Julie and Saint-Preux. By implication, this serves as a moral critique of the traditional patriarchal family.[10]

In the face of this black-and-white presentation of the d'Étange family, it is interesting that Julie is not allowed to marry her morally upright, albeit socially undistinguished, lover and proceed to set up a family that will preach the truths of authenticity to the surrounding society. Instead, Julie winds up marrying M. de Wolmar, an old comrade-in-arms of her father, whom she most emphatically does not love. Because Julie has not given up in her search for perfect authenticity, she must radically alter her notion of what constitutes authentic family life. Indeed, reflecting upon her marriage, Julie insists that love, far from aiding the dissemination of authentic living from the family to the world at large, is in fact inimical to authenticity's existence. This is because romantic love concentrates the couple's attention exclusively on each other, thereby making them forget their responsibilities to the

---

10.   Rousseau's bias reveals itself in three ways. First, Julie's beloved, the socially undistinguished Saint-Preux, is introduced as a man of high moral standards who refuses to compromise with the hypocritical and self-serving standards of French society. Second, Lord Eduard Bomston, the avowedly impartial observer of events, himself criticizes the Baron d'Étange's dismissal of his daughter's happiness. This likewise condemns the traditional notion of the patriarchal family as inimical to the achievement of personal authenticity. Finally and most tellingly, Julie's father is described as "denatured." D'Étange's denial of the moral imperative inherent in the "natural" love of two people for each other makes it clear that his approach, based as it is on the *amour-propre* fostered by society and its selfish values, is inherently inauthentic.

surrounding community.[11] Julie claims that the validation of her new beliefs can be found in the estate at Clarens, which Wolmar has deliberately fashioned as a model of rational order. The combination of Wolmar's quest for perfection together with Julie's desire for transparency — i.e., authenticity — is supposed to yield a fully realized authenticity that would transform the surrounding environment.

At first glance, it would appear that perfect transparency has been achieved at Clarens. However, tensions soon surface that reveal the depth of the deception surrounding the self-proclaimed structures of authenticity at Clarens. Three examples are particularly compelling and receive special attention in the novel itself. First, the supposed spontaneous happiness of the servants in serving their masters is revealed to be based on a carefully nurtured network of spies.[12] The question of duplicity regarding the servants has important theoretical ramifications, because a major justification of Wolmar's system at Clarens is that it promotes the spread of authenticity to the surrounding society. If the "authenticity" of the servants' lives turns out to be a sham, the entire structure of Clarens is similarly indicted. In fact, this is what indeed happens. In describing the details of the spying system and the staged confrontations and leisure activities among the servants, the novel reveals the pervasiveness of dishonesty throughout the estate.

The second example of the deception that runs rampant throughout Clarens concerns the extended Wolmar family, including Julie's cousin Claire and Julie's former lover Saint-Preux. The fact that Wolmar must in effect command their transparency with each other to the point of telling them exactly how to go about achieving it raises the suspicion that this transparency is not at all authentic.[13] Similarly, the fact that these good friends must assemble in a special room in order to fully enjoy their transparency invites the thought that their vaunted

---

11. "L'amour est . . . peu convenable au mariage . . . on ne s'épouse point pour penser uniquement l'un à l'autre, mais pour remplir conjointement les devoirs de la vie civile" (*La Nouvelle Héloïse*, III, 20, p. 372).

12. "Ces ouvriers ont des surveillants qui les animent et les observent" (*La Nouvelle Héloïse*, IV, 10, p. 443). Also: "M. et Mme. de Wolmar ont sû transformer le vil métier d'accusateur en une fonction de zele, d'integrité, de courage" (*ibid.*, p. 463).

13. "Ne fais ni ne dis jamais rien que tu ne veuilles que tout le monde voye et entende . . . vivez dans la tête-à-tête comme si j'étois présent, ou devant moi comme si je n'y étois pas" (*La Nouvelle Héloïse*, IV, 6, p. 424).

transparency may be more imagined than actual.[14] The third example
of this pervasive inauthenticity makes itself felt on the personal level,
as Julie admits that she is bored and unhappy.[15] Julie's unhappiness is
an example of deceptive authenticity because throughout the novel,
"true" happiness is used as a barometer of moral rectitude. As a young
girl, Julie refuses to run away with Saint-Preux because she insists that
an ethically acceptable solution to her dilemma must include a sense of
repos, i.e., peaceful happiness, which cannot be hers if she knows that
her parents are upset with her choice. In his letter to her, Lord Bomston
attempts to make Julie understand the difference between inner moral
certainty and the security of social approbation, but this distinction
escapes Julie who winds up acquiescing to her father's choice of a
marriage partner.[16] At Clarens, the sense of *repos* is similarly the
guiding principle in setting up the estate in which happiness is supposed
to be assured by the maintenance of rational order: a place for
everything and everything in its place. Only with the persistence of her
disorderly feelings for Saint-Preux threatening the stasis of Clarens does
Julie begin to recognize, albeit in a limited fashion, that stability can
be stultifying instead of liberating, and that stasis is the harbinger of
death rather than the continuity of life. Julie's unhappiness means that
the social experiment of Clarens fails on its own terms, because it has
failed to guarantee the happiness of its most important member.

In his depiction of the family in *La Nouvelle Héloïse*, Rousseau
goes beyond describing the ways in which family life can be inauthentic.
In addition, Rousseau shows how inauthenticity can drape itself in the
colors of authenticity and thus jeopardize the possibility of even clearly
recognizing the parameters of one's situation. Julie is effectively

---

14.   Rousseau notes that the need to talk ceaselessly about the achievement of
        authenticity, as the characters in *La Nouvelle Héloïse* do, indicates that authen-
        ticity has probably not been achieved: "Celui qui le goûte est tout à la chose, il
        ne s'amuse pas à déclarer, j'ai du plaisir" (*Project for Corsica*, p. 937). Similarly:
        "Entre la chose même et sa jouissance il n'y en a point [d'intermédiaire]"
        (*Confessions*, Book I, p. 39). Also: "Le vrai bonheur ne se décrit pas, il se sent,
        et se sent d'autant mieux qu'il peut le moins se décrire" (*ibid.*, Book VI, p. 236).
15.   "Mon imagination n'a plus rien à faire, je n'ai rien à désirer . . . O mort viens"
        (*La Nouvelle Héloïse*, VI, 8, p. 689). In that same letter, Julie adds: "Malheur
        à qui n'a plus rien à désirer! . . . Vivre ainsi c'est être mort . . . Je ne vois partout
        que sujets de contentement et je ne suis pas contente . . . cette peine est bizarre
        j'en conviens; je suis trop heureuse, le bonheur m'ennuie" (*ibid.*, p. 693-694).
16.   "Vous serez honorée et méprisable. Il vaut mieux être oubliée et vertueuse" (*La
        Nouvelle Héloïse*, II, 3, p. 200).

prevented from ever realizing her own potential, chiefly because she becomes convinced that the methods used to achieve her compliance are really those that will guarantee her transparency. Instead of serving as a haven for the achievement of authenticity in an inauthentic world, the family in *La Nouvelle Héloïse* functions in a way that destabilizes meaning, thereby calling into question the notions of freedom and consent that can legitimate an authentic political system. It would be incorrect, however, to surmise that Rousseau ends his novel on a nihilistic note, despairing of the possibility of even enunciating, let alone achieving, his goal of personal and political authenticity. Along with his complex portrayal of the ways in which people can be duped into negating their own authenticity, Rousseau also presents a character who manages to retain some sense of Self within the charade of masks in Clarens. That person is Claire, Julie's cousin. Throughout the novel, Claire freely confesses that she is not capable of feeling or loving as completely as Julie. Unlike Julie, Claire does not strive to fully integrate all aspects of her life: for Claire, it is not important that her private and public personae merge. Thus, Claire can participate in the masquerade of sentiment at Clarens without destroying her own integrity. Because of her own Self-awareness, and her developed sense of irony, Claire is able to survive the dishonesty at Clarens and even independently venture out into the world.[17] Although it is clear that Claire does not possess the depth of personality that Julie does, her survival demonstrates the possibility of maintaining some sense of Self intact in an inauthentic world which is also a prerequisite for starting to propagate authenticity within the world at large.

New Theoretical Directions

What then can Rousseau teach us about our own situation — the situation of women, families, and the surrounding social and political structures of the late twentieth century? My reading of Rousseau suggests that there is a great deal we can learn from his formulations. We can identify three major aspects of Rousseau's contribution in this realm. First, Rousseau opens up many new avenues of inquiry by raising questions and drawing new theoretical conclusions about the significance of

---

17.   "Je me suis mise à faire le veuve coquette assés bien pour t'y tromper toi-même. C'est un rôle . . . j'ai *employé* cet air" (*La Nouvelle Héloïse*, IV, 2, p. 407; emphasis mine). Also: "Je suis en femme un espèce de monstre" (*ibid.*, I, 69, p. 174).

quotidian structures like the family and its relationship to both the individual and to society at large. In contrast to the received tradition of his day,[18] Rousseau insists that the conrete minutiae of daily life have immense political significance which could revolutionize the conduct of people's lives. It is also significant that Rousseau brings a new understanding of the processes and consequences of revolution to this discussion. As we have already noted, the revolution that would bring about authenticity does not have to be cataclysmic in nature. On the contrary, Rousseau prefers an incremental type of revolution, based upon the structures of everyday life, that would avoid the bloodshed and upheaval that accompanies total revolution. By infusing everyday life with revolutionary possibilities, Rousseau is also making a significant statement about the locus of power and revolutionary political change. The revolution in everyday life is necessarily a revolution from below: it derives its force from the combined efforts of ordinary people who lead their lives in a way that radically alters its previous structure. In avoiding a revolution imposed from above by elite groups, Rousseau achieves two things. First, he eschews the violence inherent in imposed revolutions. Second, he empowers the ordinary individual, traditionally perceived as lacking significant power, with a force that has potentially far-reaching political and social consequences. In this connection, it should not be forgotten that it is women who are the focus of Rousseau's formulations regarding the revolutionary aspects of the quotidian. Although Rousseau remains firmly ensconced in the traditional notions of women's "place" and "proper sphere," it is significant that Rousseau empowers women by charging them with the responsibility for infusing everyday life with the authenticity that would eventually transform both private and public existence for all of society.[19]

---

18.   In his approach to the political significance of daily life, Rousseau distinguishes himself from both his classical and liberal precursors. Unlike Plato, who viewed the structures of daily life as inherently antithetical to the higher consciousness required for the attainment of the just political State, Rousseau demonstrates the positive contributions of everyday structures like the family to political life. Contemporary liberal political thought of the 17th and 18th centuries, on the other hand, tended to see the private sphere as completely separate from the public realm; hence irrelevant to it and therefore unimportant. Rousseau is likewise unsympathetic to this view, demonstrating the interconnectedness between the private and public realms and consequently the immense *political* significance of the quotidian.

19.   This is seen in the importance Rousseau places on lactation, and the fact that (through their educative function within the family) women are placed in charge

Rousseau's second major contribution to our understanding of the family is a direct consequence of his formulation of the political significance of the quotidian. As a result, Rousseau challenges the strict division of life into mutually exclusive private and public spheres. This is seen as particularly in the way Rousseau structures the problem that he is trying to solve. In the beginning of *Émile*, for example, he phrases the issue as making either a man or a citizen, i.e., as choosing between private or public education.[20] Yet, in the development and resolution of this issue, it becomes apparent that no successful solution can exist if this dichotomous structure is slavishly upheld. In fact, the course of Émile's education proves that these two realms of public and private are not mutually impenetrable in real life. It is significant that this realization becomes clear at the point that Émile is ready to assume his adult duties of starting a family, for it is when discussing the role and duties of the good spouse that Rousseau begins to formulate intellectually the extent of women's domestic influence over the surrounding political landscape.

A nascent awareness of the porousness of the categories of public and private is evident also in the workings of Rousseau's novels. This is seen most clearly in the way that Rousseau handles the lives of his fictional women. If women, working from the domestic sphere, can be responsible for coping with as well as transforming the personal and political inauthenticity that surrounds them, it stands to reason that a theory that persists in accounting for the personal and political as mutually exclusive categories is both useless and misleading. This is in line with Sophie's own fate: as we have seen, her enforced limitation to the traditional private realm of women can be blamed for the eventual failure of Rousseau's tailored educational system to attain its goals of authenticity for its participants and for society at large. Furthermore, this implies that the beginnings of a new theory that can accurately describe the interrelationship of the personal and the political must have its genesis in reality as it is experienced by women, for it is their lives that serve as the source of the critique for the private/public dichotomy

---

of preserving the standards of morality and decency in inauthentic society. On this, see especially Book I and Book V in *Émile*.

20.   "Ce qui fait la misère humaine est la contradiction qui se trouve . . . entre l'homme et le citoyen; rendez l'homme un vous le rendrez heureux autant qu'il peut l'être. Donnez-le tout entier à l'état ou laissez-le tout entier à lui-même, mais si vous partagez son cœur vous le déchirez" (*Du bonheur public* in *Fragments politiques*, in *O.C.*, III, p. 510).

now exposed as artificial.[21] This is particularly obvious in the lives of Julie and Claire in *La Nouvelle Héloïse*. Julie's refusal to deal with the dissonance in her own life as seen in the chasm between her private and public incarnations — expressed in the novel as the conflict between Self and Other — dooms her to inauthenticity. On the other hand, Claire's effort to deal with this tension merits her at least a certain measure of autonomy if not the full achievement of authenticity. The fact that Rousseau sees the tension between the private and the public as requiring positive resolution indicates that for him, mere exclusivity of choice is not the pathway to authenticity.

This insight is directly applicable to our own dilemmas regarding the relationship between the private and the public — especially as reflected in the tension between the private arena of the family and the public world of work. If, as demonstrated by Rousseau's writings, the forced choice between the private and public spheres is itself inherently inauthentic, it becomes clear that the women obliged to make such a choice can actually only pick between two pathways to inauthenticity.[22] What is left intact in such an arrangement is the existing structures of power that continue to enjoy immunity from having to justify the perpetration of inauthenticity upon women and through them on all members of society.

The interpenetration of the private and public arenas is grounded on a much broader premise, which marks Rousseau's third contribution to our concept of the family and its relationship to the surrounding social and political network. This is Rousseau's continued insistence on the ambiguity that pervades modern life, and the challenge that this raises to the achievement of authenticity.

Rousseau emphasizes the complexity and ambiguity of modern life as he sees it by placing on a continuum concepts that are normally

21. In *Gender and History*, Linda Nicholson demonstrates the historicity of the perceived impenetrability of the categories of private and public.
22. Evidence of the tensions between the private and public realms as felt in the workplace especially by parents is attested to in many contemporary newspaper and magazine articles. On the other hand, awareness of these tensions does not automatically imply the search for new ways to restructure the social and political environment that enforces these inauthentic options. The traditional ways of coping remain attractive because, as we have suggested, they demand adjustment from only one part of society — i.e., the women who have always had to cope with this opposition. Thus, it is reported that even corporate women are "dropping out" to raise families, convinced that this is the only option remaining to them if they want to fulfill their responsibilities in the private sphere (*The New York Times*, Thursday, April 20, 1988, p. C1).

considered to be contradictory.[23] In so doing, Rousseau is closer to
contemporary feminist criticism of the politics of domination than might
at first appear.[24] Throughout his novels, Rousseau demonstrates that
it is the false insistence upon dichotomies that destroys authenticity and
the possibility for its achievement. Rousseau understands the ambiguity
of life as a message of hopefulness rather than cause for despair. He
maintains that there is no one "right" way to attain authenticity: rather
its achievement is a function of particular people and circumstances.[25]
Thus, Rousseau insists that authenticity can be maintained even in an
inauthentic world, and that a life spent coping with inauthenticity (the
situation of Claire) is better than a life wasted in the denial of the
ambiguities of existence (the case of Julie).

Conclusion

With all the theoretical complexities in Rousseau's writings, it is
nonetheless clear that Rousseau himself does not transmit practical
blueprints for the future regarding the achievement of authenticity
through the structures of everyday life. Neither does Rousseau reveal
how to go about positively integrating the private and public spheres,
or how to implement the cognitive re-ordering of the categories of
existence. What Rousseau does is teach by example. First, Rousseau's
writings are a testimony to the enduring importance of theory. Although
certain contemporary writers have questioned the efficacy of theoretical

---

23.   This is in direct opposition to the classical and liberal penchant for dichotomy:
      nature vs. civilization; private vs. public; emotional vs. rational; "worst" and
      "best" types of government. While Rousseau presents certain of his concepts as
      polar opposites, this is done for ease of explication and it soon becomes obvious
      that one end of the continuum implies the other. For example, although Rousseau
      talks about a "good" and "bad" kind of love (*amour de soi* and *amour-propre*,
      respectively), certain aspects of *amour-propre* are found in *amour de soi*:
      "L'amour de soi mis en fermentation devient amour-propre" (*Lettre à Christophe
      de Beaumont*, in *O.C.*, IV, p. 936).
24.   See Donna Haraway, "A Manifesto for Cyborgs": "Certain dualisms have been
      persistent in Western tradition: they have all been systemic to the logic and
      practices of domination of women . . ." in Linda G. Nicholson, ed.:
      Feminism/Postmodernism, p. 219.
25.   "Quand donc on demande absolument quel est le meilleur Gouvernement, on fait
      une question insoluble comme indéterminée; ou si l'on veut, elle a autant de
      bonnes solutions qu'il y a de combinaisons possibles dans les positions absolues
      et rélatives des peuples" (*Social Contract*, III, 9, p. 419).

investigations in the quest for personal and political authenticity,[26] Rousseau's efforts in the different forms of the written word reveal his commitment to exploring and even pushing the frontiers of critical thought. Second, Rousseau's critique of contemporary liberal categories of thought itself demonstrates his close ties with some of the values espoused by that school of thought. In this context, a rereading of Rousseau's works can prove rewarding for the insights it can still yield in the formulation of contemporary political and social theory. Instead of a wholesale rejection of liberal values, resulting in the espousal of socialist or Marxist constructs which themselves are found wanting,[27] it may be worthwhile to analyze and retain those concepts of liberal thought — e.g., the valorization of personal identity and individual freedoms — that could still be useful in a robust feminist theory of authenticity.[28]

It is noteworthy that two hundred years after Rousseau first remarked on the importance of the family to the resolution of crucial political issues, the family still remains at the center of political debate. It would seem that we have finally come to understand the importance of the health of the private sector to the public welfare at large, and the futility of trying to maintain artificial walls between those realms. The next step is to actually restructure our cognitive categories of Self and Other, private and public. It is then that the revolutionary change inherent in Rousseau's writings can be realized, and the ideal of authenticity in all spheres be achieved.

Mira Morgenstern
Touro College,
New York City

---

26. It is possible to read Carole Pateman's conclusion in *The Sexual Contract* as doubting the possibility of political theory to conceive of a just society: "The political fiction is still showing vital life signs and political theory is insufficient to undermine the life supports" (p. 234).
27. See, for example, Nancy C.M. Hartsock, *Money, Sex and Power: Towards a Feminist Historical Materialism* (Northeastern University Press 1983) and Zillah R. Eisenstein, *The Radical Future of Liberal Feminism* (Northeastern University Press 1981).
28. Virginia Held does this in her analysis of love in "Marx, Sex and the Transformation of Society" in *The Philosophical Forum*, volume 5, 1973-1974, pp. 168-185.

ROUSSEAU'S ECONOMIC THEORY:

DEVELOPMENT AND MODERNITY

RECONSIDERED

Rousseau's conception of political rights and responsibilities cannot be understood without an examination of his framework for the reproduction of human life, a task he consigned to the province of the household. The autarkic household, inspired by the models of the French feudal manorhouse and of Genevan artisanal familial mores, is the realm in which men master the necessities of life through the management of economic affairs. The reconstruction of the feudal household, which Rousseau sketched in *La Nouvelle Héloïse*, was intended as an antidote to the contemporary bourgeois transformation of family life into a more private and closed structure, designed to insulate its members from the struggle taking place among opponents in the market place. Rousseau's model also served to recall the French nobility to its traditional responsibility. As public/civic education is impossible in a monarchy, it becomes the responsibility of the nobility to organize the production of material life in a manner consistent with the moral principles that inform all other social and political interactions. Thus, the reform of monarchies is directed at reviving and redirecting the structural source of their power and of their special virtue: the aristocratic household. This structure self-consciously assumes responsibility for the nurturing process through which man's sentiments are socialized and he acquires the moral development appropriate for a new politics.

It is only in the light of mistaken characterizations of the aristocracy as a decadent and defeated class that Rousseau's advocacy of the aristocratic household appears anachronistic.[1] Such views, which portrayed the triumph of the bourgeoisie in almost all aspects of social, economic, and even political life in the eighteenth century, have been successfully disputed by steady challenges. The documented survival

---

1. Arno J. Mayer, *The Persistence of the Old Régime* (New York: Pantheon Books, 1981).

of the *ancien régime* into the nineteenth century demonstrates the
endurance and adaptability of the aristocracy and confirms its vital
participation in the widespread reformulation of public life.[2] The
modern efforts by both liberal and leftist theorists to locate the
foundation of rights in property, respectively either emphasizing the
"natural" status of property, and therefore its position as the basis of
all other rights, or stressing the stringent limitations on property and
its purely social and political basis, are confounded by Rousseau's
"reactionary" preference for an autarkic, aristocratic reordering of
material needs in which property, although held in "private," is
exploited for the more or less commodious welfare of a small community of unequal participants.[3]

Rousseau, who analyzed the particular ills of the French *ancien
régime* and formulated plans for delaying its eventual overthrow,
specifically designated the aristocracy as the most suitable agent of
positive social and moral reform. Rousseau made no claim for the
universality of his plan, nor should it be taken, as by one commentator,
as an alternative to the political reform of a state's constitution: it is not
an alternative to the political reform but rather a precondition for any
future wise government.[4]

The Aristocratic Household as Revolutionary Class

Focusing on the family as the prototypical social institution and
explaining political associations on the basis of sentiments provided
Rousseau and his audience with a new understanding of politics. This
becomes particularly apparent in recent conceptions of the public sphere
as including the "social." The concern with establishing stable affections, with nurturing and well-being as social concerns, leads Rousseau

---

2. G. Chaussinand-Nogaret, *La Noblesse au XVIIIᵉ Siècle, De la Féodalité aux
   Lumières* (Paris: Hachette, Éditions Complexe, 1976), pp. 39-65, 119-160,
   181-201. B. Behrens. "Nobles, Privileges and Taxes at the end of the Ancient
   Regime," *Economic History Review* (1962). Daniel Roche, "Recherches sur la
   Noblesse Parisienne au millieu du XVIIIᵉ Siècle: La Noblesse du Marais," in
   Actes du 86ᵉ Congrès National des Sociétés Savantes, 1962. Jacques Godechot,
   The Counter-Revolution: Doctrine and Action 1789-1804, (Princeton: Princeton
   University Press, 1981).
3. See Yoav Peled, "Rousseau's Inhibited Radicalism: An Analysis of His Political
   Thought in Light of His Economic Ideas," *American Political Science Review,*
   Vol. 74, December 1980, No. 4, pp. 1034-1045.
4. J. Shklar, *Men and Citizens* (Cambridge: Cambridge University Press, 1968).

to address the problem posed by the changing economic arena. Although English and French economists find it necessary to include the economic sphere within the boundaries of public opinion yet outside the jurisdiction of the state, Rousseau instead wants it to remain within the domestic purview and under the aegis of political adjudication.

Procuring the necessities of life, a function relegated in antiquity to the household, has become embroiled in a set of impersonal and adversarial relations. Rousseau favors a more communal model based on the mutual recognition of needs among small domestic groups, which will form the economic basis of the state. Thus, the political economy developed in opposition to both French and English models of market expansion seeks to limit the scope of impersonal transaction by maximizing bonds among immediate familiars.

Rousseau's critique of society is not simply an attack on the system of hierarchy and privilege of the aristocracy or on the preoccupation with the expansion of a bourgeois market economy. It is an attack on the social and political inequalities that harm all aspects of human life. His conviction that economic inequalities contribute as fundamentally to social injustice as do hierarchies of rank leads him to expose the aristocracy's "base" preoccupation with wealth.[5] In spite of his fascination with the aristocracy, and with the alliance he sometimes contemplates between the nobility and the artisanal class of his youth, Rousseau is clear on the problems of hereditary privilege. Although united in their contempt of the bourgeois, the two orders do not have all interests in common. As rich and poor they compete for the precious resources needed to satisfy their most basic needs:

> The waste of goods which serve to nourish men is sufficient to render luxury odious to humanity. . . . We need sauces in our kitchens; this is why the sick lack bouillon. We need liqueurs on our tables; that is why the farmer drinks only water. We need powder for our wigs; this is why so many poor people have no bread.[6]

Rousseau has been characterized as a pessimist who views modernity and the prospects of "industrialized urban civilization" with a jaundiced eye[7] The despoilation of nature and the debasement

---

5. Pl. II, pp. 84-86, 75.
6. Pl. III, p. 79n.
7. Masters, (1968), pp. 421-37; B. de Jouvenel, "Rousseau, the Pessimistic Evolutionary," Yale French Studies, No. 28, Fall-Winter 1961-62, pp. 83-96; J. Shklar, *Men and Citizens*; Serge Mallet, *Essays on the New Working Class*, eds. D. Howard and D. Savage (St. Louis: Telos Press, 1975), p. 120.

of human life that Rousseau witnessed in the course of long walks through the French countryside convinced him that "ransacking the earth's entrails" would only condemn man to be "buried alive." Rousseau's "pessimism" about certain aspects of urban life does allow his vigorous advocacy of a mostly rural existence for modern man. Contrasting "the emaciated faces of the unfortunate who languish in the foul vapors of mines" with those of "loving shepherds and robust laborers," Rousseau adumbrates the advantages of restoring a connection with the natural world of "green pastures and flowers, of azure skies." Rousseau asserts, several years before the physiocrats, the importance of agriculture as both a source of material wealth and a key to social equilibrium. Contemporary political economy has vindicated Rousseau's resistance to the English model of modernization predicated on a rapid "take-off" into industrial growth. France's more gradual approach to modernization would prove a far more reliable prototype for other nations.[8]

Rousseau's defense of rural life also gives voice to his predictions of the demise of English political liberty. Although his pronouncements have been ascribed to "reactionary economics,"[9] it is not for lack of sympathy with the quasi-republicanism of the English people[10] that Rousseau believes them destined to fail but rather from a belief in the inevitable downfall of a people who forsake the land for life in the cities.

8. For a corrective view of French economic development: Rudolph Braun, "The Impact of Cottage Industry on Agricultural Population," in David Landes, *The Rise of Capitalism*, (New York: Macmillan, 1966) pp. 53-64. Franklin F. Mendels, "Proto-Industrialization: The First Phase of the Industrialization Process," *Journal of Economic History*, XXXII, March 1972, pp. 241-261. Franklin F. Mendels, "La Composition du Ménage Paysan en France au XIX Siecle: Une Analyse Economique du Mode de Production Domestique," *Annales*, E.S.C., no.4, Juillet-Août 1978. Franklin F. Mendels, "Industry and Marriages in Flanders before the Industrial Revolution," *Population and Economics* (ed. Paul Déprez) (Winnipeg: University of Manitoba Press, 1968) pp. 81-93. Patrick O'Brien and Caglar Keyder, *Economic Growth in Britain and France, 1780-1914* (Boston: George Allen & Unwin, 1978). This excellent work points out that reallocation of labor "from agriculture to industry and services is efficient only if its marginal productivity is higher outside primary production" and that there is "no easy assumption that a relatively large agricultural section is abnormal or demonstrably 'suboptimal'" (p. 18). Richard Roehl, "French Industrialization: A Reconsideration," *Explorations in Economic History* 13 (1976), pp. 233-281. This is a very useful review essay on the debate and its ramifications.

9. Alexandre Chabert, "Rousseau Economist," *Revue d'Histoire économique et Sociale*, 1964, pp. 345-356.

10. Pl. II, pp. 524, 654.

As Rousseau gains greater understanding of the habits and mores engendered by market relations and becomes more familiar with social and political practices in England, he is persuaded, in spite of praise lavished on the English parliamentary system by Montesquieu, Voltaire and the *Philosophes*, that a people willing to uproot themselves, to sever bonds of kinship formed in pre-industrial society in order to gain greater access to luxuries, will wish to conquer others. Their downfall must follow. Having learned the lesson of Roman decadence, Rousseau applies it to the contemporary avatar of this particular type of republicanism:

> It is, for example, very easy to predict that in twenty years, England in all its glory, will be ruined, and moreover will have lost what remains of its liberty. Everyone asserts that agriculture still flourishes in that Isle, and I wager that it is perishing. London grows daily; therefore the kingdom is depopulated. The English wish to conquer; therefore they will become slaves.[11]

Were Rousseau's predictions overstated? His warnings about the consequences of dissolving rural familial and economic ties were mostly correct, anticipating some major problems of urban industrial life that more enthusiastic proponents of modernization blissfully overlooked. The consequences of inappropriate and ill-conceived industrialization efforts are being reconceptualized. The range of problems is comprehensive, from the degradation of the physical environment to the one hundred million women "missing" from the populations in South Asia, West Asia, China and North Africa.[12]

The political economy developed by Rousseau in opposition to changes in the modes of production of France and England involves him in a specific project to reform mores through the private sphere. His solution is meant to address the specific problem of the French *ancien régime*. Rousseau announces his plan for domestic reform in the second preface to the *Nouvelle Héloïse*: "If there is any reform to be attempted in dealing with public morality, it is through domestic mores

---

11. Pl. III, p. 573.
12. The dislocations and sometimes deadly consequences of significant aspects of the industrialization and "modernization" process are the subject of contemporary reportage. See: Peter Passell, "Rebel Economists Add Ecological Cost to price of Progress," *New York Times*, November 27, 1990; Nicholas D. Kristof, "The Third World: Back to the Farm," *New York Times*, July 28, 1985; Amartya Sen, "More Than 100 Million Are Missing," *New York Times Review of Books*, December 20, 1990, pp. 61-66.

that it must begin."[13] It is in this context that Rousseau clarifies the possibility of attaining equality among unequals — while maintaining the wide disparities in economic conditions between members of the same community.

The Moral Ordering of Brute Functions

Given the egalitarian import of Rousseau's conception of rights, his preference for an autarkic feudal household as the economic and political basis of harmonious social existence is incomprehensible unless it is understood not only in terms of the violent revolution taking place in the mode of production in England, but also in terms of the debate on reform taking place in Geneva. This political debate opposed powerful international banking interests, openly identified with the French court and with modernity, to the mostly artisanal citizen body. The latter, more rustic in manner and traditionalist in their daily practices, sought territorial independence as well as greater internal political freedom vis-à-vis their governors. In a century noted for frequent popular uprisings throughout Europe, the fierce contestations of the Genevan citizens, as well as of the *natif* and *habitant* populations, is justly famous.[14]

Rousseau's depiction of the private sphere as the appropriate base for organizing the nation's material life starkly contradicted contemporary proposals for modernizing production. Targeting the realm of agricultural production, the largest and most significant productive sector, the physiocrats advocated abolishing the small holding in favor of a form of agrarian capitalism that imitated the English method of agricultural exploitation.[15] Rousseau's defense of a feudal model for organizing the cultivation of resources reflected his political rejection

---

13. Pl. I, p. 24.
14. Michel Launay, *Jean-Jacques Rousseau, Écrivain Politique* (Cannes; C.E.L.; Grenoble: A.C.E.R., 1971), pp. 34-66; 82-100.
15. Many excellent economic histories, among the best: Ernest Labrousse & Fernand Braudel (eds.), *Histoire Economique et Sociale de la France, Vol. 2, 1660-1789* (Paris: Presses Universitaires, 1970), pp. 88-155. Elizabeth Fox-Genovese, *The Origins of Physiocracy: Economic Revolution and Social Order in France in the 18th Century* (Ithaca: Cornell University Press, 1976). Henri Sée, *La Vie Économique et Les Classes Sociales en France au 18ᵉ Siècle* (Paris: Félix Alcan, 1924); discussion of Turgot on pp. 138-150. Henri Sée, *L'Évolution Commerciale et Industrielle de la France Sous L'Ancien Régime* (Paris: Marcel Giard, 1925). Marc Bloch, *French Rural History: An Essay on its Basic Characteristics* (Berkeley: University of California Press, 1966). Marc Bloch, "La Lutte Pour

of impersonal market relations, which he understood as commodifying and homogenizing all human relations, in favor of face-to-face relations. His critique of political economy, considered a preface to the *Social Contract*,[16] itself part of a larger work to be entitled *Institutions Politiques*, emphasized a theory of administration, or of government, which avoided both market relations and the production of more wealth.[17]

The study of economics, which, for Rousseau, concerned the regulatory functions of government, deals primarily with the administration of affairs among individuals who hold disproportionate amounts of property and who are therefore unequal in this regard. Rousseau understood the study of public economy in terms of three principal functions, which he summarizes as the administration of laws, the maintenance of civil liberty, and the subsidy of the state's needs.[18]

Legitimate government's first and foremost function is to distinguish the private will above all one's own, from the general will, and to follow the latter in all matters. The objectives of the second function of government are to be accomplished by protecting the individual members of the state, inculcating them with love for their homeland and, when appropriate, instructing them through a public education system inspired by the models of antiquity.

It was only in his discussion of the third function of public economy that Rousseau disclosed his understanding of, and recommendations for, a particular economic system. It was here that he stated his preference for a mostly agrarian basis for material life and his hostility to the expansion of commerce and industry. Rousseau reaffirmed and obstinately maintained this preference in *Projet de Constitution pour la Corse* (1765) and in *Considérations sur le Gouvernement de Pologne* (1772), altering little in his vision of an agriculturally based economy.

---

l'Individualisme Agraire," in *Mélanges Historiques* (Paris: S.E.V.P.E.N., 1963) vol. 2, pp. 594-96. Georges Weulersse, *Le Movement physiocratique en France*, 2 tomes, (Paris: Félix Alcan, 1910).

16. Pl. III, p. LXXIV.
17. Pl. III, pp. 262-263. Especially strident in the *Discourse on Political Economy:* "The right of property is the most sacred right of citizenship, and even more important, in some respects, than liberty itself." This is true for several reasons, the last being that "property is the . . . real guarantor of the undertakings of citizens: for if property were not answerable for personal actions, nothing would be easier than to evade duties and laugh at the laws."
18. Pl. III, p. LXXVIII.

The Discourse on Political Economy (1755) succinctly clarified Rousseau's position: he understood his task as that of a moralist, not of an economist. He sought to attenuate, if not eliminate, the destructive impact of abundance and luxury on citizens in order to enhance their ability to value and seek to achieve political freedom. Men's desires for sensual gratification were to be restrained in order not to overwhelm their judgments; if that process could be legislated and administratively maintained, "from what errors would reason be preserved, and what vices would be choked even before birth, if one knows how to compel the brute functions to support that moral order which they so often disturb."[19]

Rousseau was, therefore, preoccupied with reducing both government spending and its resources, advocating, as had Bodin, the establishment of a public domain from which the state could derive most of its expenses. This is why Rousseau would join the liberal theorists, who were mostly concerned with strengthening private property, in recommending a limited accumulation of the resources of the state. In this manner, Rousseau would unite conservative and liberal positions to support his own. To that end Rousseau proposed a system of progressive taxation to redistribute the costs of governance to the richer members of society and thus ensure his primary objective — the protection of social and political justice among citizens.[20]

The Problem of Development in France

Anglo-American historians and economists seeking to understand modern French economic development have characterized it as stagnant in its incapacity for structural change. Cameron notes that the French rate of growth for all relevant variables was "substantially below that of other Western industrial nations."[21] In attempting to elucidate the sources and factors of this stagnation, historians have compared France to England, the latter having the dubious distinction of having paved

---

19. Pl. I, p. 409.
20. Pl. III, p. 270.
21. Rondo Cameron, "Economic Growth and Stagnation in France, 1815-1914," in B.E. Supple (ed.), *The Experience of Economic Growth* (New York: Random House, 1963), p. 329. Cameron changes his evaluation of French economic growth from "retardation" to "slow growth" in "L'Économie française: passé, présent, avenir," *Annales, Économies, Sociétés, Civilisations* (Paris: A. Colin), Sept-Oct. 1970, pp. 1424-27.

its way to modernization via the industrial "take-off" phenomenon.[22] Kemp wrote that although French "growth was taking place, it fell short of what was required to bring the economy into line with the best results elsewhere." French torpor was, therefore, clearly understood as both relative and structural, for Kemp gloomily predicted that even the modicum of growth that could be detected "was not accompanied by the preparation of conditions for structural change."[23] Recent work by Braun, Berkner, Mendels, O'Brien and Keyder, and Roehl, however, suggests that the panorama is more ambiguous and that France's development followed a different route. Industrialization existed earlier and in different forms than those manifested by the English model, and this resulted in a less drastic and dislocative process.

Agrarian capitalism, which had great success in England, was advocated by the physiocrats in France but never adopted as a working model. "Preindustrial industry," industrial production that occurs in a nonurban setting, was, however, of considerable significance for both France and Switzerland. Understanding this phenomenon clarifies Rousseau's "reactionary" economics: his reluctance to endorse agrarian capitalism and "modern" industrialization.

Studies of "retardive factors" in French economic development had located the problem of economic stagnation in the nineteenth century: 1815-1914. This meant that industrialization was purported to have taken place a century later in France than in England, without duplicating Rostow's much admired take-off model. Marczewski was unable to identify a take off per se in France but asserted that an upturn could clearly be detected in the middle of the eighteenth century. Roehl indicates that this assertion is well-founded. He has shown that the middle of the eighteenth century, far from being the origin of retardive factors, was instead the origin of modern French economic develop-

---

22. W.W. Rostow, *The Stages of Economic Growth* (Cambridge: Cambridge University Press, 1971), Chs. 2-4, and W.W. Rostow (ed.), *The Economics of Take-Off Into Sustained Growth* (London: Macmillan, 1963). In this volume J. Marczewski clarifies this discussion in "The Take-Off Hypothesis and the French Experience": "There was no true take-off in France at all: the growth of the French economy was very gradual and its origin lies far in the past." He believes that if there was a take-off it was in 1750; France was a leader and Britain a follower (pp. 129, 131-32).

23. Tom Kemp, *Economic Forces in French History* (London: Dobson, 1971), believes that backwardness can be defined and analyzed in structural terms, France's "stagnation" deriving from its failure to imitate Britain's technology and factory system. See p. 257.

ment. He suggests that this was a time of unique and intense activity in the agrarian and industrial sectors.

Significantly, the modern debate echoes the debates in 18th century French philosophic circles. In question was the physiocratic contention that economic phenomena represent a distinct order of facts and knowledge and obey laws that derive from that order. Although the work of Petty in England and of Boisguilbert in France a century earlier had underscored the need to elaborate an economic law, it was not until Quesnay and the physiocrats "codified" an economic order that a case would be made to establish economics as a science. The debate acknowledged the primacy of the agrarian sector, which the Physiocrats valorized, but leveled bitter criticism at agrarian capitalism. Rousseau and his disciple Mably were the earliest critics of a doctrine which legislated economic inequality in the name of progress. Rousseau's most salient objection focused on the separation of the economic sphere from the judicature of the legislative authority, while Mably, more egalitarian, focused on the injustices inherent in the system.

French economic growth should be considered in light of the phenomenon Mendels calls "proto-industrialization," and describes as "part and parcel of the process of industrialization or, rather, as the first phase which preceded and prepared modern industrialization proper."[24] When the products of this particular source are quantified, French industrial output presents a different picture. The annual rate of growth of French industry and handicrafts in the eighteenth century was estimated at 1.91 per cent; according to Roehl, this would put France's growth at a rate higher than England's. In addition, Marczewski and Markovitch's research indicates that per capita output in France was equivalent to, and perhaps even surpassed, that of England in the early 1800s.[25]

Proto-industrialization contributed to the rapid growth of traditional, market-oriented, primarily rural industry and facilitated changes in the spatial organization of the rural economy. Labor was easily obtained since agriculture requires workers only in compressed and short intervals. Most peasant families could afford the cost of one or several looms and other basic tools necessary to participate in textile production, the largest European industry. Being the poorest, these

---

24.   Mendels (1972), p. 241.
25.   Roehl (1976), p. 243-244.

families held insufficient land to survive after rent and taxes; the income from weaving was therefore crucial to the family economy. Involvement in rural industry was not a separate activity undertaken by peasants: rural industry improved the time patterns of rural employment, "not so much increasing the productivity of labor as increasing the productivity of workers." Given the conventional belief that England had been in the midst of her "revolution" for 20 years and that France had several decades to go before beginning her own development, these reformulations are significant in clarifying the role of agriculture in nascent capitalist economies.

The development of technology occurred alongside that of agricultural transformation in the course of French economic development. Some historians writing as late as 1973 reported the lack of French inventiveness in the eighteenth century: they generously, if a bit vaguely, referred to France's "less congenial climate of innovation." Others, however, maintained that French inventions of "real significance" exceeded those made in England. Roehl, examining data on the registration of patents, notes that, although a number of French patents were recording "highly impractical schemes," there were numerically more patents recorded in France than in England. In addition, whereas English patents were granted for ideas alone, the French Academie Royale des Sciences required drawings and scale models for registration of all patents.[26]

In seeking to reconstitute the state according to more equitable principles, Rousseau confirmed Condorcet and Descroit's criticism: he attacked contemporary arrangements of society and, in the *Discourse on Political Economy* providing his first version of a political alternative to government by a legal despot. In the legislation and administration of the state, Rousseau proposed the supremacy of the people over that of such a despot. Government thus assumes executive but not legislative power; the latter residing in the people alone.[27] Consequently, the first rule of political economy consists of ensuring the existence of an administration that will conform to the general will as manifested in the

26. *Ibid.*, p. 250.
27. For a discussion stressing the conservative rather than radical notion of democracy, and the representative nature of the state, see Richard Fralin, *Rousseau and Representation: A Study of the Development of his Concept of Political Institutions* (New York: Columbia University Press, 1978). I believe that this is a useful and accurate reading of Rousseau's recommendations to his fellow Genevans, if not of his understanding of democracy as it unfolds.

laws of the state. The legislator responsible for the codification of these laws has fulfilled his task correctly only if he has taken into account all that is required by the location, climate, soil, mores, surroundings and particular relationships of the people he was to institute. The successful legislative task is, therefore, to be based on material conditions, both human and geographic/ecological: the primary economic task for Rousseau was, therefore, essentially political.

Rousseau's second, "essential" rule of political economy deals primarily with the necessity of conforming individual wills to the general will — civic virtue being nothing other than the conformity of private wills to the general will. Rousseau advocated patriotism as the best way to encourage such congruence; and, instead of pointing to reason or self interest, he pointed to love as the emotion capable of inducing civic obedience. Man's willingness to desire "what is wanted by the people we love" is the only lure the wise legislator will require. Given his severe castigation of love as the social creation of one gender for the enslavement of the other, it seems surprising initially to read Rousseau's advocacy of love as the sentiment appropriate to effect the dramatic accommodation of particular wills and interests to the general will. The seeming contradiction between Rousseau's perception of love as a social invention for enslavement and as a basis for civic freedom is resolved if the reader recalls Rousseau's injunction about using the agent of corruption to transcend and defeat the effects of that corruption.[28]

Rousseau's advocacy of patriotism identified the power of erotic love as a form to be sublimated into a love of homeland. Let men substitute one for the other, and virtuous citizens will be born from the ashes of chastened libertines. "The ecstacies of tender hearts appear as so many chimeras to anyone who has not experienced them," wrote Rousseau as one who knew the empire of emotions as well as their awesome power to motivate specific human behavior: "love of homeland, a hundred times more ardent and delightful than that of a mistress, likewise cannot be imagined except by being felt."[29]

---

28. See Carol Pateman for a critical treatment of the role of women in Rousseau's political thought: "Women, Love, and The Sense of Justice," *Ethics*, vol. 91, no. 1, Oct. 1980, pp. 20-34, and Penny Weiss, "Rousseau, Antifeminism, and Woman's Nature," *Political Theory*, vol. 15, no. 1, Feb. 1987, pp. 81-89, for an excellent corrective to Pateman's argument.

29. Pl. III, p. 254.

It was only in his discussion of what he calls "the third principle of political economy" that Rousseau addressed the "economic" question: the administration of goods and services. Rousseau correctly identified a correlation between one's material condition, understood in social as well as in metaphysical and economic terms, and individual happiness. Rousseau was contemptuous of philosophical flights of detached speculation which affirmed man's capacity to experience contentment regardless of his struggles for physical survival. Further, Rousseau pointed to the political realm rather than the market or the family for the correction of injustices. This proved problematic to those who like Locke advocated the separation of private contentments from the adjudication of the public realm. Rousseau, in the *Discourse on Political Economy*, in a clear renunciation of that viewpoint, wrote that a crucial responsibility of government — and the only one leaders of the state share with leaders of families — is the obligation to make the individuals under their tutelage happy. The state must assure its citizens access to prosperity through labor, keeping "abundance so accessible that, to acquire it, work is always necessary and never useless." This injunction was tantamount to assigning government the responsibility to create the preconditions for the right to full employment for all citizens. Believing that man is constituted by and within his relationships, especially those by which he secures the means of his physical survival, the relationships of labor, he remarks in *The Origin of Language* that "everything corresponds in its origins to the means of providing subsistence."

Nicole Fermon
Fordham University at
Lincoln Center

TABLE DES MATIÈRES

TABLE OF CONTENTS

IV. Fictions épistolaires
Epistolary Passages

V. Modernité de *La Nouvelle Héloïse*
La Nouvelle Héloïse Today

La collection « Pensée libre »

The *Pensée libre* Series

1. Études sur les *Discours* de Rousseau / Studies on Rousseau's *Discourses,*
    publié sous la direction de / edited by Jean Terrasse, 1988.

2. Études sur le *Contrat social* / Studies on the *Social Contract,*
    publié sous la direction de / edited by Guy Lafrance, 1989.

3. Jean-Jacques Rousseau et la Révolution / Jean-Jacques Rousseau and the Revolution,
    publié sous la direction de / edited by Jean Roy, 1991.

4. Lectures de *La Nouvelle Héloïse* / Reading *La Nouvelle Héloïse* Today,
    publié sous la direction de / edited by Ourida Mostefai, 1993.

Achevé d'imprimer
en novembre 1993 sur les presses
des Ateliers Graphiques Marc Veilleux Inc.
Cap-Saint-Ignace (Québec).